ЧИТАЙТЕ РОМАНЫ
мастеров закрученного сюжета
Анны и Сергея
Литвиновых

Проигравший получает все

Второй раз не воскреснешь

Отпуск на тот свет

Звезды падают вверх

Заговор небес

Пока ангелы спят

Осколки великой мечты

Все девушки любят бриллианты

Быстрая и шустрая

Дамы убивают кавалеров

Эксклюзивный грех

Рецепт идеальной мечты

Прогулки по краю пропасти

Черно-белый танец

Предпоследний герой

Предмет вожделения №1

Оскар за убойную роль

Даже ведьмы умеют плакать

Анна и Сергей Литвиновы

Даже ведьмы умеют плакать

МОСКВА
«ЭКСМО»
2004

УДК 82-31
ББК 84(2Рос-Рус)6-4
Л 64

Оформление серии художника *С. Курбатова*

Литвинова А. В., Литвинов С. В.

Л 64   Даже ведьмы умеют плакать: Роман. — М.: Изд-во
Эксмо, 2004. — 384 с. — (Две звезды российского детектива).

ISBN 5-699-07963-7

Однажды юная Лиза Кузьмина, работающая маркетологом в круп-
ной компании, вдруг с ужасом убеждается, что ее мысль материальна.
Разозлившись на начальника, Лиза в минуту ярости проклинает его —
и уже через полчаса шефа с сердечным приступом увозит «Скорая помощь». А дальше — больше: она, кажется, начинает понимать незнакомые ей языки и читает мысли случайных попутчиков... Девушка в
ужасе: что с ней происходит? Может, виной тому визит к колдуну? Лиза
обратилась к нему, чтобы приворожить красавца-сослуживца. Или ее
дар — «наследство» от двоюродной бабушки, которая умела предсказывать будущее и излечивать даже самых безнадежных больных? Но
жизнь бабушки закончилась трагически, а Лиза молода, красива, влюблена — и ей совсем не хочется повторить чужую судьбу. Однако и с
новым талантом, открывающим перед ней неограниченные возможности, расстаться она не в силах...

УДК 82-31
ББК 84(2Рос-Рус)6-4

Пролог

Убивать не надо.

Убивать не велено. Просто покалечить, и все. Ну, и припугнуть, конечно.

Объект проживал — удобней некуда. В серой девятиэтажке без консьержки и даже без домофона. И возвращался он каждый день домой примерно в одно и то же время — около девяти.

В апреле в этот час уже темно. Фонари светят тускло. Однако все ж таки светят, и из неприметной «девятки» с тонированными стеклами исполнитель прекрасно видел вход в подъезд.

Ожидание оказалось недолгим.

Вот он, объект. Идет не спеша. Дома его ждет жена, ужин и чай.

Дубленочка нараспашку, кожаным портфельчиком помахивает. Буржуй. Сволочь. Давить надо таких гадов, и безо всяких денег. Ну, а за деньги — еще приятней. Двойное удовольствие в одном флаконе.

Исполнитель натянул шерстяную маску на лицо. Совсем не обязательно, чтобы его потом опознали. Тем более что дело это у него не первое — а сколько еще предстоит!..

Как только объект открыл дверь в подъезд, исполнитель выскочил из машины. Захлопнул дверцу и быстро, быстро — к подъезду. Темно, никаких

5

прохожих вокруг. И никакой возможности опознать его — у тех, кто, может быть, случайно смотрит из окон: просто мелькнула серая тень, и все.

Исполнитель вбежал в подъезд, когда объект уже поднялся к лифту. В три прыжка преодолел ступеньки. Объект стоял спиной и даже не услышал, не обернулся.

Короткий удар дубинкой со свинчаткой — по шее слева. Там болезненное место. Очень больное. Объект ошеломлен. Он даже не понял, что происходит. Он инстинктивно хватается за шею и изумленно оборачивается. Тут же — удар рукой в перчатке прямо в переносицу. От удара объект отшатывается, сползает по стенке. Еще один удар — дубинкой по плечу. Мужчина ахает от боли и неожиданности — но не кричит. У него даже не хватает ума кричать. Он опрокидывается наземь. Лежит на спине и только с удивлением и страхом смотрит на исполнителя. И вот тут надо произнести ключевые слова. За них исполнителю главным образом и платят. За них — и за работу, конечно. Исполнитель нагибается к объекту и внятно произносит:

— Это тебе за Ольгу, понял?

На лице объекта — растерянность и страх.

— За Ольгу, понял? — еще раз повторяет исполнитель, наклонившись и схватив человека за горло. Тот испуганно кивает.

На его лице — мольба о пощаде.

Но пощады не будет. За что уплачено — то случится. Исполнитель никогда и никого не подводит. И потому — он изо всех сил бьет человека ногой в пах. Каблуком в самое больное мужское место.

Лицо жертвы искажается болью. Глаза вылезают из орбит. Из горла рвется нечеловеческий вопль.

Крик еще не успевает стихнуть, как исполнитель выходит из подъезда.

Еще секунда — и он уже за рулем своей «девятки». Неприметная серая машина, номера забрызганы грязью. Поворот ключа, педаль акселератора в пол. Машина срывается с места. На ходу он сдирает с себя маску.

Неплохая работенка. Быстро, чисто и весело. Эффектно и эффективно. Завтра он получит за нее свою тысячу долларов. Заказчик его еще ни разу не подводил. Ему с ним, этим заказчиком, прямо-таки повезло. Очень повезло.

Глава 1

Лизе снился сон.

И она понимала: это всего лишь сон. Но он был таким невыразимо прекрасным, что Лиза отдала бы все, чтобы это происходило наяву.

Снилась ей вечеринка в роскошных интерьерах: мрамор, золото, живые пальмы, фонтанчики. Бесшумные вышколенные официанты в белых куртках. На Лизе — длинное черное платье с открытой спиной. На груди — нитка рубинов. В руке — стройный бокал шампанского.

А вокруг — расфранченные богатые мужчины и роскошные женщины. И все они — понимала во сне Лиза — и есть ее *окружение*. Все они знают ее, и уважают, и радостно приветствуют. Подходят. Оглядываются. Обсуждают. Завидуют. И неспроста. Ведь она — королева этого вечера. Вся вечеринка — в ее честь. Что-то Лиза сделала такое, что она здесь главная. Может, международную премию только что получила или в главной роли снялась. Неважно. Главное, что все чествуют — ее, и ей улыбаются, и каждый из гостей хочет, чтобы она обратила на него свое благосклонное внимание. И это чувство — что она в центре взглядов, и мыслей, и *вожделения* — пьянит еще сильней, чем «Дом Периньон» в бокале. Это чувство взрывается восхитительными пузырьками прямо в сердце, и хочется, чтобы оно длилось и длилось...

Поцелуи, объятия, комплименты, журналисты... Феерический вечер. Грандиозный прием. Но что ее беспокоит? Что заставляет нервно оглядываться, маскировать тревогу обворожительной улыбкой? И почему в ушах все время звенит незнакомый голос, повторяя беспрестанно: «Лиза, ЭТО ЕЩЕ НЕ ВСЕ!»

Но что же может быть сверх того? Ведь она и так — королева, и весь мир скромно пристроился у ее ног...

И наконец Лиза понимает.

Все дело в НЕМ. В одном человеке из доброй сотни гостей. Он — единственный на всю вечеринку, кто не обращает на нее ни малейшего внимания. Он не подходит к ней, не улыбается, не обжигает руку губами. Лиза вообще не видит его лица, потому что он намеренно стоит, все время отвернувшись от нее, и что-то обсуждает с двумя мужчинами. Но те двое, однако, не забывают бросать на Лизу взгляды, полные восхищения и некоторого смущения (оттого, наверное, что вынуждены иметь дело с этим невежей). Им, кажется, стыдно из-за того, что Лиза видит только мощную спину неуча, его узкие красивые бедра и идеально сидящие брюки. Им неприятно, что их собеседник как будто нарочно избегает Лизиного взгляда.

И тогда Лиза, мило улыбаясь в ответ на восторженные взгляды гостей, решительно идет через зал по направлению к невеже. Тот по-прежнему игнорирует ее и стоит спиной. И вот она подходит к нему почти вплотную, на расстояние вытянутой руки. Она хочет похлопать его по плечу и бросить что-то небрежное, вроде: «Эй, мистер, а как вам вечеринка?» — но внезапная робость останавливает ее. Лиза понимает: она боится увидеть его лицо. *А вдруг ей почему-то нельзя его видеть?* И в этот момент он сам начинает поворачиваться, медленно-медленно, и в зале как будто дополнительный свет включается. Все гости замирают, ожидая, чем закончится эта сцена. Все взгляды устремляются на мужчину — и Лизу. И в этот момент голос внятно произносит: «Ну, вот и он — кого ты так ждала...»

Сердце у Лизы стучит громко, дыхание перехватывает — и наконец ОН поворачивается, и перед Лизой открывается ЕГО лицо, и Лиза сразу понимает, что это мужчина ее мечты — каким представляла она его во многих видениях и снах. Загорелый, темноволосый, голубоглазый, сильный. Он ласково смотрит на нее и ласково улыбается. И в его глазах написано: без нее, Лизы, ему не жить. Мед, и озорство, и обещание бездны — все в этом взгляде. Он медленно протягивает к ней руку. Он хочет коснуться ее руки, и Лиза знает: это не просто вежливость и не флирт, и даже не страсть. Его рука, накрывшая ее ладонь, — это навсегда.

И в этот момент... О, нет! Только не это!.. Прекрасное видение разрывают резкие тревожные звуки... О, нет! Боже! Как не вовремя!

Ее рука шарит по тумбочке, желая найти и заткнуть проклятый будильник, но от этого движения она только еще больше просыпается — навсегда, навеки, бесповоротно.

Мужчина Лизиной мечты остается где-то там, в глубине ее подсознания, расколотый на тысячи кусочков безжалостными звуками московского утра.

ЛИЗА. ВСТРЕЧА

Слава богу, в то утро она не опоздала на работу. Лиза явилась в свой отдел даже раньше Ряхи.

Ряха — или начальник отдела маркетинга корпорации «Стил-Оникс» Аркадий Семеныч Ряхин — пришел на семь минут позже нее. По обыкновению ни с кем не здороваясь, пронес свое жирное тулово и толстую харю через комнату, где сидели сотрудники, к себе в кабинет.

Ряхин никогда ни с кем из подчиненных не здоровался. Он никогда им не улыбался, не говорил комплиментов и никому ничего не дарил на день рождения и другие праздники. Однако в корпоративных сабантуйчиках участие принимал — халявные тортики, которыми проставлялись подчиненные, Ряха исправно поедал. Всегда румяный, толстомордый, он никому не прощал опозданий и заминок в работе и заставлял сотрудников писать бесчисленные объяснительные. При Ряхине — а работал-то он без году неделя — из отдела уволились уже пять человек. Что самое обидное — он никого не уговаривал остаться, а молча подписывал заявление и швырял через стол подавшему. А через три дня за освободившимся столом уже появлялся новичок... Всем своим видом Ряхин демонстрировал, что сотрудники для него не более чем винтики, служащие для достижения его, ряхинских, целей. Подчиненные своего шефа дружно, но тихо ненавидели и называли его за глаза исключительно «Ряхой» — надо же было господу и предкам наградить человека такой говорящей фамилией! Правда, Мишка Берг взялся было фантазировать, что Ряхин — прямой потомок булгаковского поэта. Но Лиза даже обсуждать завиральную берговскую идею не стала, потому как поэт из «Мастера», во-первых, звался не Ряхиным, а Рюхиным, а во-вторых, был, на Лизин взгляд, намного симпатичней «потомка».

Ряхин завел правило: каждый сотрудник, собирающийся выйти из комнаты даже на пару минут, должен ставить остальных в известность: куда он идет и зачем. Поэтому теперь, когда Лиза обнаружила, что забыла с вечера сполоснуть чашку из-под чая, она встала и громко объявила, подражая механическому голосу автоответчика:

— Я иду мыть чашку. В туалетную комнату.

Хохотушка Светка прыснула за соседним компьютером.

Слава богу, пить чай и кофе в рабочее время Ряхин пока не возбранял.

Лиза вышла в коридор.

Их корпорация «Стил-Оникс» снимала пару этажей в административном здании умирающего научно-исследовательского института «Сельпроект». Только на Лизиной памяти НИИ усох кабинетов на двадцать, а «Стил-Оникс» — соответственно разбух. Кроме того, Лизина фирма сделала евроремонты в коридорах, на лестницах и подсобных комнатах увядающего института.

Итак, Лиза вышла в коридор — вид озабоченный, макияж не подправленный, грязная чашка в руках тоже шарма не прибавляет, — и тут ноги ее подогнулись.

Он шел ей навстречу.

ОН.

Тот самый.

«Этого не может быть!»

Но как не может, если это — уже случилось!

В двух шагах от нее был МУЖЧИНА ИЗ ЕЕ СНА.

Молодой. Загорелый. Голубоглазый. Темноволосый. Высокий. Мускулистый. С исключительно правильными чертами лица. С широким разворотом плеч. Но главное, конечно, — это его глаза. Они такие умные, нежные, понимающие...

Только сейчас ОН был не в смокинге — как во сне, — а в свитере и брюках.

Его рассеянный взгляд скользнул по Лизе — и тут же перепрыгнул на двух хохотушек из бухгалтерии, которые тоже торопились по коридору...

Не заметил! Не обратил никакого внимания! Но почему?!

В первую секунду Лиза опешила и едва не разрыдалась. А потом — взяла себя в руки и поняла: да на что тут обращать внимание, если она в черном свитере, и волосы забраны в хвостик, и бабушка со своей асептикой не дала ликвидировать два свежих прыща на подбородке?

Так что нечего удивляться, что *ОН* прошествовал мимо. И весь вид его сказал: «Эта девчушка в свитерке довольно мила. Симпатичная маленькая рыбешечка. Но разве для настоящего рыбака такая крошка — это улов?!»

Еще и Лиза вела себя, прямо скажем, как дура: застыла и вылупилась на него, словно на небесного ангела. Ясное дело: ОН одарил ее снисходительной улыбкой падишаха и тут же забыл.

Но что этот мужчина делает здесь?! Кто ОН?!

Минуту спустя, на ватных ногах дойдя до туалетной комнаты и скрывшись за дверью, Лиза утихомирила бешено стучавшее сердце. И лишь тогда сообразила, что ОН, слава богу, не случайный посетитель, который уйдет из офиса через пять секунд. Он — работник «Стил-Оникса»: она успела заметить у него на свитере бейдж с логотипом корпорации и фотографией.

Это открытие наполнило ее буйной радостью.

«Да он, оказывается, свой! — возликовала про себя Лиза. — Ах, так! Ну, значит, он у меня попляшет!.. Пусть только попробует еще раз мимо меня с таким видом пройти! Он, наверное, посчитал, что я всегда с глупым хвостом да прыщами. Да и этот свитер сидит на мне хуже мешка, давно пора его бабушке отдать... Еще я, дура, встала перед ним как соляной столб! ОН, верно, сразу решил, что я — синий чулок и старая дева... Он же не знал, что обалдела и застыла я не от его неземной красоты, а по вполне конкретной причине. Натуральная ведь мистика произошла: ночью во сне приснился — а утром сам на работу пришел... Но ничего! Как решил, что я — маленькая уродка, так и ПЕРЕРЕШИТ. Хотя хвост и старый свитер — это, конечно, было непредусмотрительно. Не зря ведь психологи учат, что нужно выглядеть на все сто ВСЕГДА, даже если выносишь мусорное ведро... Что ж, сделаем выводы...»

Ничего страшного. Она еще успеет СЕБЯ ПОДАТЬ!

ЛИЗА. ДНЕВНИК

*5 апреля 20** года.*

Я не вела дневник кучу лет — с тех пор, как была влюблена в выпускном классе в Жеку Долгополова. И вот опять взялась — врать самой себе не буду: из-за НЕГО.

Сегодня у меня весь день все валилось из рук. Буквально и фигурально. Началось с того, что по дороге из туалета я поскользнулась и разгрохала о бетонный пол свою любимую чашку. На звон осколков из отдела соизволил высунуться сам Ряхин. Он мгновенно оценил, что останки чашки разлетелись по всему коридору, и едко прокомментировал мои «изящество и элегантность», а я, все еще не в себе, чуть не назвала шефа прямо в лицо «Мерзкой Ряхой».

Впрочем, бог с ними, и с чашкой, и с Ряхиным.

Главное, что к концу дня я все узнала про НЕГО. ЕГО зовут Николаем, он будет работать у нас в «Ониксе» в отделе продаж, и он НЕ ЖЕНАТ! У него высшее образование (кажется, строительное), он пришел к нам из «Эконики», он на два года старше меня, его электронный адрес Nicola@steel.ru, и... И ОН ДОЛЖЕН СТАТЬ МОИМ! Иначе для чего мне снился сон? Не просто же так?!

Но, если даже забыть про сон — ОН ВСЕ РАВНО БУДЕТ МОЙ! Хотя бы потому, что юные мымрочки из бухгалтерии уже хвастались, что Николай водил их в буфет, веселил анекдотами и купил каждой по двойному эспрессо и по шоколадке.

Сегодня — главным образом из-за дурацкого свитера и прыщей — я решила никаких действий, кроме разведывательных, не предпринимать.

Поспешность тут ни к чему. Сразу видно, что Ник — это не дряхлая крепость с парой пушек и кучкой пьяных солдат, а как минимум — Ля Рошель. Тут нужна длительная и грамотная осада. Но прежде следует разобраться, откуда взялся мой сегодняшний сон. Какие-то силы свыше его, что ли, прислали? Горячий привет от персонального ангела-хранителя?

Вечером я спросила у бабушки (а моя бабушка — самая лучшая подружка, и мы с ней можем обсуждать все, что угодно): «Бывает так: сегодня ты увидишь человека во сне — а завтра знакомишься с ним наяву?»

Бабушка все на свете всегда объяснит. Причем толкует она происходящее иногда с христианских, иногда с фрейдистских, а иногда — с марксистско-ленинских позиций. Но всегда получается очень убедительно, так что я с ней каждый раз соглашаюсь.

В ответ на мой вопрос бабушка, не колеблясь, сказала: «Конечно. Все может быть. Москва — в сущности, маленький город. Наверное, ты этого человека мельком видела раньше — например, когда он к вам на работу устраивался. Вот он и запал тебе в душу. А ночью, когда твое сознание было раскрепощено, он к тебе явился во сне. А потом, наутро, вы случайно с ним опять повстречались».

Скрепя сердце я с бабушкой согласилось. Хотя меня, честно говоря, больше устроило бы не такое марксистко-ленинское, обыденное толкование, а, наоборот, идеалистическое. Типа: «Он назначен тебе судьбой, поэтому и пришел к тебе во сне».

В рассуждении, что надеть завтра, я критически пересмотрела весь свой гардероб. Выбирать, разумеется, не из чего. Одни обноски! Надо срочно совершать вылазку в «Пассаж». Или хотя бы в «Остатки сладки» — там тоже модно, но подешевле. И очень жаль, что к маникюрше я записана только на субботу, а мой любимый лак, перламутровый, с натуральным жемчугом, — благополучно засох. Впрочем, если капнуть в него граммулечку ацетона... В общем, голь на выдумку хитра: «аврральный маникюр» получился очень даже ничего. Надеть решила мини-юбочку от «Манго» и нахальный красный свитерок от «Ферретти». Мужики — ведь они как попугаи: реагируют на все яркое, обтягивающее и максимально обнаженное.

Завтра — решающий день.

*6 апреля 20** года.*
Полный провал.
Сначала все шло хорошо. Даже очень хорошо.
Точно как было задумано.
А потом все рухнуло.
Однако, как учат на бизнес-тренингах, и победы, и поражения надо раскладывать на составные части и анализировать. Анализировать сегодняшнее фиаско, говоря по правде, абсолютно не хочется. Но вдруг поможет?

Атаковать Николая я решила за обедом: то есть в тот момент, когда мужчина обычно расслаблен, добр и позитивно настроен.

Благодаря моему неизбывному интеллекту и хитрости в корпоративной столовке я оказалась с НИМ в одно и то же время и даже за одним и тем же столиком.

И только вдвоем.

Однако мое присутствие в опасной близости не произвело на НЕГО никакого впечатления, и он, чурбан этакий, потреблял пищу, обращая на меня не больше внимания, чем на пустой стул.

Я решилась заговорить с НИМ первой.

— Здесь очень вкусная картофельная запеканка.

Не самая удачная затравка для разговора, но я, признаться, растерялась и выпалила первое, что пришло в голову.

Он (не отрываясь от бифштекса):
— М-мм?

Я:

— Да. И блинчики с мясом в нашей столовой тоже хороши.

Он (равнодушно):

— Что вы говорите?

Я:

— Вы у нас новичок.

Он:

— Да.

— А где вы работаете?

— В отделе продаж.

— В отделе продаж у нас самая сильная команда КВН.

(Какую-то чушь я несу, право слово!)

Он (равнодушно):

— М-мм?

— Вообще у нас на фирме очень мощная самодеятельность.

(А эта реплика — уже вообще из какого-то фильма времен застоя.)

Он (рассеянно):

— Что вы говорите?

И снова — над столом повисла пауза. Огромная, жирная, как клякса или как отбивная, которую он ел.

Что мне оставалось делать? Я спешно допила компот и пожелала ему приятного аппетита. Он рассеянно поблагодарил и уставился в стену. Челюсти его мерно работали.

Чурбан! Колода неодушевленная! А я-то старалась, гладилась, рисовала ногти и даже встала на полчаса раньше, чтобы наложить изысканный макияж!

Ясное дело, после столь сокрушительного поражения думать о работе совершенно не хотелось. И я, чтобы отвлечься и переварить проклятый обед, открыла свой электронный почтовый ящик. Увидела плашку: «У вас десять новых писем» и понадеялась, что хотя бы в одном из них найдется что-нибудь приятное, интересное, нужное. Но не везет — так не везет. Ничего достойного в моей почте не оказалось — один сплошной спам. Среди рассылки — письмо, приглашающее воспользоваться услугами колдуна: «Приворот навсегда! Гарантия 105 процентов!» Кому нужны колдуны?! И зачем писать заведомый бред про «105 процентов»?

Может, послать ЕМУ письмо? Электронное?

«Я вам пишу, чего же боле?»

Нет уж: будем считать подобную «татьяно-лариновщину» крайним средством.

А может, ОН — голубой?..

Да нет, совершенно непохоже.

Или ему не понравился мой красный свитер?

*7 апреля 20** года.*

День совершенно ужасный, потому что произошло два крайне неприятных события. А ведь с утра в гороскопе в «Молодежных вестях» я увидела напротив своего знака сердечко, что по редакционной градации означает «любовь и все такое». Но... Ни малейшего проявления любви к себе я сегодня не почувствовала — ни в каком виде.

С утра мой начальник Ряхин созвал совещание для ведущих специалистов отдела — я принадлежу к их числу. Речь на совещании пошла о «долгожданном событии в жизни корпорации» (именно такими словами он и выразился). Под «долгожданным событием» имелось в виду «начало производства нашим концерном обуви под маркой «Анна Усачева».

А я-то надеялась, что после моего давешнего выступления эта идея умерла сама собой!

У этой «обувки от Анки» (как называют новинку нелояльные к Ряхе сотрудники — а нелояльны к нему все) имелась своя предыстория. С идеей выпускать сапоги, туфли и тапочки под именем всесоюзной звезды, народной артистки СССР и России Анны Усачевой, носился лично Ряхин. Она (идея) стала прямо-таки его знаменем, когда он пришел к нам в концерн. Ряхин ее лоббировал где надо и где не надо, от кабинетов начальства до столовой, от раздевалок еженедельного корпоративного футбола (Мишка Берг сам слышал!) до сауны с руководством. Основным и единственным аргументом Ряхина была всенародная популярность Анны Борисовны, которая позволит (цитирую Ряхина) «продавать обувь под маркой «Анна Усачева» со скоростью тысяча пар в минуту». А рост продаж «Анны» послужит (опять цитирую Ряхина) «тем мультипликатором, то есть локомотивом, который вытянет продажи других наших брэндов».

На одном из совещаний у высшего руководства я высказалась против идеи Ряхина со всей возможной резкостью. Вероятно, это было ошибкой, но я думала, что наш генеральный, Иван Евгеньевич Филиппов, поддержит меня — он всегда прислушивался к моему мнению.

Я сказала тогда, что брэнд, названный именем той или другой звезды, требует от нее, этой звезды, безупречности во всем — от каждодневного поведения до умения одеваться. В пример я привела торговые марки «Палома Пикассо» и «Ален Делон». А имя Анны Усачевой (заявила я тогда под понимающие ухмылки высшего руководства и злобные косяки со стороны Ряхина), этой всенародной артистки, вечно неряшливой, капризной и толстой, давно стало в народе символом не просто *без*-вкусицы, но *дурно*-вкусия. И этот имидж артистки заставляет серьезно усомниться в перспективах продаж обуви под маркой «А. Усачева». Кроме того, звезда, известная своею неуживчивостью и скандальным характером, вряд ли будет покорно участвовать в тех маркетинговых мероприятиях, которые концерну понадобятся для продвижения «ее» обуви. Скорее всего толку от нее в этом смысле вовсе не будет. Можно предсказать, что она своими неуправляемостью и непредсказуемыми действиями способна погубить и зарубить любую марку.

Мой спич имел большой успех среди всего начальства — кроме, разумеется, Ряхина. А Берг, присутствовавший на том заседании в роли безмолвного статиста, шепнул мне после, что Ряха мне этого не простит.

Но тогда мне казалось, что я взяла верх. Ряхинские разговоры об обуви «от Усачевой» сошли на нет.

И вот на тебе!

Сегодня утром Ряха собирает нас и торжественно, чуть не лопаясь от гордости, объявляет, что «наш концерн начинает производство эксклюзивной обуви от Анны Усачевой!».

Начальник, видимо, ждал аплодисментов — их не последовало.

А взоры всех присутствующих почему-то невольно обратились в мою сторону.

— Руководителем программы продаж новой обуви назначается, — проговорил Ряхин со всем ехидством, на которое только был способен, — Елизавета Кузьмина.

И он сделал торжествующий поклон в мою сторону.

Я постаралась, насколько возможно, сохранить лицо и поэтому склонилась над блокнотом. Потом справилась с собой и спросила Ряхина:

— Хотелось бы ознакомиться с производственной программой по выпуску обуви от Усачевой.

— Ничего нет проще! — провещал Ряха и кинул мне через стол листы, подписанные генеральным директором. — Так что давайте, Кузьмина, подготовьте мне план мерчандайзинговых мероприятий.

— Какая сумма выделяется на маркетинг нового брэнда? — проговорила я по возможности спокойно — хотя больше всего мне в тот момент хотелось засветить в жирное румяное торжествующее лицо Ряхина чем-нибудь тяжелым.

— Десять тысяч.

Волнение прошло по рядам маркетологов и маркетистов, и я постаралась его озвучить:

— Этого очень мало.

— Этого достаточно, Кузьмина! — с нажимом сказал Ряха.

— На раскрутку нового брэнда обычно выделяется от ста тысяч и выше.

— В бизнесе особенно ценятся не инвестиции, а идеи, — иезуитски улыбнулся он. — Настоящий профессионал сумеет сманеврировать и в условиях ограниченного бюджета.

— На нас будет работать само имя Анны Борисовны! — с придыханием выпалила Дроздова, верная прихлебательница Ряхина.

Я пожала плечами:

— Тогда еще вопрос. Разрабатывая маркетинговые мероприятия, в какой мере я могу рассчитывать на участие в них самой звезды?

— Ни в какой. Ведь вы же сами, Кузьмина, утверждали, — ехидненько улыбнулся Ряхин, — что Усачева капризна и неуправляема. Вот и обходитесь без нее.

— Одного упоминания ее знаменитой фамилии будет достаточно! — снова встряла восторженная Дроздова.

— Когда вам нужен план кампании? — спросила я.

— Вчера, — ухмыльнулся Ряха. — И не дай бог вам, Кузьмина, сорвать эту работу.

— И что тогда? — Я с вызовом посмотрела прямо в глаза Ряхина.

— Это будет воспринято как саботаж, — процедил он. — Со всеми вытекающими отсюда последствиями.

— Может, мне лучше сразу подать заявление об увольнении? — не выдержала я.

— Право на почетную отставку еще надо заслужить, — усмехнулся Ряхин. — А статья о профнепригодности в КЗоТе существует до сих пор... — И потом бросил в адрес народа, с интересом следившего за нашей пикировкой: — Все свободны. Идите, работайте.

В общем, ясно, с какими чувствами я вышла из ряхинского кабинета.

Но потом поплакала немножко в туалете и успокоилась. Подумаешь — свет клином, что ли, сошелся на этом Ряхине и «Стил-Ониксе»? Конечно, получаю я под две штуки баксов плюс страховка и тринадцатая зарплата. Да и на работу ездить близко. Но и я, прямо скажем, специалист высочайшего класса:

профильное образование, английский свободно, три года опыта работы по специальности. Таких еще поискать! Надо, решила я, сегодня же отправить свое резюме в продвинутые рекрутинговые агентства. И знакомым хэд-хантерам[1] новостишку подкинуть: Елизавета Кузьмина готова рассмотреть предложения о новой работе.

Ряхин, сволочь, в конце концов со своей «обувкой от Анки» провалится — а Филиппов еще жалеть будет, что потерял такого ценного специалиста, как я!

И на этой мажорной ноте я покончила с размышлизмами.

Однако, когда я, успокоенная, вышла из туалетной комнаты, меня ожидал новый удар.

Прямо перед моим носом в коридоре у окна стоял мой красавчик. Рядом с ним отиралась хохотушка Светка из моего отдела. Красавчик неотрывно смотрел на нее и что-то рассказывал. Наверное, что-то веселое — во всяком случае, Светка так и покатывалась со смеху и при этом будто бы невзначай, словно не держась на ногах от хохота, хваталась своей лапой прямо за *его* руку. А он не только не отстранялся — нет!

Все происходящее доставляло ему очевидное удовольствие!

Я, как воспитанная девочка, все-таки поздоровалась с ним, а ОН едва заметил, едва кивнул — так был увлечен этой Светкой и их непринужденным разговором!

Я прошла мимо, но если бы могла — убила бы Светку прямо на месте. И его — тоже.

---

[1] Хэд-хантер — от английского «охотник за головами». Здесь: работник, занятый поиском и трудоустройством работников высокой квалификации.

Нет, в «Стил-Ониксе» мне больше не работать. Неохота, да и незачем...

Более поздняя приписка другими чернилами:

...Но нет! Я так просто НЕ СДАМСЯ!

Я отстою себя и одержу победу над Ряхиным!

И завоюю моего красавчика!

8 апреля 20** года.

Сегодня утром какие-то негодяи опять сломали почтовый ящик в подъезде. «Молодежные вести», разумеется, украли. Зато ворох рекламных буклетов не тронули. Одну из листовок я взяла с собой и прочитала, пока ждала маршрутку:

Еремея Латинская!

Решит все ваши проблемы!

Возврат мужа.

Приворот любимого.

Поиск пропавшего человека или документов.

Заговор на богатство, успехи в делах и т.п.

Устранение венца безбрачия.

Половая привязка.

Кодирование на удачу

Снятие сглаза, порчи.

Блестящие рекомендации!

Гарантия успеха — сто процентов!

И внизу: приписка заглавными буквами:

ВЫБРОСИШЬ ЭТУ ЛИСТОВКУ — ПОЖАЛЕЕШЬ!

Во что только не верят глупые люди!

Я скомкала листовку и швырнула ее в переполненную урну.

Едва я влезла в маршрутку, как водила меня облаял: громко, видите ли, хлопаю дверью. Я ему, конечно, ответила, что хлопай — не хлопай, его тарантайка скоро развалится, — но настроение испортилось тут же. Может, и правда: потому что я листовку выбросила? Фу, какая чушь лезет в голову... Но на работу, впервые за кучу времени, не хотелось. Будто к зубному едешь... Я качалась в маршрутке, среди носов и плащей, и думала: почему у меня все стало идти наперекосяк? Может быть, такая глупость, как порча, действительно существует? И меня кто-то и вправду сглазил? Ну, не бывает ведь так, чтобы шло-шло нормально, а потом на ровном месте вдруг — бах! — кругом одни неприятности. И в делах, и в личной жизни. И даже в общественном транспорте — водитель всю дорогу бурчал под нос: «Висить же им: дверью не хлопать! Но народ же бестолковый! Хлопають и хлопають!»

...На работе все прошло без перемен, то есть плохо. Я весь день была занята писанием этой дурацкой концепции про туфельки Усачевой и даже не предпринимала никаких действий по приручению моего красавчика — один раз, и то случайно, встретилась с ним в коридоре. Он радушно поздоровался, а я холодно кивнула: будет знать, как кокетничать со Светкой!

...Вечером я рассказала бабушке про мои неприятности (правда, только про Ряхина, а про красавчика умолчала). А потом спросила ее о том, что у меня в голове вертелось целый день: а может, меня и вправду кто-то сглазил?

Бабушка вполне серьезно кивнула:

— Не исключен такой вариант.

Я изумилась:

— Бабушка! Ты же членом партии была! А сейчас в церковь ходишь! И ты — в сглаз веришь??!

А она в ответ — «Гамлета» цитирует:

— Есть множество вещей, мой друг Горацио, что и не снилось здешним мудрецам...

— Значит, ты действительно считаешь, что на меня могли порчу навести?

— А почему же нет? Ты девушка красивая и при хорошей должности. Поэтому завистников у тебя должно быть немало. Ты, Лизонька, может, даже сама обо всех не догадываешься.

— При чем же тут сглаз? — спрашиваю.

— А сглаз — это не что иное, как концентрированная энергия зависти.

Здорово моя бабулька излагает! Прямо хоть в «Золотую книгу афоризмов» записывай!

«Сглаз — концентрированная энергия зависти», это же надо!

— Может, — спрашиваю, — мне тогда к бабке сходить, снять с себя эту гадость?!

Старушка кивает:

— Была бы бабка знакомая, я б к ней тебя отправила.

— Так отправь!

Бабушка вздыхает:

— Нет у меня, к сожалению, Лизонька. А те, что по редакциям объявления дают, — они все шарлатанки.

— А ты сама? Ты мне сглаз снять можешь?

Смеется:

— Не могу, Лизонька, не тому учена. ОРЗ, воспаление легких или даже туберкулез снять могу. А вот сглаз не умею.

— Ну, тогда сказку ты мне расскажи.

— Это пожалуйста.

И стала бабушка мне рассказывать то, что я сто раз от нее уже слышала — а все равно было интересно и успокаивало лучше любой валерьянки: как она в эвакуации жила, кашу ела из толченой кукурузы и как потом ждала деда из сталинских лагерей...

Я слушала и думала: насколько же маленькими выглядят мои неприятности — по сравнению с теми испытаниями, что бабуленьке довелось пережить, и поневоле успокаивалась...

9 апреля 20** года.

Пятница! К черту все мучения! Я иду прожигать жизнь! И пусть мой красавчик провалится в тартара-ры — назло ему влюблюсь в кого-нибудь другого!

Сегодня под конец дня я сдала Ряхе концепцию по продвижению на рынке «тапочек Усачевой». Он, даже не читая документа, важно разложил свои толстые щечки по плечам и заявил:

— Кузьмина! Для того чтобы ваша работа по этому основополагающему для корпорации проекту оказалась хотя бы минимально успешной, вам сле-дует кардинально пересмотреть свое к нему отноше-ние.

Я окрысилась:

— Я профессионал, товарищ Ряхин, и качество моей работы не зависит от моего личного отноше-ния к тому объекту, над которым я работаю. Пусть даже это будет всякое г...но.

— Вот видите: вы даже не считаете нужным скрывать свое негативное восприятие проекта.

— А меня этому учили: из любого «гэ» слепить конфетку.

И, не дав ему возможности возразить, я вышла из кабинета.

Н-да-с, надо признать, что наши отношения с Ряхой все накаляются. И пока из этого штопора не видно выхода. Нет, пожалуй, есть один — тот, что советовал своему барину мудрый пушкинский Савельич: «Плюнь, да и поцелуй у него ручку».

Не дождется!

Ладно! Пусть идут все к растакой-то матери!

Сегодня мы с Сашхеном пускаемся в загул — и гулять будем так, что чертям станет тошно!

*10 апреля 20** года.*

Вот что значит качественно выстроенная гулянка. Наутро никаких неприятных симптомов: ни больной головы, ни похмелья, ни угрызений совести. Мы с Сашхен на третий год после окончания института наконец достигли полной гармонии в организации совместного досуга. Каждая умеет подладиться и посчитаться с настроением и состоянием другой.

Сашхен — моя подружка по университету. Вообще-то она Саша, Александра, но она меня называет Лизхен, а я ее — Сашхен. В вузе мы не то чтобы дружили, в разных компаниях тусовались, а вот окончили его — и почему-то прибились друг к другу, и недели не проходит, чтобы мы с ней не встречались или хотя бы по телефону не делились пережитым и наболевшим.

Для начала мы отправились в китайский ресторанчик с ностальгическим названием «Дружба» на Новослободскую, наелись там до отвала мяса с ананасами и выпили целую бутылку китайского сливового вина. Под необыкновенно милое вино я все Сашхен и выложила: и про жирную скотину Ряхина, и про туфельки Усачевой, и, главное, про свой сон, и как он потом воплотился в реале в красавчика Николая из отдела продаж. Поведала я ей и про то, что все мои демарши по завоеванию Прекрасного Ангела никакого успеха пока не имеют. Сашхен, выслушав мою исповедь и налопавшись жареных бананов под зеленый чай «Красный халат», вдруг заявила, что теперь нам просто обязательно необходимо прошвырнуться по магазинам — хотя бы для того, чтобы: а) улучшить настроение; б) повысить самооценку; в) утереть нос Ряхину; г) подготовиться к решающей битве по завоеванию Красавчика. При этом ехидная Сашхен добавила, что скоро меня уволят, денег у меня не будет — надо ж гульнуть напоследок!

В итоге в «Пассаже» я прикупила очень милый свитерок от «Максмары», Сашхен взяла пуловер, а меня раскрутила еще и на блузку от «Дольче-Габбаны». Потом мы оставили наши трофеи у Сашхен дома (она в отличие от меня живет почти что в центре, на «Краснопресненской», — правда, в «хрущобе»). У нее на кухне мы клюкнули еще по чуть-чуть армянского коньячку, и я поделилась с Сашхен опасением (уже обсужденным мною с бабулечкой), что все мои невзгоды проистекают из того, что меня кто-то банально сглазил.

— Точно! — сказала, округлив глаза, Сашхен. — Правильно!

И рассказала мне в ответ поразительную историю. Оказывается, когда полгода назад («ну ты помнишь!») она, Сашхен, оказалась без работы и практически без денег — даже нечем было за квартиру платить и не на что, буквально, картошки купить, — одна подружка уговорила ее пойти к колдуну. «Я долго сопротивлялась и не хотела, а потом все-таки пошла!..»

— Что ж ты мне раньше-то не рассказывала! — попеняла я ей.

— Он сказал: чем меньше людей знают о чарах, тем сильнее их воздействие. Но ты слушай дальше...

Итак, Сашхен с этими своими материальными проблемами пошла к магу. Волшебник оказался совсем нестрашный, а очень даже интеллигентный. «Никаких там свечей, черных котов, заклинаний. А сам он — доктор, между прочим, каких-то наук».

Экстрасенс взял с Сашхен последние сто долларов и за это внимательно выслушал про все ее невзгоды. «Прямо как какой-нибудь психоаналитик!» А потом дал ей заговор — ну, или установку — на материальное богатство. «И, ты знаешь, подействовало!» Буквально через неделю Сашхен нашла работу, да с зарплатой в два раза выше прежней, да с перспективой. А еще через неделю познакомилась со старым, страшным, но очень богатым голландцем, который в Сашхен души не чаял и за один лишь ее благосклонный взгляд готов был осыпать ее подарками и бриллиантами.

Про работу и голландца я и раньше знала от Сашки — но думала, что они материализовались в ее жизни просто так, сами по себе, безо всякого участия мистических сил. А вот поди ж ты!

— Ты обязательно должна сходить к этому экстрасенсу, — безапелляционно заявила Сашхен. — Вот телефон. Звони ему прямо сейчас.

Я отговорилась от немедленного звонка тем, что мне требуется время на раздумье, однако телефон мага-волшебника взяла и сунула в сумочку. Может, действительно неспроста ко мне так и липнут предложения от колдунов-магов-волшебников?..

Ну, а потом все завертелось. Мы с Сашхен поехали в клуб, танцевали до упаду, я пила «Секс на пляже», Сашхен — «Оргазм», вокруг меня так и вились мужики, и с одним из них я даже целовалась, назло Красавчику, прямо за стойкой.

Сегодня, когда я решила отсортировать вчерашний улов, обнаружила в сумочке четыре новые визитные карточки. Одну из них я в задумчивости отложила, потому что надпись на ней гласила:

ИВАН КОЛОМИЙЦЕВ,
вице-президент банка «Святая Москва».

И это был, кажется, именно тот, с кем я вчера целовалась за стойкой.

Кроме того, в сумочке оказался клочок бумаги с телефоном, записанным от руки, и именем — Кирилл Мефодьевич.

Я в задумчивости потерла лоб. Совершенно я не помнила никакого Кирилла Мефодьевича! И разве ходят в клубы люди, которые представляются по имени-отчеству?! Это ж не вечер для тех, «кому за сорок»!

Но тут мне позвонила Сашхен. Вместо того чтобы обсудить наши вчерашние совместные приключения, она с места в карьер спросила:

— Ну, что — звонила?

— Кому? — не поняла я.

— Кириллу Мефодьевичу.

— А кто это?

— Балда! Это тот самый колдун-экстрасенс, о котором я тебе вчера говорила. Ты что, телефон его потеряла?

— Нет, вот он, передо мной.

— Ну, так давай звони ему немедленно! Я через десять минут тебе перезвоню, узнаю, что да как. — И Сашхен дала «отбой».

И ведь ровно через десять минут она снова позвонила.

— Ну, что?

— У него занято, — соврала я.

— Давай, звони еще, — сказала Сашхен и бросила трубку.

Я поняла, что просто так от нее не отвяжешься. Сходила на кухню, выпила «Святого источника» и три таблетки витамина С (последствия «Секса на пляже» все-таки сказывались), а потом обреченно уставилась на телефон.

Потом выдохнула, как перед прыжком в холодную воду, придвинула аппарат к себе и все-таки набрала проклятый номер.

Если б я только знала, к каким переменам в моей жизни это приведет!

Глава 2

ЖИЛ-БЫЛ ХУДОЖНИК. ОДИН, СОВСЕМ ОДИН

В тот день я узнал, когда умру.

Невеселенькое, я вам скажу, известие: узнать точную дату собственной смерти.

Впрочем, расскажу обо всем по порядку.

Я художник.

Художник новой формации.

Об этом можно судить хотя бы по двум признакам, разительно отличающим меня от коллег.

Во-первых, я не пью водки.

Во-вторых, не ношу бороды.

Поэтому то роковое утро я начал с тщательного бритья лица лезвием «Жилетт».

Бритье давно стало для меня ритуалом.

Этот ритуал помогает мне перейти из потустороннего мира снов в реальность. Я смотрюсь в зеркало — и в нем словно проявляются из тумана черты моего собственного лица. При этом возникают и первые утренние мысли. Порой они бывают удивительно дельными.

Когда я брил правую щеку — плавными движениями сверху вниз, — то вспомнил, что послезавтра «дэдлайн»[1] для сдачи работы рекламщикам. Им я должен был представить новый визуальный образ пепси. Всего-то — баночку пепси. Подумаешь, эка невидаль, скажете вы, — и ошибетесь. Потому что пепси в моем исполнении должна вызывать усиленную, мощную, стопроцентную жажду. Это, знаете ли, не «Черный квадрат», при взгляде на который человек волен думать о чем угодно: от собственной тещи до ситуации в Ираке. И даже не «Девочка с персиками» — к которой зритель может испытывать любое чувство: от умиления до похоти.

У меня нет вариантов. Я должен вызывать жажду. Жажду, и все тут.

Я очистил лезвие от крема и принялся за вторую щеку. Беда в том, подумал я, что по поводу пепси у меня нет никаких плодотворных идей. Имелся испытанный и навязший в зубах образ: ледяной сине-красный сосуд. Или красно-синий стакан в капельках изморози. Ледяные сосуды и капли изморози гарантированно вызывают у зрителей жажду. Но еще вдобавок — дикую скуку и раздражение. Потому что эти запотелые емкости тиражировались в журналах, плакатах и телевизионных изображениях сто миллионов раз. А мне платили за то, чтобы я придумывал что-то новенькое, а не набивал зрителям оскомину.

Так, теперь самое трудное — подбородок. Здесь наиболее дикорастущие волосы и очень сложный

---

[1] Крайний срок (*англ.*).

рельеф поверхности. Бритье подбородка требует сосредоточенности и уверенной руки.

Я терпеть не могу, когда во время бритья мне мешают. Когда в ванную, допустим, кто-то ломится.

Потому и живу один. Моя жена имела моду ломиться в ванную как раз в тот момент, когда я выбривал подбородок. Это было одной из причин нашего развода. Возможно, даже главной причиной. Теперь-то, когда все улеглось, я понимаю: наверное, ей просто хотелось посмотреть, как я бреюсь. Вероятно, она даже находила в этом зрелище что-то сексуальное. Или, во всяком случае, необычное.

Но я не эксгибиционист. И устраивать из гигиенической процедуры реалити-шоу «За стеклом» мне совсем не хотелось. Мне нравится во время бритья быть наедине с самим собой. Наедине с собственными мыслями. И я не люблю, когда на меня глазеют.

Левой рукой, полной крема, я намылил щеки еще раз.

Вот она и ушла от меня, подумал я о жене. Не только из-за бритья, конечно.

Оставила мне свои старые платья. И Дусю.

Дуся — это кот. Когда он был совсем маленьким, почему-то посчитали, что он кошка. И назвали его соответственно. Потом ошибку обнаружили, а имя оставили.

Имя в наши времена сменить бывает труднее, нежели пол. Но Дуся, если и испытывал проблемы с собственной сексуальной идентификацией, то недолго. Вскоре после крещения супруга, садистка, лишила его этих проблем — вместе с мужскими достоинствами.

Это любимое женское занятие: кастрировать существо сильного пола. Они и с мужиками любят это проделывать — в метафорическом смысле.

Общество Дуси, несчастного существа с женским именем и немужской сутью, меня не тяготило. Дуся, во всяком случае, никогда не лез в ванную, пока я бреюсь.

Теперь я брил свои волоски против шерсти — снизу вверх. Снова — сначала правая щека, затем — левая...

Я наконец-то почувствовал, что проснулся и словно совместился с человеком, глядящим с той стороны зеркала. Изображение меня в целом порадовало. Красивые глаза. Высокий лоб. Буйная шевелюра без малейшего намека на лысину. Вот только губы и подбородок чуть подкачали. Вылепились они слегка безвольными.

Я понимаю, почему многие мужчины, особенно художники, прячут свои губы и подбородок под усами и бородами. Они скрывают под оволосением вялые черты лица, столь разительно непохожие на твердокаменность Пирса Броснана и Брюса Уиллиса.

Но, в общем и целом, из зеркала на меня смотрел вполне приятный молодой человек тридцати одного года — выглядящий благодаря правильному образу жизни и непитию водки на все двадцать семь.

И в тот момент, когда я принимался по второму разу за бритье подбородка, мне пришла в голову роскошная идея для натюрморта.

Если вы думаете, что я рисую только рекламу, то ошибаетесь. Реклама дает мне заработок. Эта работа хорошо оплачивается и занимает не более пятнадцати часов в неделю.

В оставшееся время я пишу для себя, пишу то, что хочу.

Мои картины порой продаются. Правда, случается это не слишком часто.

У меня прошло две выставки. К сожалению, ни одна из них не имела хорошей прессы — да и никакой, впрочем, не имела прессы.

Наверное, дело в том, что я работаю в самом что ни на есть консервативном жанре. Я люблю писать пейзажи и натюрморты. А что может быть скучнее для критиков, чем натюрморт, да еще выполненный в реалистической манере!

Сейчас для того, чтобы быть замеченным, надо устроить перформанс: к примеру, акт натурального совокупления у подножия памятника Пушкину, как Бреннер. Или изваять Анну Курникову в короткой юбочке с лицом злобной фурии (как Кулик).

А тут — натюрморты. Причем никаких тонких намеков на толстые обстоятельства. Киви в моем исполнении совсем не напоминает вагину. Банан похож на банан, а не на член. Какая кондовость!

Я закончил бритье. Вытер остатки крема полотенцем. Вот, кстати, еще один пункт моих раздоров с бывшей женой. Она пилила меня за то, что я крем для бритья не водой смываю — а вытираю его полотенцем. «Почему ты это делаешь?!» — кричала она. Откуда я знаю, почему. Привык.

Таким образом, один только процесс моего бритья вызывал у нас два пункта для раздоров. Да нет — не два, много больше. Она делала мне замечания за то, что капли пены пачкают пол. Это — три. И еще я брызгаюсь на зеркало. Это — четыре. И не закрываю крышечкой крем для бритья. Не ставлю его на место в шкафчик. Это — пять и шесть.

И это только по поводу ванной. Можно себе

представить, сколько грехов насчитывалось за мной всего...

И однажды я ее послал. Далеко и надолго. К моей обиде, она даже не стала ругаться, а молча принялась паковать чемодан. Я ушел в другую комнату, думая, что она вот-вот остановится. А когда вышел, чтобы все-таки ее удержать, было поздно. Она уже собрала манатки и надевала плащ. Я сказал: «Перестань, на улице дождь». А она: «Благодарю, у меня есть зонтик». Вот такой у нас получился диалог — как в старом фильме. А потом она ушла. Тихо, спокойно и даже дверью не хлопнула на прощание. Не скрою: я был глубоко уязвлен.

Но чего уж там, дело прошлое... Я постепенно вылечил раненую гордость. Однако, черт возьми, теперь я вряд ли когда-нибудь буду жить с женщиной под одной крышей.

Впрочем, я о натюрморте... При чем здесь моя бывшая жена? Какая связь? А может, как раз и есть связь?

Я вышел на кухню. Стараясь не расплескать родившуюся внутри идею картины, я сделал себе кофе.

В богемных кругах принято игнорировать растворимый кофе. Но я слишком хорошо помню себя подростком. Тогда, в восьмидесятых годах, мы с родителями могли позволить себе кофе только по выходным. А растворимый давали в заказах лишь по большим праздникам. Поэтому для меня аромат растворимого кофе — это навсегда аромат праздника.

К тому же, если бросить в чашку три ложки, напиток получается боевой.

Пусть с кофеварками и турками священнодействуют пижоны. Те, для кого важен процесс посмотрите все на меня: я варю кофе!

А мне от кофе нужен результат. Мне надо привести себя в боевую норму для работы.

Прихватив чашку, я поспешил к компьютеру.

Мастерской у меня нет. И не было. И теперь уже никогда не будет.

Я слишком молод, поэтому не успел получить ее в советские времена. А сейчас мастерских художникам не дают.

Поэтому я в мастерскую обратил свою самую светлую комнату (из двух имеющихся). Здесь у меня стоит компьютер с огромным, двадцатисемидюймовым монитором. С его помощью я рисую «пепси» и другую рекламщину.

Прямо у окна размещается еще один стол, где я пишу — карандашом, гуашью или акварельками. Рядом со столом располагается подрамник. Сейчас он пуст. Больше в комнате ничего нет, за исключением старого дивана, доставшегося мне (как и квартира) от бабушки.

На диване я принимаю забредающих ко мне гостей. Для посиделок приношу из коридора раскладной стол. Здесь же, на диване, гости (или гостьи), бывает, и заночевывают.

У стен в комнате стоят мои холсты — готовые и недоконченные. Все они повернуты изнанкой — чтоб не отвлекали от текущей работы. По всем стенам на разной высоте вбиты крючья. На них я развешиваю работы, когда ко мне приводит покупателей мой маршан.

Над крючьями организованы точечные светильники. Чтобы продаваться, надо уметь представить свою работу в наиболее выгодном свете — в прямом и в переносном смысле. Я усвоил эту заповедь капитализма.

Итак, я принес с кухни чашечку кофе и подсел к компьютеру.

Комп для меня — средство связи с внешним миром. По утрам, за чашечкой кофе, я, как в девятнадцатом веке, просматриваю письма и газеты. Я захожу на свои почтовые ящики, а потом открываю сайты газет. Все это, вкупе с бодрящим кофе, настраивает меня на рабочий лад.

Я открыл свой почтовый ящик. Ничего интересного, один спам. Молчит и Лешка из Торонто, и Мишка из Тель-Авива, и Игорек из Батон-Руж, штат Луизиана. Да и московские друзья (или подруги) могли бы черкнуть пару строк. Но нет.

Я вел также легкую необязательную переписку с двумя цыпочками, знакомыми мне только виртуально, — одна вроде бы из Одессы, другая — из Сиднея. Впрочем, первая на деле могла оказаться небритым программистом из соседнего подъезда, а вторая — толстой старой негритянкой из Нового Орлеана.

В Интернете никогда ни в чем нельзя быть уверенным.

Однако и от цыпочек писем не оказалось — один мусор. Не открывая, я уничтожил спам. Одним глотком допил оставшийся кофе. Вышел из почтового ящика. Уставился в экран. Мне подмигивали рекламные баннеры. Кричали заголовки новостей. «Что делал Филипп Киркоров с Машей Распутиной»; «В Кармадонском ущелье найден Сергей Бодров». Мне было абсолютно наплевать, что делал Киркоров с Распутиной. И я уверен, что беднягу Бодрова — и даже тело его — на самом деле не нашли. Иначе об этом уже трезвонили бы все радио- и телеканалы.

Стоит только зацепиться за один-единственный баннер — и ты в конце концов окажешься за миллион миль от места, где намеревался побывать. А когда очухаешься, выясняется, что прошло полночи (или полдня). Работа не сделана. То, за чем ты ходил в Сеть, так и не нашел (да ты уже и забыл, зачем заходил!)... Все тело разбито, а голова лопается от никчемной информации, картинок, видео и музыки... Многих — ох, многих! — навсегда засосала пучина сия!

Я обычно строго-настрого запрещаю себе ходить по неведомым интернетовским дорожкам. Нет вернее способа убить время и посадить глаза.

Из кухни, нажравшийся «Вискаса» для престарелых кошек, явился, облизываясь, Дуся. Легко запрыгнул на мой стол, а оттуда взлетел на верхнюю крышку монитора. Умостился, прищурил глазищи. Верхняя панель монитора — любимое место Дуси. Там тепло, а кроме того, оттуда он может легко контролировать все, чем занят хозяин. Это вообще чрезвычайно в духе моего кота в частности — и кошек вообще: занять самое высокое место и посматривать на происходящее сверху вниз.

«Лежи-лежи, — вслух пообещал я ему. — Сдохнешь от излучения».

Кот только презрительно сузил глаза. Ему было совершенно наплевать на излучение — равно как и на вопросы жизни и смерти.

В низу экрана мой взгляд зацепился за посверкивающий баннер. На нем через равные промежутки времени — словно кукушка в часах — выскакивала птичка. Затем птичка сменялась надписью «Кукушка-2». А потом снова вылетала птичка. Мелькание невольно притягивало глаз.

«Кукушка-два», надо же, — подумал я. Я недавно посмотрел по видео фильм «Кукушка» режиссера

Рогожкина. Картина оказалась редким российским фильмом, мне понравившимся. В нем не было ни пижонства, ни чернухи, ни кровожадности, а присутствовали любовь и юмор. Хорошее сочетание.

И вот на тебе — «Кукушка-два». Гадость какая. «Кукушка» — кино совсем не из тех, чтобы к нему снимать сиквелы. Неужели народ в погоне за прибылью готов изговнять все на свете? Даже то немногое хорошее, что изначально появляется на экранах?

Сиквелы, приквелы и прочая лабуда захватывают мир. Почему не снят «Андрей Рублев-два»?

Или — «Механическое пианино возвращается».

Почему после «Сладкой жизни» не появилась «Очень сладкая жизнь» и «Невозможная сладость бытия»?

«Кукушка-два»!.. Да не вранье ли это? Может ли такое быть?

И я навел курсор на баннер и щелкнул мышкой.

Зря, конечно, это сделал.

Я только намного позже понял во всей полноте и отчетливости, насколько зря.

ХУДОЖНИК И КУКУШКА

Итак, я щелкнул мышкой по баннеру.

Я, в общем-то, понимал почему. Мне совершенно не хотелось рисовать источающую жажду пепси. А браться за только что придуманный натюрморт было совестно. Потому что за жаждущую пепси мне платили и зарплату, и премию. Я даже имел какой-то мизерный процент в прибыли рекламного агентства. А натюрморт... Бабушка надвое сказала, продам ли я его. Получу ли за него хоть копейку? Да и вообще — удастся ли он? Да и закончу ли я его? Не впустую ли будут мои хлопоты и творческая горячка?

Вечные страдания творца. Если он, конечно, творец — а не халтурщик с рыбьей кровью. Не какой-нибудь делатель сиквелов-приквелов. Не тиражер огромных чугунных статуй. Не рисовальщик многочисленных лакированных портретов, ужасно похожих на раскрашенные фотографии...

И, чтоб не писать ни натюрморт, ни «пепси», я кликнул по первому попавшемуся баннеру. Эскапизм — бегство от действительности. Чтобы не выбирать между двумя возможностями, человек не выбирает ничего.

Баннер «Кукушка-два» открылся под звуки Девятой симфонии Бетховена. «Та-та-та там!!» Так судьба стучится в двери.

Кот, лежащий на мониторе, вздрогнул. На экране появился титр: «Мы знаем, сколько тебе осталось жить-поживать!» Затем вспыхнула другая надпись: «Хочешь узнать точную дату собственной смерти?»

Последний текст произносила сама Смерть с косой — в мини-юбочке, с грудями навыкате. Она кокетливо подмигивала:

«Жми сюда!»

Ох, господи, что за дураки, подумал я. Значит, к кино «Кукушка» баннер отношения не имеет. И никакого продолжения фильма, слава богу, не затевается. Но что за подлые обманщики! Интернет в очередной раз надул меня.

«Кукушка-два», оказывается, обещает накуковать прогноз *ожидаемой продолжительности* моей жизни (если выражаться языком социологов). Приколисты фиговы. В Сети полным-полно подобных приколов. Интернет вообще любит шутничков и всяческих фриков.

Тебе, к примеру, предлагают заглянуть в «глазок» видеокамеры, установленной в общественном туалете. Или посмотреть на собственное лицо — каким оно станет лет через тридцать.

Непонятно, зачем устраиваются подобные развлечения. Ведь это целая история: создать программу, сайт, еще и баннеры развесить. Требует кучу времени — да и денег. Неужели интернетчики занимаются этим из чистой любви к собственному искусству? Примерно потому, зачем я рисую свои натюрморты?

Ну, ладно, решил я, раз зашел — надо дорезвиться до конца.

Хоть порадуюсь. Программа наверняка основана на банальной статистике. Мне вот тридцать один. А средняя продолжительность жизни в России — где-то лет шестьдесят пять. Значит, мне нагадают еще тридцатник с хвостиком. Пустячок, а приятно. Как-то внутренне подзаряжает.

Огромным богатством, если вдуматься, я обладаю. Тридцать четыре непрожитых года.

И я снова щелкнул мышкой.

Появился запрос: «Введите дату своего рождения». Я смело отстучал «17 января 1972 года» — и нажал «продолжить». Я уже ожидал ответа от дурацкой кукушечки — типа: «Вы умрете 27 января 2037 года».

Однако на экране возник новый вопрос: «Ваш пол?»

Что ж, вопрос логичный.

Женщины живут, к сожалению, дольше, чем мы. Это им награда за то, что они меньше нервничают, меньше заняты карьерой и меньше (как правило) зарабатывают. Правда, надо признать, женщины к тому же пьют меньше водки, аккуратнее гоняют на автомобилях и реже ходят на стадионы, когда «Спартак» играет с «Барселоной».

Я решил не прикалываться и кликнул по буковке М.

Тут же появился новый вопрос:

«Вы проживаете...» — и три варианта ответа:

«В России»

«В дальнем зарубежье»

«В ближнем зарубежье».

Интерес вполне логичный. Не знаю, как обстоят дела в Белоруссии или Узбекистане, а в дальнем зарубежье народ, увы, живет сильно дольше нашего.

Я не стал изображать из себя японца, норвежца и разного там прочего шведа и честно щелкнул по плашке «Живу в России».

Но кукушечка со своими «ку-ку» опять не появилась.

Возник новый вопрос:

В каком населенном пункте вы проживаете? — и варианты:

Москва

Крупный город — и далее, вплоть до села.

Тоже разумно. Хотя и непонятно, в чью пользу — москвичей или деревенщиков — программа будет считать. С одной стороны, в столице — стрессы и экология. Плюс — сумасшедшее автодорожное движение и вероятность попасть под случайную перестрелку. К тому же поездки в метро опять же жизни не прибавляют.

С другой стороны — в провинции пьют больше,

чем в Москве. И меньше зарабаı ывают. И хуже питаются.

Я честно выбрал «Москву» и, как дурак, нажал «продолжить».

Я уже стал подумывать, не бросить ли дурацкий опросник. Что за бессмысленный способ тратить собственное время и деньги!

Однако следующий вопрос «кукушечки» меня немало повеселил. Все-таки в Сети гужуется народ с отменным чувством юмора.

На экране появилось:

Вы Кощей?

Я вслух засмеялся (Дуся на мониторе открыл один глаз) и кликнул по варианту «нет». А потом подумал: а что было бы, если б я выбрал «да»?

Далее — шутки в сторону! — меня снова спросили серьезно:

Вы курите?

Я с чистым сердцем ответил «нет» — и порадовался, что прибавил себе лет пять-шесть ожидаемой жизни.

Затем последовал вопрос:

Вы женаты?

Я ответил «нет». Этим я убавил себе годы, выигранные на курении. Странно: жены пьют из мужей кровь стаканами — но при этом женатики, по статистике, живут дольше, чем холостяки.

Далее программа спросила меня: сколько я пью?

Я написал самый здоровый и одновременно правдивый ответ: бокала два-три хорошего сухого вина.

Затем — занимаюсь ли я спортом?

Я открестился — хотя, подозреваю, это стоило мне лишних трех-четырех лет. И, наконец, сколько я зарабатываю.

Последний вопрос меня, признаться, насторожил. Может, им еще нужен номер моей кредитки? И пин-код в придачу? Может, «Кукушечка-два» в реале — мощная маркетинговая социологическая служба? И они промышляют тем, что исподволь собирают информацию о потенциальных потребителях? И, по-честному ответив на их дурацкую анкету, я навечно попаду, как вероятный клиент, в базы данных «Рибока» и «Фольксвагена», «Коки» и «Адидаса», «Хьюго Босса» и «Форда», «Кардена» и «Нивеа», «Проктер энд Гэмбл» и «Найка». И эти международные капиталистические монстры доверху забьют мой почтовый ящик директ-мэйлом?

Словно в ответ на мои опасения на экране зажегся титр:

«Кукушка-два» гарантирует строгую конфиденциальность сообщенных Вами сведений. Мы обязуемся не передавать их никогда, никому и ни на каких условиях. Мы не собираем какие бы то ни было данные, позволяющие идентифицировать вашу личность и нарушить ваше право на личную жизнь».

Это заявление заставило меня еще пару минут не отрубаться от забавного сайта. Надо все-таки довести игру до конца — каким бы он ни был.

Тем более что мне не хотелось писать натюрморт, а изображать с помощью программы «Адоб-Фотошоп» изнывающую от жажды банку пепси — особенно не хотелось.

ХУДОЖНИК. РЕЗУЛЬТАТ

Сеть затягивала меня все глубже. Я щелкал и щелкал мышкой, отвечая на вопросы дурацкой анкеты. Оторваться было невозможно — как от семечек или попкорна.

Я ответил ещё на пару пунктов: есть ли у меня машины, дети и домашние животные. Мне даже предложили цветовой тест Люшера: «Расставьте эти цвета в наиболее предпочтительном для вас порядке...» Первым я выбрал голубой — не знаю, что уж это означало. Наверное, то, что у меня, как у Пикассо, сейчас голубой период.

«А теперь — расставьте еще раз...»

Однако от анкеты «Кукушечки» оказался неожиданный толк. Где-то посреди нее мне вдруг пришло в голову абсолютное точное видение своего будущего натюрморта. Анкета (или то время, что я на нее потратил) как бы кристаллизовало его.

Я увидел перед своим, что называется, внутренним взором: вот стол на кухне. На обычной советской, московской кухне. На заднем плане — окно. Где-то в окне, невдалеке видны другие многоэтажные дома, заснеженные тротуары и засыпанные снегом машины.

А на переднем плане, на столе, — разложены цветы. Стандартные букеты и отдельные цветочки. Букеты самые разные. Контрастирующие друг с другом. К примеру, три ириса. А рядом — одинокая гвоздика. А подле — две веточки мимозы. И — букет из трех длинных полуувядших роз. А рядом с цветами на столе лежат полураскрытые ножницы. Центром композиции является ваза с семью (или девятью) желтыми тюльпанами.

И зрителю становится очевидно: дело происходит в какой-то праздник. В день рождения или на Восьмое марта. Скорее, на Восьмое марта. И эти цветы женщине надарили на работе. Вот эта одинокая гвоздика, к примеру, — формальный подарок от начальника. Три дорогие, но полужухлые розы —

подношение от благодарного клиента. Дешевенькие мимозики — сувенирчики от женщин-коллег.

Букетик ирисов — дар тайного застенчивого воздыхателя. Например, какого-нибудь юного прибабахнутого компьютерщика. Или, напротив, кадровика-отставника предпенсионного возраста.

Но вот тот букет тюльпанов, что уже поставлен в вазу — поставлен женщиной самым первым, нежно, любовно, — это подарок ей от возлюбленного.

А самой женщины, современной москвички, на картине нет. Она где-то за рамкой. Наверное, наполняет водой очередную вазу. Но разложенные на столе цветы многое рассказывают нам о ней: как она ехала с работы домой — чуть подвыпившая, довольная, восторженная, — прижимая к груди разнокалиберные букеты. Как завистливо смотрели на нее пассажирки в метро. Как она, войдя в дом, сразу же бросилась подрезать и расставлять цветочки. И первым установила в вазу самый дорогой для нее букет — желтые тюльпаны от возлюбленного.

Я знал: в натюрморте должна почувствоваться моя любовь к этой неведомой (и невидимой зрителю) женщине. И даже — легкая ревность к ее гипотетическому возлюбленному с желтыми тюльпанами. И — моя ностальгия.

По кому ностальгия — не знаю. Может, по некой несуществующей, но прекрасной девушке. А может, по любви вообще — ведь я этого чувства не испытывал страшно давно.

И мне чертовски захотелось взяться за натюрморт прямо сейчас. К черту пепси-колу. К черту прочие халтурки. Вот сейчас покончу с анкетой, раз уж ввязался, — и за работу.

Я, конечно, знал, что разница между той задумкой, что с ослепительной яркостью вспыхивает в мозгу художника, и результатом порой бывает колоссальна. И никогда не удается выразить то, что ты изначально видел внутри себя, со всею точностью. Порой (очень редко!) результат неожиданно оказывается даже лучше того, о чем мечталось. (Но все равно, как ни крути, — иным!) Однако чаще итог получается хуже — гораздо хуже! — того идеального образа, явившегося однажды в твоем сознании. И пусть зрители хвалят — часто искренне — твою картину, все равно ты видишь, где недотянул. И благодаря каким доделкам и переделкам результат мог быть иным. Лучше. Совершенней. Прекрасней. Ты видишь эту разницу — и тоскуешь оттого, что она существует. Оттого, что ты опять недотянул. В очередной раз не достиг идеала.

А потом, в один прекрасный день, новый образ влезает в голову и весь заполняет тебя. И ты снова (несмотря на все неудачи) берешься за работу. Потому что иначе отделаться от того, что вступило в башку, невозможно...

Думая обо всем этом, я наконец механически закончил отвечать на дурацкую интернетскую анкету. Щелкнул мышкой по клавише на экране «Показать результаты». Вспыхнул титр: «Ждите. Идет обработка данных...»

Я откинулся в кресле. Мой Дуся спал, свернувшись клубком на мониторе.

На экране появилась мультипликационная кукушка. Она помигала в мою сторону глазком-бусинкой. Потом вдруг разочарованно развела крыльями и улетела за обрез экрана.

Посреди экрана вспыхнула надпись:
Sorry...

А затем ее сменила другая:

Вам осталось жить-поживать
8 дней 2 часа и 28 минут.

Я вперился в титр. Ну ни фига ж себе!

Я битый час угрохал на дурацкую анкету — и ради чего! Чтобы меня так мерзко, предательски разыграли! Подумать только — мне осталось жить восемь дней с минутами!

Тут на мониторе появился новый титр:

Причина смерти — несчастный случай.

Не успел я вглядеться в него, как возникла новая надпись:

Время пошло!

А ниже появился цифровой хронометр.

08 дней 02 часа 28 минут 36 секунд

Часы вели обратный отсчет.

Последнее число стремительно убывало:

35 секунд... 34... 33... 32...

Пока я, ошеломленный, пялился на экран, счетчик секунд обнулился, а потом снова пошел по убывающей:

08 дней 02 часа 27 минут 59 секунд... 58 секунд...
57... 56... 55...

Вот твари! Ну шутнички!

Раздосадованный, я тут же нажал мышкой клавишу **«Завершить работу»**.

Экран мигнул и потух. Я с шумом отодвинул от компьютерного стола кресло. Дуся приоткрыл на меня один глаз, словно проверяя: что случилось? Я усмехнулся и выбежал на кухню. Залпом выпил стакан холодной воды.

«Ну идиоты! — вознегодовал я на создателей «Кукушки». — Это же надо так пошло шутить! Мало того, что я потратил битый час на их анкету, — они еще на полном серьезе дают дурацкие предсказания!»

И главное, ведь ничего нового. Что-то подобное я уже видел. В каком-то фильме ужасов. Кажется, он назывался «Звонок». Сначала он был японским, а потом еще и американцы римейк сняли. Ну, а то, что бывает в «ужастике», — никогда не случается в жизни. Кстати, и у Мураками в одном из романов герой знал точное время собственной смерти...

Долбанутые компьютерщики! Сами ничего нового придумать не могут — вот и крадут чужие идеи. Шутнички, блин! Кукушечки!

Разумеется, я ни на секунду им не поверил — но все равно неприятный осадок оставался. Будто кто-то посторонний влез к тебе прямо в душу. Ты ему чуть ли не исповедался, а он — плюнул тебе на ботинки и сказал, что ты говнюк и вообще вот-вот умрешь.

Да, гадское ощущение внутри — будто пирожок с несвежим фаршем съел.

Чтобы перебить его, я заварил себе еще одну чашку мощного кофе. Полез в холодильник за конфетами «Шоколадный крем».

Вот идиоты, вздохнул я, откусывая шоколад и постепенно успокаиваясь. Испортили настроение.

Хотя...

Я отхлебнул горяченного кофе и самоиронично подумал:

«Ну, раз я умру через неделю — имеет ли смысл браться за банку пепси? Нарисую очередную, стомиллионную банку газировки — и что?

А вот натюрморт... Есть шанс — правда, мизерный! — что после моей нелепой, скоропостижной смерти (через восемь дней!) картина вдруг возьмет — и прославит меня. И обессмертит мое имя. И лет через сто пойдет с молотка аукциона «Кристи'с» миллионов за сто долларов... Так что прямой смысл заняться именно картиной. Чтоб было чему моим далеким наследникам порадоваться.

Что ж, идиотская интернетская шутка мне помогла сделать выбор.

Решено. Берусь за цветы.

Оставшихся (я хихикнул про себя) восьми дней мне хватит.

НАТЮРМОРТ. ЗВОНОК

Я уселся на кухне. Взял планшет с бумагой. Карандашом быстренько набросал эскиз.

Отложил. Пристально осмотрел. Мне понравилось. С композицией все было в порядке. Мне вообще нравится момент, когда нематериальные образы, возникшие в башке, начинают превращаться в первые линии.

Когда из *ничего* проступают первые контуры *чего-то*.

Эскизничал я на кухне — с натуры. Вот стол — а вот задний план: окно. А вот и вид из окна: соседский дом, детская площадка, машины. Все перенесется на задуманную картину.

На кухню приплелся, заметив мое отсутствие в комнате, Дуся. Пришел проверить: вдруг я тут ем? А если ем — может, и ему перепадет? Вот примитивная тварь. Ничто ему неведомо: ни муки творчества, ни мысли о смерти. Ничто его не интересует. Одна жратва.

Дуся покрутился по кухне, ткнулся в свою плошку. Убедился, что едой и не пахнет, и разочарованно поплелся в туалет.

И тут раздался телефонный звонок.

Обычно я отключаю телефон, когда работаю. Пусть те, кто решил меня побеспокоить, записывают свои послания на автоответчик. Нечего отвлекать творческого человека в рабочее время.

Но сегодня с самого утра у меня не раздалось ни единого звонка. Да еще эта дурацкая сетевая шутка... От нее, несмотря ни на что — кофе, конфеты, работу, — внутри было кисловато. Поэтому, чтобы развеяться и забыть дикий розыгрыш, я снял трубку.

В наушнике что-то слегка щелкнуло. Затем раздалось легкое шипение. А потом механический голос — точь-в-точь как в службе «100» — безразлично произнес:

«Вам осталось... — Пауза.

Восемь дней... один час...»

Между словами автоматический голос делал паузы, как делает обычно механизм, сообщающий точное время.

«Тринадцать минут... И сорок секунд...»

Потом опять щелкнуло, и снова:

«Осталось... Восемь дн...»

Я бросил трубку.

МЕРТВАЯ ТИШИНА

Не скажу, что после идиотского звонка у меня поднялись волосы дыбом. Или там — что я побелел как смерть.

Хотя не знаю. Сам я себя в зеркале не видел.

Но — было противно. И как-то неприятно. Дурацкий розыгрыш затягивался. И принимал все более объемлющие формы. Интернет, а теперь вот и телефон.

Попался бы мне этот дурацкий шутничок — немедленно получил бы прямо в ухо.

Смерть!.. Нашли чем шутить.

Я оглядел кухню.

На столе валялся отложенный планшет с эскизом натюрморта и карандаш. Керамическая чашка с остатками кофе, смятый фантик и пустая баночка из-под йогурта дополняли реальный, а не идеальный — возникший в моем воображении — натюрморт.

Кухня показалась мне сейчас какой-то нахохленной, неприкаянной. Тюлевая занавеска была содрана с двух крючков. Ее вообще давно не мешало бы постирать. А окна — помыть.

При этом и кухня, и вся квартира казались полными какой-то нехорошей тишины.

И в этой абсолютной, мертвящей тишине капала вода из крана. Давно пора сменить прокладку. Дзыньк, дзыньк! — звенели капли, падая в непомытое блюдечко из-под вчерашнего чая.

Но — что удивительно! — больше в нашем огромном многоквартирном доме не раздавалось ни единого звука.

Я выглянул в окно.

Залитый весенним солнцем двор был абсолютно пуст. Недвижно стояли припаркованные машины. Из помойки торчал длинный кусок картонной коробки и чуть покачивался на ветру.

И тут я заметил движение. По пешеходной дорожке шел человек. Шел он с трудом, будто преодолевал сопротивление ветра.

Я пригляделся и увидел, что человек попросту пьян. Нагрузился с утра и шкандыбает от магазина.

В руках у пьяного был старый полиэтиленовый

пакет. Нес он его с чрезвычайной осторожностью. Видно было, что он готов при необходимости защищать его всем своим телом. У стороннего зрителя вроде меня не оставалось никаких сомнений по поводу содержимого пакета.

На сердце как-то отлегло. Отчего-то этот пьяный, шествующий поперек двора, теперь показался мне чрезвычайно симпатичным.

А тут вдруг из квартиры сверху донесся посвист дрели. Еще ни разу в жизни этот звук не был мне настолько мил.

Все нормально. Я стряхнул с себя морок. Жизнь продолжается. Все живы. И мир — жив.

И я — жив тоже.

Просто — будний день. Одиннадцать часов утра. Народ — на работе. Дети — в школе. Птицы еще не вернулись с югов.

Все нормально.

Однако мысль о том, что надо вернуться к работе, вдруг стала мне невыносима. Показалось удивительно унылым: продолжать сидеть здесь, в квартире, одному и писать натюрморт.

Надо мне, пожалуй, пойти прогуляться, решил я.

Что-то я зачах тут один. Одичал. Да еще и предсказания эти дурацкие. Звонки.

Надо сходить в магазин, подумал я. Там — люди, там — милые кассирши. Может, кого из соседей встречу по пути — поболтаем. Вот и развеюсь.

Решено, собираюсь. А чтобы мне не было так одиноко, я включил радио в своем музыкальном центре «Панасоник».

«...А впереди у нас путешествие по времени, — раздалось бодрое щебетание ведущей из «Радио семь — на семи холмах», — годы шестидесятые, восьмидесятые и девяностые. «Битлз», Анна Усачева и Джо Кокер. Оставайтесь с нами!..» И в динамике раздались известные аккорды. А после — запел Маккартни:

In the town
Where I was born...

Я бодро подхватил, подпевая сэру Полу:

Lived a man
Who sailed to sea...

И отправился надевать джинсы.

ПИСЬМО

«Йеллоу Сабмарин» была единственной битловской песней, которую я знал от начала до конца.

Я допел ее вместе с Полом, одеваясь. Потом выключил радио и вышел в робко-весенний день.

Никого из знакомых я по дороге в магазин не встретил. Зато мило поболтал со скучающей кассиршей. И скидку получил, как ранняя пташка — покупатель, явившийся до двенадцати часов дня.

В магазине я приобрел жестяную двухсотграммовую банку «Нескафе-Классик», коту — «Вискаса» и туалетный наполнитель «Катсан». Еще я купил «Студенческих» микояновских сосисок и тортик «Наполеон». А кроме того, побаловал себя шоколадкой «Вдохновение», апельсинчиками и бананчиками.

Когда я подошел к своему подъезду, гнилое настроение, вызванное дурацкими розыгрышами, улетучилось.

В моем обычном — не виртуальном! — почтовом ящике что-то белело.

Я поставил сумку с покупками на пол и отпер его.

Внутри оказалось письмо. Адресовано — мне, и адрес — мой. Координаты отправителя не указаны.

Почерк на конверте показался мне странно знакомым.

Я довольно редко получаю письма, поэтому разорвал конверт прямо в подъезде. Оттуда выпал небольшой голубоватый листочек, исписанный от руки.

Я взялся читать:

«Когда вы прочтете эти строки, меня уже не будет в живых.

Да, да! Я должен умереть. Судьба распорядилась именно так, и я чувствую приближение неминуемой смерти.

Очень жаль, что мне не удалось выполнить все задуманное, воплотить все мечты. Но меня утешает и мне льстит мысль, что удалось оставить после себя хотя бы кое-что. Хоть какие-то следы моего пребывания на Земле. Картины, оставшиеся после меня, продайте. Не знаю, как оценит их история, но все, что я ни писал, делал со всей душой и от чистого сердца.

Жаль, что мне не довелось родить сына. Ну, что ж, значит, не судьба. Значит, богу это оказалось не угодно.

Еще раз прощайте — и вспоминайте обо мне».

Письмо было без обращения и подписи, однако я застыл в подъезде, словно пораженный громом, вперившись в ровные, угловатые строки...

Потому что это был МОЙ ПОЧЕРК!

Глава 3

ЛИЗА. КОЛДУН

Лиза ехала в центр и ругала себя «поленом», «мымрой» и даже «овцой». Бабушка бы ее осудила. Но как тут не ругаться, если тебя все-таки «развели» — на несусветную глупость? Она, выпускница «Плешки», почти атеистка, едет к колдуну — подумать только!

Одно оправдание: слишком уж упорно ее в последние дни всякая мистика преследовала... В электронном почтовом ящике обнаруживались маги, в обычном — ведьмы, и даже Сашхен — вот уж реалистка из реалисток! — и та переметнулась с материалистических позиций на магические и принялась за промоушен колдуна! И вот итог: Лиза приготовила честно заработанных сто баксов и несет их какому-то Кириллу Мефодьевичу, явно ведь — шарлатану...

Дом колдуна оказался в одном из старомосковских переулков, совсем неподалеку от Патриарших.

«Специально он себе, что ли, такое место жительства выбрал? — подумала Лиза. — Маргарит приманивать? На девушек впечатление производить?»

Несмотря на самые лестные аттестации, что дала чародею Сашхен, Лиза настроена была крайне скептически. Все-таки училась она в советской школе. Учителя и родители ее в материалистическом духе воспитывали. Лиза даже пионеркой успела побывать. И теперь... Теперь она шла к кудеснику, потому что понимала: Сашка от нее все равно не отвяжется, так что уж лучше сходить к этому Мефодьевичу и тут же выкинуть сей визит из головы.

«Подумаешь, колдун, — уговаривала она себя. — Ну, пошепчет какие-нибудь заклинания. Благовония воскурит. Ну, руками в воздухе повертит... От меня же не убудет, правда? Зато появится некий новый опыт. А жизненный опыт — это бесценная штуковина!»

Она уже опаздывала минут на пять или семь. И все еще искала нужный адрес. Нумерация домов в переулке была загадочной. Следом за девятым домом сразу шел тринадцатый. И как быть, если тебе нужен дом под номером одиннадцать?

«Одиннадцатый, наверное, — *показывают* только избранным, — усмехнулась про себя Лиза. — А обычным людям этот дом неведом...»

Впрочем, быстро обнаружилось, что одиннадцатый — всего-навсего притаился в глубине двора.

Внутрь его вела низкая подворотня.

Дворик оказался точь-в-точь петербургским: колодец, куда не проникал солнечный свет. Шестиэтажные грязно-желтые стены смотрели на Лизу рядами окон, за которыми не чудилось жизни. Окна в большинстве своем были серыми, грязными, давно не мытыми. Впрочем, кое-какие рамы оказались самоновейшими — белыми поливиниловыми. Весь маленький двор был уставлен в несколько рядов машинами. Как они, интересно, разъезжались здесь при такой толчее?

Во дворе было пусто, ни души, и тихо-тихо, словно совсем нет рядом Москвы с ее суетой, толкотней и пробками. Странное место. На первый взгляд все мирно-уютно, но сердце почему-то так и екает — совсем как в ночном метро или в темной подворотне.

Лиза подошла к ближайшему подъезду. Нумерация квартир здесь тоже оказалась, словно в Петербурге, — совершенно беспорядочной. Вывеска над дверями сообщала, что тут помещаются квартиры: три, четыре, пять и шесть. А еще вдруг — с тридцать второй по тридцать шестую.

Нужная ей тринадцатая, должно быть, находится в следующем подъезде. Лиза, лавируя меж припаркованных машин, подошла к другому парадному.

Рядом с изрядно выщербленными ступеньками располагалась мусорка. Бак был переполнен.

Да, все правильно. Тринадцатая квартира здесь. Кажется, на втором этаже. Но почему с каждым шагом — ей все страшнее и страшнее?!

«Глупости это», — оборвала себя Лиза и смело шагнула к подъезду.

Набрала цифры один и три на бронированном домофоне.

Квартира номер тринадцать, видите ли. Подходящий номер для колдуна.

В домофон никто не ответил — однако дверь пискнула и сама собой отворилась.

Лиза вошла в подъезд. В парадном было полутемно. Свет струился только из маленького окошка где-то под потолком.

Лиза поднялась по красной, слегка истертой дорожке.

Порядок квартир в подъезде соблюдался: тринадцатый номер шел следом за двенадцатым и располагался на втором этаже. Дверь оказалась обычная, деревянная. На ней — почтовый ящик еще советских времен. И даже глазка нет.

Лиза позвонила. Звонок отозвался в тихой квартире — где-то далеко-далеко.

Через минуту из-за дверей раздался женский голос: «Кто?»

— Я к Кириллу Мефодьевичу! — прокричала Лиза. — Назначено!

Дверь распахнулась. На пороге стояла женщина с невыразительным и усталым лицом.

Никакой тебе полуголой Геллы со шрамом через шею.

Никаких черных мантий, черного ворона или запаха серы.

Обычная московская тетенька: то ли прислуга, то ли помощница, то ли жена.

— Пожалуйста, — сказала блеклая женщина и посторонилась.

Лиза вошла через двойные двери. С любопытством огляделась в прихожей.

Мелькнуло: «А неплохо, черт возьми, живут у нас колдуны».

В квартире — высоченные, чуть не четырехметровые потолки. Люстра натурального хрусталя (и это в прихожей!). Две картины по стенам. Одна похожа на Шагала — а может, это и есть Шагал? На картине был запечатлен художник — он с палитрой наперевес парил в позе космонавта над красно-зеленым местечком. И в самом деле очень смахивает на Шагала.

Вторая картина, висящая в прихожей, оказалась темной, напоминающей Рембрандта, — но вряд ли, конечно, это был натуральный Рембрандт. Даже у колдуна на Рембрандта денег не хватит. На холсте угадывался лик молодого человека в старинном бархатном костюме.

Со лже-Рембрандтом соседствовал вполне современный зеркальный шкаф-купе.

Женщина молча вынула из шкафа вешалку и ждала, чтобы принять Лизино пальто. Лиза протянула ей свою «Максмару».

— Какой у вас размер обуви? — спросила тетенька, убирая Лизино пальто в шкаф.

— Тридцать шестой.

Из горы тапочек, лежавших внизу шкафа, женщина выхватила наугад подходящие, положила их на пол рядом с Лизой. Жест означал молчаливое приглашение переобуться. Лиза расстегнула туфли.

«Ну, разуваться — это уж слишком, — подумала она. — Я б на месте колдуна клиентов переобуваться не заставляла. Имидж дороже. А в тапках получается — полное опошление. Никакой таинственности».

Усталая женщина сделала жест, приглашая вовнутрь, в комнаты. Лиза открыла двустворчатую дверь.

Размеры комнаты ее поразили. Помещение оказалось метров пятидесяти, если не больше. В углу горит — с ума сойти! — настоящий камин. В нем чуть потрескивают дрова. От камина распространяется живое тепло.

За исключением камина никаких атрибутов колдовства в комнате не наблюдалось. Никаких магических кристаллов, филинов, черных котов. Никакой тебе мистической полутьмы. Всю комнату заливает электрический свет.

Лиза пригляделась.

Свет излучает огромная — еще больше, чем в прихожей, — хрустальная люстра, да светит пара отделанных хрусталем светильников по стенам.

Посреди комнаты находится антикварный стол. Его окружают роскошные стулья из красного дерева. Окна наглухо закрыты тяжелыми шторами с кистями. С улицы не доносится ни звука. А на антикварном столе потрескивает, чадит одинокая свеча, но она почему-то совсем не кажется магической или колдовской...

У окна — ампирная кушетка, а рядом с ней располагалась на низких столиках пара приборов — то ли физических, то ли медицинских. Экранчики какие-то, тумблеры, провода.

«Ну и чародеи нынче пошли, — весело подумала Лиза. — Считала, иду в колдовское логово, а попала в какой-то медкабинет».

Тут Лиза заметила рядом с кушеткой дверь в соседнее помещение. Она была полуоткрыта. В полурастворенную дверь Лиза увидела краешек письменного стола, а также ряды книжных полок. Книги занимали все стены, от пола до самого потолка. Судя по корешкам, большинство составляли научные труды — причем многие из них на иностранных языках. Похоже, за этой дверью находился рабочий кабинет колдуна. (Если у колдунов имеются, конечно, рабочие кабинеты.)

Лизины волнение и робость куда-то улетучились, и она смело пошлепала тапками к антикварному креслу. Без приглашения уселась — да и некому было ее приглашать.

Впрочем, в кабинете чудилось чье-то присутствие. Дыхание, легкое поскрипывание стула... Однако никто пред Лизой не являлся, и она от нечего делать принялась рассматривать убранство комнаты, люстру и потолок.

«Натуральный хрусталь — вон как свет в камнях играет. Словно в Большом театре. И лепнина на потолке — искусная, прорисованная. А потолки какие высоченные! Как дышится-то легко, когда над тобой ничто не нависает — это не моя малометражка! Интересно, когда построен этот дом?»

— В девятьсот восьмом, — проговорил вслух чей-то голос.

Лиза вздрогнула. Из кабинета к ней вышел человек. Он легко улыбался.

Внешности мужчина оказался самой невзрачной. Ничего демонического ни в лице, ни во взоре. Среднего возраста — лет пятидесяти. Полуседые, пегие какие-то волосы. Мелкие черты лица. Такого на улице встретишь — через секунду забудешь.

Одет в чистенький, но ношеный костюмчик. Старый, по моде девяностых годов, вискозный галстук. А обут — подумать только! — в тапочки.

Совсем не такого человека Лиза ожидала здесь увидеть. Думала встретить орлиные взоры, демонические жесты. Готовилась узреть черную мантию, напор и суровость. Но дяденька, шедший к ней через комнату, источал теплоту и благожелательность. Он был весь какой-то уютный и походил совсем не на колдуна, а на доброго доктора Айболита.

— Что «в девятьсот восьмом»? — спросила его Лиза.

Она отчетливо помнила, что ничего не произносила вслух.

— Ну, вы же хотели узнать, когда построен этот дом, — с улыбкой пояснил мужчина. — Вот я и говорю: в одна тысяча девятьсот восьмом. Скоро сто лет ему. Все коммуникации разваливаются, — пожаловался он. — Капремонта не было, сантехники трубы не успевают латать.

Мужчина вплотную подошел к креслу, где сидела Лиза. Склонился в поклоне, протянул руку.

— Вы — Лиза, — утвердительно сказал он. — А меня зовут Кирилл Мефодьевич.

Лиза, не вставая, подала хозяину руку. Она не чувствовала никакой опаски или смущения. Напротив, Кирилл Мефодьевич почему-то необыкновенно расположил ее к себе.

Он взял ее руку в обе свои. Руки его были теплыми и сухими. И, наверно, именно поэтому — необыкновенно приятными.

Маг глубоко поклонился, но целовать Лизину ручку не стал. Просто слегка пожал, а потом задержал в своих ладонях. И это тоже было приятно.

«Как он узнал, о чем я думаю? Мысли, что ли, в *самом деле* читает?»

Кирилл Мефодьевич уселся в кресло напротив нее. Закинул ногу на ногу, так что стала необыкновенно заметна его тапочка. Лицо колдуна выражало благо- и доброжелательность. Глаза улыбались.

— Вы что, мысли мои читаете? — спросила Лиза, пристально и строго глянув на колдуна. Ей хотелось, чтобы тот смутился.

— Да боже избавь! — махнул рукой Кирилл Мефодьевич. — Это же нарушение права на частную жизнь — мысли-то читать... Да и неэтично.

Глаза его смеялись.

— Неэтично, и только? — принимая взятый колдуном легкий тон, спросила Лиза. — А в принципе — возможно?

— Для человека нет ничего невозможного, милая Лиза, — улыбнулся он. — Решительно ничего. Вопрос только способностей. Ну и тренировки, конечно.

— Значит, вы умеете мысли читать? — настаивала она.

— Это совершенно неважно, — ответил колдун, внезапно становясь серьезным. — Для вас ведь важно, что умеете *вы,* верно? Что *уже* умеете — и чему еще можете научиться.

— А я могу — научиться? — воскликнула она.

Было б совсем неплохо узнать, о ЧЕМ думает мужчина ее мечты!

— Читать мысли? А надо ли вам это? — пожал плечами колдун. — Это ведь, Лиза, очень большое напряжение. Концентрация воли, разума...

— Ничего, сконцентрируюсь, — усмехнулась Лиза.

— А зачем? — развел руками маг и волшебник. — Я вас уверяю: в чтении чужих мыслей решительно ничего интересного нет. Это, знаете ли, как язык собак или кошек... У вас, кстати, дома животные есть?

— Есть. Кот.

— Это очень хорошо, — глубокомысленно кивнул колдун. — Как его величать?

— Пиратом.

— Пиратом? — посмеялся Кирилл Мефодьевич. — Интересное имя... Скажите, вот вы вашего Пирата понимаете?

— В общем и целом — да, — пожала плечами Лиза.

— И вы ведь не слишком страдаете оттого, что не знаете кошачьего языка, верно?

— Да вообще-то нет.

— А даже если б вы его и знали... Ну, расшифровали ученые кошачий язык. И — что там? Сплошные: «Есть хочу. Дайте мне пищи. Я проголодался...» Почти все кошачье мяуканье связано с едой. Так ведь и с людьми все то же самое.

— Ой ли? — усомнилась Лиза.

— Конечно! — убежденно проговорил Кирилл Мефодьевич. — Естественно! У мужчин — тем паче молодых — большинство мыслей о сексе. «Какие у нее формы!» «Я бы ее трахнул!» «Что она скажет, если я сразу предложу ей заняться сексом?» Вот о чем большей частью думают мужчины...

— И только? — улыбнулась Лиза.

— Ну, еще: «Классная тачка поехала, мне б такую». Или: «Чертовски проголодался». Или: «Ох, как болит голова после вчерашнего»...

— А как же тогда мужчины работают? — лукаво спросила Лиза.

— А они не думая работают, — серьезно ответил колдун.

— Экий вы... Суфражист... — улыбнулась Лиза.

Разговаривать с колдуном оказалось легко. Словно она с ним уже тысячу лет знакома.

— Да и дамочки, извините, тоже хороши... — по-доброму усмехнулся Кирилл Мефодьевич. — В своем роде правда... Так что, если вы, Лиза, — резюмировал он, прихлопнув ладонями по коленям, — рассчитываете, что с помощью так называемой телепатии, — это слово он произнес «по-медицински», с ударением на последний слог: «телепатии», — сумеете узнавать чьи-то сокровенные тайны, вы глубоко заблуждаетесь... Ничего там, — волшебник постучал указательным пальцем себе по лбу, — интересного нет. Мысли вообще читать нудно и бесполезно. Гораздо интереснее следить за невербальной коммуникацией. Невербальная коммуникация — это жесты, движение туловища, головы, зрачков...

— Спасибо, я знаю, что такое невербальная коммуникация, — усмехнулась Лиза.

— Да вы не только знаете, что это такое, — горячо воскликнул Кирилл Мефодьевич. — Вы и расшифровывать эти знаки наверняка умеете. Я вижу: вы девочка чрезвычайно талантливая. Ну вот, например, скажите мне: вы можете определить, когда вам лгут?

Вопрос прозвучал серьезно, и Лиза задумалась.

— Ну... — сказала она неуверенно. — Если человек хорошо знакомый, я часто догадываюсь... А если незнакомец — то нет.

— Неправда, — жестко сказал Кирилл Мефодьевич. — Когда вам врет близкий человек, вы можете его разоблачить не часто — а ВСЕГДА. Именно вы, Лиза. Вы просто иногда боитесь признаться себе, что он лжет. Вам *удобней* верить.

— С чего вы так решили? — прищурилась Лиза.

— Я же вижу, — пожал плечами колдун. — У вас большие способности. Оч-чень большие. Поверьте мне.

— Что толку с моих способностей? — улыбнулась Лиза. — Мысли читать, вы сами сказали, неинтересно. Тем более если мужики, как вы говорите, все равно думают об одном.

Колдун развел руками.

— Ну, это я говорил о телепатии. А ведь на свете есть еще множество других удивительных и порой приятных способностей. Способность к суггестии, например, — то есть внушению. Или к телекинезу — то есть умению перемещать предметы усилием мысли. А еще есть левитация... Биоволновая терапия... Исполнение желаний, наконец...

— О, это мне подходит, — оживилась Лиза.

— Исполнение желаний — оно всем подходит, — усмехнулся чародей.

— А вы умеете это делать? Желания исполнять?

— Н-ну, дорогая моя, — развел руками маг.

Теперь он выглядел исключительно строго, и если весь предыдущий разговор Лиза еще могла воспринимать как шутку или фарс, то теперь ей показалось, что колдун говорит всерьез. Чрезвычайно всерьез.

— Исполнять желания может один человек на миллион. Точнее — *одна женщина* на миллион. Для этого ведь чрезвычайные способности нужны. Да и — тренировки кое-какие. Плюс сразу возникает вопрос: какие исполнять желания? Исполнимы ли они — в принципе?

Кирилл Мефодьевич строго, испытующе оглядел Лизу.

— Вот вы, к примеру, — продолжил он. — Вы лично — зачем ко мне пришли? У вас какое имеется желание? Деньги? Мужчина? Розыск кого-то?

Глаза мага давно перестали усмехаться. Они словно шурупчиками буравили мозг Лизы.

Внезапно краска бросилась ей в лицо. Стало невозможно страшно даже выговорить свое желание. Куда только делись ирония и нахальство!

— Н-ну... — выдохнула она (словно с высокого моста в реку бросалась!). — Мне очень нравится один парень... И я бы... — Голос дрогнул. — Я бы очень хотела с ним... Я бы хотела его...

Она прикрыла глаза — «проклятый колдун: смотрит, словно все мозги бреднем прочесывает!». И последние слова она произнесла тихо-тихо, словно дуновение воздуха:

— ...приворожить.

Собеседник сделал паузу — и непонятно было, расслышал он или нет. Но он прикрыл глаза и еле заметно кивнул — значит, все-таки слышал.

Повисла пауза — именно повисла: большая, словно люстра. Будто всю комнату собой заняла.

— Ворожба. Волхвование, — серьезно проговорил чародей, задумчиво глядя поверх Лизиной головы. — Вы пришли куда надо. Да только напрасно пришли... Вы ведь и сами можете...

— Я? — потрясенно воскликнула Лиза. — Могу? Что я могу?

— Да все вы можете. Я это вам потому говорю, что вы, Елизавета, на меня сильное впечатление произвели... Никому б другому я об этом не сказал... И деньги бы взял, и поворожил, и приворотное зелье б дал... И все б подействовало как миленькое... Но ведь у вас-то, Лиза, у самой такое поле — поверьте мне! — что вы можете безо всякой моей помощи обойтись. Приворожите вы и сами ваш предмет в два счета. И бегать будет за вами, и надоест еще.

— С чего вы взяли? — пробормотала Лиза.

— А вот пожалуйста.

Кирилл Мефодьевич вскочил со своего места и подбежал к стулу, на котором сидела Лиза. Отодвинул стул, помог ей подняться. Подвел ее к ампирной кушетке. Рядом с нею Лиза заметила небольшие напольные весы.

— Вставайте, — решительно приказал колдун.

— На весы?

— Да-да.

Лиза пожала плечом — зачем, мол, это надо, — но на весы встала.

Стрелка дернулась, заскакала, а потом замерла.

Кирилл Мефодьевич всмотрелся в цифру и удовлетворенно произнес:

— Ну вот. Я же говорил!

— Что?

— Вы весите пятьдесят два с половиной килограмма.

— Ну, и что это значит?

— После, — отмахнулся колдун. — После объясню. Ложитесь! — Он решительно указал на кушетку.

Лиза замялась.

— Ложитесь-ложитесь. Не бойтесь. Ничего я с вами не сделаю. И больно не будет.

Лиза нерешительно присела.

— Давайте. Это важно, — поторопил ее колдун. Лиза откинулась на подушку.

— Закройте глаза.

Она зажмурилась. Было боязно, как перед незнакомой процедурой у врача, — однако она доверяла Кириллу Мефодьевичу: за время их разговора маг окончательно расположил ее к себе.

Колдун протер ее виски чем-то щекочуще влажным и остро пахнущим — кажется, спиртом. Затем — Лиза в этот момент полуоткрыла глаза — надел на ее голову нечто вроде шлема. Проводки от шлема тянулись к стоящему у кушетки прибору, похожему на осциллограф.

— Что вы хотите делать? — спросила Лиза.

Кирилл Мефодьевич оставил ее вопрос без ответа.

Приладив электроды на ее висках, лбу и затылке, он внушительно сказал:

— А сейчас, Лиза, вы уснете. — И скомандовал: — Смотрите сюда.

Лиза распахнула глаза и увидела в пальцах Кирилла Мефодьевича небольшой железный шарик, как от детского бильярда. Шарик тускло мерцал в свете люстры.

— Расслабьтесь, — проговорил колдун. — Вы чувствуете, как ваши ноги теплеют и наливаются тяжестью... Теплеют и становятся тяжелыми руки... Я начинаю отсчет, и на цифре «десять» вы уснете... Раз... Смотрите на шарик! Только на шарик!.. Два... Три... Голова становится тяжелой. Мысли путаются... Пять... Шесть... Глаза потихоньку смыкаются... Вы чувствуете тяжесть во всем теле... Восемь, девять... А теперь — десять! Спать!

И Лиза провалилась в глубокий темный мешок.

ЛИЗА И КОЛДУН. ПРОБУЖДЕНИЕ

Пробуждение оказалось легким и веселым. Кирилл Мефодьевич сидел у ее кровати и улыбался.

— С добрым утром, — проговорил он. — Вы спали двенадцать минут. Что вам снилось?

— Ничего.

— Охотно верю. Давайте я вам помогу.

Кирилл Мефодьевич снял с Лизиной головы шлем с электродами и помог ей подняться.

— Пожалуйста, присаживайтесь за стол.

В руках у экстрасенса была бумажная простыня, испещренная резкими линиями и числами. Он бегло, но внимательно просмотрел ее и произнес будто бы про себя:

— Как я и думал... Прекрасно... Просто прекрасно...

— Что вы там увидели? — спросила, улыбаясь, Лиза.

— Увидел, *что* вы, Лизонька, можете.

— И чего же я могу?

— Многое. Очень многое.

— А именно?

— Во всяком случае, волхвование, за которым вы пришли ко мне, для вас для самой уже — детский лепет. Дар вам дан. Огромный дар! Только вы им никогда не пользовались. И потому — робеете, боитесь, трепещете...

— Да откуда вы знаете? — прошептала Лиза.

— А вижу. Имею счастье наблюдать, сколь далеко ваши способности простираются... И научное подтверждение, — он кивнул на листок с распечаткой, — моей гипотезе уже имеется. Поэтому, что касается приворожить... Да с вашими внешними данными... С вашей красотой, уверенностью в себе и умом... Это вам самой пара пустяков... Уж уверяю вас...

— Так ведь не получается, — досадливо сказала Лиза, и даже слезы выступили у нее на глазах.

— Ворожение вообще, — по-прежнему, казалось, не слушая ее, разглагольствовал чародей, — штука чрезвычайно незатейливая... Ох, если б вы знали, ско-олько у меня тут, — и он трагикомично схватился за голову, — побывало красных де́виц, а пуще — замужних матрон!.. И всем — подавай приворотное зелье. Каждой! И невдомек им, что во всяком, отдельно взятом случае приворотное зелье — особенное...

Колдун оборвал сам себя и пояснил:

— Я вам, Лиза, это не только потому рассказываю, что вы мне глубоко симпатичны, но еще и потому, что вы сами очень сильны... И любую мою обманку — так сказать, плацебо — раскроете... А если о приворотном зелье говорить — то в каждом случае рецепт свой... И безо всякого волшебства... Просто — элементарные женские хитрости. Ими всякая, даже самая бесталанная, владеет — да только раскрепоститься боится... Один, к примеру, объект приворота, — Кирилл Мефодьевич саркастически выделил последние слова, — пришел к ней с мороза, заледеневший... Ну, так завари ему своими руками горячего крепкого чаю... Сахару насыпь от души... Подай в стакане с серебряным подстаканником — именно в подстаканнике и именно в серебряном... А другой друг вожделенный, — маг опять иронически усилил эти слова, — километр по жаре пробежал... Значит, колодезной воды ему надо дать, ледяной, в жестяном ковшике... И опять-таки — своими руками... И — в глаза ему посмотреть... И к плечу чуть-чуть прикоснуться... А третий, к примеру, — затейник, балагур, озорник. Значит, на поверку в глубине души — особь пугливая, мнительная, в себе неуверенная... Такому надобно коктейльчик смешать, очень сладкий да алкогольный...Что-нибудь эдакое с «Кюрасао» или с ликером «Малибу»... Алкоголь в малых дозах — и вы это прекрасно знаете! — его боязнь неудачи растворит, глюкоза настроение повысит... Ну, а лучше всего...

Кудесник озорно сверкнул глазами.

— Лучше всего на мужчин в качестве приворотного зелья действует водочка. И многие российские матроны, на свете немало поживившие, интуитивно этим пользуются...

Лиза теперь не могла разобрать: всерьез говорит так называемый маг или разговор снова принимает шутейный оттенок.

— ...Они, дамы, мужей своих и сожителей целенаправленно спаивают. Спаивают — во-первых, для того, чтобы муж, как собачка Павлова, из ее рук привык зелье получать... Условный рефлекс у него формируют... Во-вторых, чтобы мужчиной легче крутить-вертеть было — потому что пьяница всегда слабоволен... И в-третьих, чтоб тот за пьянство свое комплекс вины всегда испытывал, и при случае она могла бы на этот комплекс надавить побольнее, уязвить мужчину... Да и вообще: пьяным народом, как говаривала императрица Екатерина, легче управлять... Пьянство мужей в громадном количестве случаев инициируется в России самими женами. Как бы горячо супружницы ни утверждали обратного... И это — серьезнейшая социальная, психологическая проблема...

Горячий монолог, казалось, завел Кирилла Мефодьевича. У него даже бисеринки пота на лбу выступили.

— А вы говорите: «приворотное зелье»... — Колдун перевел дух, усмешливо махнул рукой. — Да для вас, дорогая Елизавета, приворотное зелье — такой пустяк, что не стоит нам с вами об этом даже и говорить... Да неужели прикажете вам какой-нибудь подкрашенный чай давать да с дурацкими заклинаниями!.. Сами вы со всем справитесь, и все у вас наверняка получится... Своими силами. Только поверьте в себя!

Кирилл Мефодьевич поправил рукой свои пегие волосы, слегка растрепавшиеся в процессе горячего монолога.

— Да почему вы так во всем этом уверены?! — воскликнула Лиза.

— Да вижу я, вижу!

— Что вы видите?

— И денег я с вас ни в коем случае не возьму, — не ответил на ее вопрос экстрасенс.

— Почему это?

— Потому что вы мне за визит другим отплатите.

— Чем же это? — нахмурилась Лиза.

— Тем, что при случае *я сам* к вам обращусь. За помощью.

— В чем это?

— Да в самых сложных случаях.

— В каких таких случаях?

— Человека, к примеру, пропавшего искать... Любовника, который жену возненавидел, снова любящим сделать... Мало ли их бывает, таких случаев, почти безвыходных...

— Да не смогу я ничего такого! — возмутилась Лиза.

Но колдун только усмехнулся и торжественным тоном закончил:

— Все вы, дорогая Елизавета, сможете. Потому что вы — настоящая, стопроцентная, прирожденная и чрезвычайно сильная *ВЕДЬМА*.

ЛИЗА. ПОТРЯСЕНИЕ ЧУВСТВ

«Да врет он все, этот Кирилл Мефодьевич! — думала Лиза по дороге домой. — Тоже мне, колдун, экстрасенс, ведьмак со стажем! Энцефалограф купил, камин затопил и строит из себя профессора кислых щей. А сам такую дичь несет, что чертям тошно... Впрочем, как раз *черти* от его слов должны радоваться...»

Метро торопилось домой, на конечную станцию «Выхино». Поздно, пассажиров мало, никаких злобных бабок, испепеляющих взглядами тех, кто не уступает места. Можно спокойно улыбаться мешанине мыслей. А парень, что сидит напротив, наверное, думает, что она улыбается ему...

«Итак, я — ведьма, — продолжала развлекать себя Лиза. — Ну-ну... Значит, я могу внушать людям? Заказывать им разные желания? Как это говорил колдун: суггестия... Вот прикажу-ка я этому парню, что на меня глаза пучит: пусть встает на колени! Прямо передо мной — здесь, в поезде! Пусть бухается! Пол вроде не очень грязный... То-то народ в вагоне развлечется...»

Она прикрыла глаза. Сосредоточилась на парне. Стала посылать ему мысленный импульс.

«Я тебе нравлюсь. Нравлюсь безумно. Ты для меня — готов на все! Встань на колени, ползи ко мне по полу, целуй мои ноги!»

И парень-попутчик вдруг действительно поднялся со своего места. И — пошел к ней! Через вагон — к ней!

Подошел, склонился, дыхнул перегаром:

— Привет, малютка!

— Гуляй... папаша, — ледяным тоном отрезала Лиза. И еле удержалась, чтобы не рассмеяться. Да уж, она та еще ведьма! Внушаешь одно — а на выходе получаешь совсем другое...

Но, как учили в свое время на спецкурсе по маркетингу, единичный эпизод — скорее случайность, чем отражение закономерности.

А для того, чтобы убедиться в тенденции, требуется проделать как минимум три эксперимента. В метро она, кстати, вспомнила, что кот, наглый Пират, опять сидит без хавчика. А бабушка себя неважно чувствует и на улицу пока не выходит. И наказывала ей вчера вечером: «Мы с тобой, Лизонька, голодными не останемся, а Пиратику ты что-нибудь купи. А то вопить будет».

Что ж, придется покупать. Хорошо, что на площади у метро открыли ночной зоомагазин.

Лиза заглянула в кошелек — в тщетной надежде, что у нее, ведьмы с неординарными способностями, вдруг обнаружится, откуда ни возьмись, куча неучтенных рублей.

Увы.

Лиза вздохнула — никак она не научится жить «от зарплаты до зарплаты»... Один субботний загул с Сашхен чего стоит!..

Значит, опять придется менять баксы. Она вытащила из секретного кармашка заначку — десять долларов. «Ну вот, планировала на крем их оставить, а менять приходится за ради кота. Разойдутся, значит, по пустякам: на Пирата, обед да на мороженое. А кожа моя бедненькая — начнет увядать».

Погибающая заначка подкинула новую мысль.

Лиза зашла в обменку — единственную в их краях. Кассирша здесь — самая противная во всей Москве. Всегда или наорет, или с такой силой потянет к себе лоток, что пальцы чуть не прищемит.

«Такую и наказать приятно», — решила Лиза.

Она протянула ей свою десятку и принялась внушать сквозь окошечко: «Ты видишь перед собой сто долларов. СТО. Ты смотришь на жирного Франклина, проверяешь полоску, водяные знаки...»

— Нет у меня пяти рублей, — рявкнула кассирша. — Должна тебе буду. — И с грохотом выдвинула лоток, где лежали двести восемьдесят рублей.

Лиза вздохнула. Какая из нее ведьма — простейшую вещь не может внушить! Мало того, что кассирша поменяла ей десятку, а совсем не сотню — еще и обсчитала на пятерку...

Зато девушка в зоомагазине, когда Лиза покупала «Кети кэт», наоборот, дала ей сдачу не со ста рублей, а с пятисот — хотя Лиза той ничего и не внушала.

«Эх ты, балда, — себе в убыток работаешь, — подумала Лиза о продавщице. — Устала, наверное... Хотя я бы тоже обалдела — по двенадцать часов возиться с вонючими кормами».

Было даже искушение забрать деньги и спешно ретироваться с неожиданным прибытком, да только Лиза взглянула в усталые глаза продавщицы, на ее простенькое колечко из мутного серебра и честно сказала:

— Девушка, вы себя обсчитали... Я ведь вам сто рублей давала, а не пятьсот.

Продавщица рассыпалась в благодарностях:

— Спасибо вам. Спасибо! К концу дня так устала, что ничего не соображаю!

И в знак признательности презентовала Лизе пакетик сухого корма: «На утруску спишу».

От корма Лиза не отказалась.

«Да уж, ну и возможности у меня открылись!.. — иронизировала она про себя. — Как там колдун говорил? Я — стопроцентная, врожденная и чрезвычайно сильная ведьма? Вот так ведьма! Одним только «Фрискасом» халявным разжилась. И то случайно».

Лиза забросила кошачьи корма в пакет, улыбнулась на прощание продавщице — похоже, в зоомагазине у нее теперь появился блат! — и отправилась на охоту за наземным транспортом.

Ну, как всегда: на автобусной остановке — толпа, а к маршрутке змеится очередь.

«Разве так должны жить настоящие ведьмы? Те, у которых «беспрецедентные», как сказал этот шарлатан, возможности? Да будь я ведьмой, уж наверное, наколдовала бы себе замок где-нибудь на взморье — с видом на океан и со всеми удобствами. Или, на худой конец, на метле к себе в Новокосино летала б».

Но метлы, увы, у Лизы не имелось. А Новокосино — район, безусловно, неплохой, но — для тех, кому не надо ежедневно ездить на работу. Для пенсионеров или для мамаш с колясочками. Тихо, неспешно — будто и не Москва. Сиди себе во дворике или прогуливайся вокруг Николо-Архангельского кладбища. Но для тех, кто постоянно задерживается на работе или хотя бы изредка ходит в ночные клубы, Новокосино решительно для житья не подходит. Автобусы с маршрутками ходят кое-как и то и дело застревают в пробках. А у таксистов, слышащих слово Новокосино, делается тако-ое лицо...

Лиза давно пыталась обменять их с бабушкой квартирку на что-нибудь более близкое к центру. Регулярно подавала бесплатные объявления, расписывала в них «шикарную экологию и полную инфраструктуру». Но то ли ее тексты не достигли рекламного совершенства, то ли район на самом деле был настолько плох, — ни одного достойного предложения им с бабушкой не сделали. Однокомнатная квартирка в Капотне не в счет. Вот и приходилось каждый день штурмовать автобусы или по двадцать минут ждать очереди на маршрутку...

Но сегодня Лизе повезло. Ушлый маршрутник загрузил в свой автомобильчик порцию пассажиров — Лиза в их число, разумеется, не вошла, дай бог в третью машину втиснуться — и стал предлагать:

— Внимание! Одно стоячее место! Есть желающие?

Пока люди в очереди соображали, стоит ли пятнадцать минут трястись в полусогнутом положении, Лиза быстренько обошла нерасторопных и вскочила в маршрутку. Ничего. Постоит. Зато домой побыстрей приедет — бабушка, наверное, ее уже заждалась, наверняка ужин раза два разогревала...

Водитель маршрутки приказал Лизе:

— Когда ГИБДД проезжать будем, ты пригнись. А то у меня лицензию отберут.

— И надо бы, — пробурчала тетка, которой Лиза уже два раза наступала на ногу. — Развели тут бардак...

— Извините, — пробормотала Лиза, тщетно пытаясь устаканиться поудобней.

— Иди ко мне на ручки, — предложил подвыпивший парень. — Доедешь, как королева.

— Лучше ко мне, — подхватил дяденька в летах.

М-да, а вот в его возрасте кадриться к девушкам уже стыдно. Впрочем, что поделаешь — весна. Мужик московский активизировался — так и норовит прицепиться. Прямо хоть коротких юбок не носи!

«Нет уж. Не дождетесь!» — решила Лиза. И вспомнила, как на бизнес-курсах учили: «Никогда не отказывайся ни от каких предложений. Потому что любые, даже сомнительные возможности, если их правильно трансформировать, можно использовать себе во благо».

Лиза сдержанно улыбнулась обоим «кавалерам» и обоих использовала: молодому пьянчуге отдала держать пакет с кормом, а пожилому, более благонадежному, — сумку с кошельком, паспортом и мобильником. Ну а когда руки свободны — можно и постоять. Даже крутые виражи — маршрутник гонит, по позднему времени, во всю прыть — не страшны. Всегда успеваешь ухватываться за поручни или спинки кресел.

Лиза настолько освоилась со своим стоячим местом, что даже принялась пассажиров рассматривать.

Ей нравилось наблюдать за людьми. Угадывать, кто из них кто. Где кто работает, с кем живет, в кого влюблен, чем опечален. Та тетка, которая желала водителю, чтоб у него отобрали лицензию, — наверняка школьная училка. Безмужняя — слишком уж цепко бурит глазами пассажиров-мужчин. И еще у нее дома кот живет — потому как она с ученым видом знатока рассмотрела этикетки в Лизином «кошачьем» пакете. А пожилой дядечка, что предлагал Лизе проехаться у него на руках, — наверное, сотрудник НИИ. С занудой-женой и тощей зарплатой. Припозднился — возможно, отмечали на работе чью-нибудь никому не нужную защиту. Теперь торопится домой и прикидывает, как оправдаться перед супругой за поздний приход и выхлоп изо рта...

А вот что в маршрутке делают два индуса — самых настоящих, в чалмах, — решительно непонятно. Неужели едут в гости — так поздно? Или они квартиру в Новокосине снимают?

Лиза внимательно поизучала индусов, но так и не поняла — кто они и как очутились в поздней маршрутке. Прислушалась к разговору, что вели между собой иностранцы, но толку из этого не вышло — мужики говорили на хинди. Или — на суахили, Лиза в языкознании была не сильна. В общем, совершенно ничего не понятно.

Ну и ладно, бог бы с ними. Лиза оставила пассажиров в покое и снова задумалась — так, ни о чем. Догадалась ли бабушка, что на ужин ей хочется оладьев (обычно старушка всегда угадывала, чем порадовать внучку). Не порвал ли Пират ее колготки, которые она неосмотрительно бросила на спинке стула (котяра обожал точить когти о чулочно-носочные изделия — желательно новые).

«Уверяю: тебе она понравится. Настоящая русская красавица: коса, голубые глаза, полные руки. — Пока она мне не нравится ни грана. — Почему? — Да потому, что живет слишком далеко. Мы едем в этой машине уже десять минут, здесь душно и жарко, и вот эта девица постоянно норовит оттоптать мне ногу...»

Лиза вздрогнула. Откуда в голове вдруг взялся этот диалог?

Она стряхнула с себя наваждение, еще раз оглядела маршрутку. Все пассажиры едут молча, смотрят — кто в окошко, кто в пол. Только два индуса тихонько шепчутся — на своем хинди. Или на суахили.

Лиза напрягла слух: да, совершенно непонятные певучие фразы. Но голоса — очень похожи на те, что только что звучали в ее голове. Ерунда какая-то получается. Лиза еще раз вслушалась в речь индусов — и в голову вдруг снова явился прямой перевод:

«Я советую тебе: не женись на ней просто так. Потребуй от нее брачного контракта. Потому что русские девушки — все себе на уме. Посмотри хотя бы вот на эту: глазами так и стреляет».

М-да, реплика, кажется, в ее адрес.

Лиза наградила индусов презрительным взглядом и отвернулась.

Она решительно ничего не понимала. Это что же получается — иностранцы говорят то на своем языке, то на русском? Но по ним совсем не похоже, что они знают русский. Да и не стали бы они говорить о попутчице, которая стоит рядом и все слышит, если б не были уверены, что их никто не поймет.

Но только... Что же тогда получается? Что происходит? Похоже, она вдруг стала понимать по хинди? (Или надо говорить — «на хинди»?) Ну и ну. Бред какой-то.

Но если она вдруг понимает — что, конечно, чрезвычайно сомнительно, — как тогда сказать этим индусам, что у нее и в мыслях не было — в них глазами стрелять? Нужны они ей сто лет!

Ну-ка, давай-ка, скажи!

«Не знаю я, как это сказать по-индийски, — признала Лиза. — И вообще ни единого слова на этом языке не знаю. Но я ведь понимала их, понимала от слова до слова! Будто в мозгу — программа-переводчик включалась... А может, это просто глюк какой-то? Хотя у меня сроду не бывало никаких глюков... Даже после того, как я три рюмки абсента выпила...»

Она совсем растерялась.

— Приехали! — провозгласил маршрутник.

Лиза забрала у добровольных помощников свои сумки и выскочила первой.

«Быстрее домой. И расспросить бабушку, что за ерунда со мной приключилась... Нет, не годится. Бабуля скажет — по-современному, как я ее научила: «Недостаточно данных». И будет, между прочим, права».

И Лиза осталась стоять на остановке. Отклонила предложение проводить ее до дому — с ним выступил подвыпивший парень — держатель кормов. Улыбнулась на прощание престарелому кавалеру — тому, кто хранил ее сумку с кошельком. И дождалась, покуда из машины выйдут индусы. Решительно приблизилась к ним и спросила:

— Excuse me. Do you speak English?[1]

Первый иностранец — тот, что вез своего друга знакомиться с невестой, — посмотрел на нее заинтересованно. Второй — который говорил о коварстве русских девушек, — впился в Лизу подозрительным взглядом. И насмешливо ответил по-английски:

— Да, говорим. Мы чем-то можем вам помочь?

Лиза не обратила внимания на иронию в его голосе.

— Скажите, по дороге вы говорили на хинди?

Индусы дружно кивнули.

— И вы, — кивок в сторону первого иностранца, — рассказывали другу о своей русской невесте, а

---

[1] Извините. Вы говорите по-английски? (*англ.*)

вы, — легкий поклон в сторону второго, — предостерегали его от ушлых русских девушек?

Лица индусов вытянулись.

«М-да. Значит, я все поняла верно».

И Лиза нанесла завершающий удар:

— А еще вы говорили о том, что я стреляю в вашу сторону глазами, верно? Так вот, мальчики, — она намеренно употребила это слово, по-английски звучащее слегка уничижительно — «boys». — Довожу до вашего сведения, что меня никогда не интересовали люди в чалмах. Вроде вас. Так что давайте, мальчики! Оревуар. Хинди, руси — пхай, пхай!..

А теперь — гордо развернуться на каблуках и царственной походкой направиться прочь. И услышать в спину недоуменное — на понятно-непонятном языке: «Но если она понимает хинди — почему же обратилась к нам по-английски?!»

Глава 4

ЛИЗА. УТРЕННЯЯ ГОРЯЧКА

Утром, при свете дня, все происшедшее вчера — и экстрасенс с Патриарших, и странный разговор с ним, и его пророчество о том, что она ведьма, и внезапно открывшееся в ней знание хинди — стало казаться Лизе сном: чудны́м, но не страшным. «Забавное приключение — и ничего больше», — решила Лиза и выкинула вчерашние события из головы.

Она, как всегда, проспала будильник и, как всегда, металась по квартире, собираясь. Бабушка в такую рань спала (она вообще взяла моду спать до часу, до двух дня), и только Пират мотался у Лизы под ногами, выпрашивая ежеутреннюю подачку.

— Отстань, зверь. Не до тебя, — отмахнулась от кота Лиза. — Ты что, не видишь: мне самой завтракать некогда?

Куда важнее, чем утренний кофе, другой вопрос: что ей надеть? Сегодняшнее утро — яркое, солнечное, совсем весеннее — как бы уговаривало Лизу «прогулять» обновку: ярко-красную, в земляничинах, блузку от «Дольче-Габанны». Лиза не стала бороться с искушением. Но в последний момент обнаружилось, что блузка с заломами и (как пишут в бульварно-безграмотных романах) «нуждается в глажке». Лиза метнулась из кухни в комнату, к утюгу и доске. Напоролась на Пирата, разлегшегося у своей миски в ожидании завтрака, и наступила ему на какую-то часть тела — кажется, на хвост. Тот заорал так, будто ему как минимум голову отрезали. Лиза сморщилась от кошачьего вопля и в сердцах выругалась: «А, чтоб ты провалился!» Потом легонько пнула кота ногой. Пират обиженно унесся куда-то в недра квартиры.

Несколько взмахов утюга — и блузка приведена в идеальное состояние. До чего же приятно одеваться в новенькое-свеженькое!.. Однако Лиза взглянула на часы и обнаружила, что уже двадцать минут девятого.

Опоздание приобретало угрожающий характер. Спешно набросив пальто, она выскочила из квартиры и понеслась к остановке маршрутки.

И только угнездившись в пропахшем бензином чреве маршрутного такси, Лиза сообразила, что сегодня Пират, против обыкновения, не вышел в коридор ее провожать. Даже после своего бегства никак не напомнил о себе. А она позабыла высыпать в плошку корм. «Ох, и задаст же Пират концерт бабушке!» — мимолетно подумала Лиза и тут же забыла о кошатине. Сегодня ее ждали гораздо более важные проблемы.

Например, Ряхин.

ЛИЗА. КРАСАВЧИК

Одним из бесспорных достоинств Лизиного места работы было ее месторасположение. Добираться — чрезвычайно удобно, потому что институт «Сельпроект» (и снимавший в нем помещение концерн «Стил-Оникс») располагался всего в трех автобусных остановках от метро «Выхино». Из Новокосина до «Выхина» мчишься на маршрутке, а от метро можно и пешком пройтись: ведь прогулка перед работой, как пишут в книге *«Сто минут для красоты и здоровья»*, дело необычайно полезное.

Одна беда: получаса на утреннюю прогулку у Лизы никогда не выкраивалось. Приходилось добираться от метро на автобусе — а ходил он чрезвычайно нерегулярно. Вот и сейчас, прискакав на остановку, Лиза застала на ней только трех-четырех пенсионеров, скорбные лица которых свидетельствовали, что они настроены на героическое ожидание. А времени-то было уже без семи девять.

Обычно в подобных тупиковых случаях Лиза, не колеблясь, призывала частника. Асфальтовые джигиты охотно подвозили ее, сдирая по сорок рублей. Но теперь, после субботнего загула, денег у Лизы оставалось кот наплакал, и ее принялась душить жаба. Вот так взять и отдать сороковник за две минуты езды!.. Может, все же заняться здоровьем да красотой и пошлепать пешком? Погодка-то чудная, ясная, свежая — но к девяти она точно не поспеет, а Ряхин очень ревностно относится ко всяческим наружным проявлениям рабочего рвения и за четвертьчасовое опоздание выговорит всенепременно...

Пока Лиза рефлексировала, бесплодно прошло еще две минуты, и часики показывали уже без пяти девять. Непонятно, чего она раздумывала, — ведь альтернативы, в лице автобуса, не видно даже на горизонте. А если он и придет, все равно не успеет дотащить ее вовремя. И все-таки Лиза медлила, не голосовала. Частники-азербайджанцы, тусовавшиеся в отдалении, с недоумением на нее посматривали: «Вах! Стоит красивый, модный девушка — и автобуса ждет, как будто пенсионер!»

Все доводы разума были за то, чтобы немедленно ловить бомбилу, однако неведомая сила удерживала Лизу. Прямо «клин» какой-то. Временное размягчение мозга и помутнение сознания.

Когда Лиза все-таки призвала себя к рассудку и вытянула руку к проезжей части, было уже без четырех девять. Опоздание — критическое, даже «джигит» и тот не успеет домчать. И в этот момент подле нее взвизгнули тормоза.

У тротуара остановилась «восьмерка» цвета «баклажан», и улыбающийся, чем-то знакомый парень выглянул из нее, обращаясь к Лизе на «ты»:

— Садись, прекрасная дама!

Пенсионеры злобно воззрились на Лизу, она даже услышала отдаленное шипение: «У-у, ш-шлюха». Непроизвольно Лизхен сделала несколько шагов в сторону «восьмерки» и только тут поняла, откуда знает веселого водилу: ведь это был он, Красавчик из отдела продаж.

Мужчина мечты открыл ей пассажирскую дверь.

Лиза села в машину. Странно, но она воспринимала случившееся как само собой разумеющееся: словно она только и ждала, что перед ней остановится он, Красавчик, о котором она до сегодняшнего дня могла только мечтать.

— На работу опаздываем? — широко усмехнулся водитель.

— Опаздываем, — весело согласилась Лиза, оказавшись в полутьме машины.

— Со мной не опоздаешь, — самоуверенно обнадежил он и нажал на газ.

Водитель явно не жалел своей машины или хотел произвести на Лизу впечатление (вернее всего, конечно, последнее). Ускорение вдавило ее в спинку сиденья. Ветер засвистал в незакрытых окнах — весенний, многообещающий ветер. Стрелка спидометра стремительно стала крениться к ста, а мощная кисть Красавчика, не отрываясь, орудовала рукояткой переключения передач: вторая — третья — четвертая — пятая!.. «Восьмерка» неслась по пустынной улице.

Лиза наслаждалась скоростью и счастьем.

Через две минуты, обойдя на повороте древний «ЛиАЗ», на котором трюхали на службу дисциплинированные клерки «Стил-Оникса», «восьмерка» уже вкатилась во двор НИИ. «Он еще и место на офисной стоянке ухитрился получить, пройдоха!» — изумилась Лиза. Авто остановилось со скрипом тормозов. Удалой водитель включил заднюю передачу, как бы случайно задев при этом ладонью Лизину коленку. Оглядываясь через правое плечо, сдал назад. «Восьмерка» одним лихим движением стала как вкопанная, точно на свое место.

— Спасибо, что выручил, — проговорила Лиза, когда водитель повернул ключ зажигания. Раз он сам первый обратился к ней на «ты», то и она имеет право ему тыкать. — Прямо-таки спас меня.

— Тебя спасать — одно удовольствие, — ухмыльнулся шофер.

Он выскочил из машины и отворил перед Лизой дверцу. Она царственно выплыла из автомобиля.

Окна «Стил-Оникса» выходили большей частью во двор, и Лиза могла поклясться: все заметили ее триумфальный выход из машины. Теперь любопытствующие могли думать все, что угодно: вплоть до того, что Лиза провела с НИМ ночь.

Красавчик запер машину и успел еще придержать перед Лизой двери офиса.

В итоге турникет пробил их карточки ровно в девять, и это было явной удачей — не первой и не последней Лизиной удачей в этот день.

Перед тем, как разойтись по отделам, Красавчик предложил:

— Пойдем в столовку вместе?

— Пойдем, — улыбнулась Лиза.

Сердце ее радостно вздрогнуло. Как-никак, а это уже было подобием свидания.

— У меня обед в два, — сказал он.

— Я тоже к этому времени, наверное, освобожусь.

— Блинчики с мясом, да? — улыбнулся он.

— Легко, — ответила улыбкой Лиза.

— Вот видишь, я запомнил.

— Это хорошо. Ну, пока.

— До встречи.

В свой отдел Лиза влетела как на крыльях.

ЛИЗА. РЯХИН

На самом деле все Лизины страдания по поводу опоздания оказались напрасными: Ряхин прибыл на работу с королевской задержкой в полчаса. Как всегда, букой, ни с кем не здороваясь, проследовал в свой кабинет.

Еще через полчаса оттуда донеслось сипение селектора:

— В тринадцать часов состоится совещание по продвижению обуви от Усачевой. Быть всем ведущим специалистам. Докладчик — Кузьмина.

Селектор Ряхин поставил в отделе на стол своей конфидентке Дроздовой. Несмотря на то что все прекрасно слышали, чего там провещал Ряха, Дроздова торжественно продублировала:

— Аркадий Семенович просит всех ведущих специалистов собраться у него в час дня.

Совещание возникло совершенно некстати — особенно если учитывать, что Красавчик назначил Лизе свидание в два, а заседания у Ряхина имели свойство затягиваться до мамонтовых костей. Вдобавок Лиза никогда не ждала ничего хорошего от любых заседаний с Ряхой, а в этот раз ее терзали особо неприятные предчувствия.

Предчувствия ее не обманули.

Ряха, собрав всех в своем кабинете и важно разложив румяные щечки по плечам, объявил, что «мы собрались по вопросу, чрезвычайно актуальному для концерна в целом: для рассмотрения концепции продвижения на рынке нового брэнда — обуви «от Анны Усачевой». Пораспинавшись еще минут десять по поводу важности проекта, Ряхин дал слово Лизе.

Лиза встала.

— Прошу, пожалуйста, к доске, — пригласил Ряхин.

Среди нововведений Ряхи была привезенная им в кабинет белая доска, на которой следовало писать фломастерами. Выступая на совещаниях, каждый обязан был записывать на ней все самое важное.

Оттого, что Лизу опять, как в школе или кошмарном сне, вызвали к доске, в животе у нее начались спазмы. Ведущие специалисты глазели на нее с опасливым интересом — так зрители передачи «В мире животных» глядят на антилопу, которую вот-вот растерзает лев.

— Как я сообщила вам, Аркадий Семенович, в аналитической записке, — бодро взяла быка за рога Лиза, — концепция, в общих чертах, представляет собой следующее. Так как суммы, выделяемые концерном на продвижение брэнда, невелики, я предлагаю сосредоточиться на мерчандайзинге, или рекламе непосредственно в местах продаж. В связи с тем, что, по вашим, Аркадий Семенович, данным, мы не можем рассчитывать на участие в кампании самой звезды, есть предложение задействовать ее вторичные образы...

— В общем, вторсырье, — негромко заметил Ряхин индифферентным тоном. Ряхинские прихлебатели верноподданнически заулыбались.

Лиза не дала себя сбить.

— Фирменные магазины «Стил-Оникса», — продолжила она, — через которые мы намереваемся осуществлять основную долю продаж обуви «от Анны Борисовны», планируется снабдить большим количеством мерчандайзингового материала. На входе каждого покупателя будет встречать огромный плакат с портретом звезды — на нем будет размещен также слоган рекламной кампании и факсимиле артистки. Хочу заметить, что создание конкретного слогана — задача второго этапа разработки концепции...

— Какой еще второй этап? — нахмурившись, спросил Ряхин. — Вы что, не доработали концепцию до конца?

— Мы всегда занимались конкретикой во вторую очередь, совместно с отделом рекламы, — защищаясь, ответила Лиза.

— Вот как? — поднял бровки он. — А у вас-то у самой есть хоть какие-то предложения?

— Н-ну... — запнулась Лиза, лихорадочно соображая. — Хотя бы, например, такой: «Всегда ваша Анна». И ниже — факсимиле звезды.

— Зафиксируйте, — кивнул на доску Ряха.

Лиза послушно записала фломастером на белой доске: «Всегда ваша Анна».

Ряхин, скептически оттопырив губу, пару секунд глядел на запись, а потом, апеллируя к собравшимся, проговорил, морщась:

— По-моему, не катит.

Дроздова, главная ряхинская подхалимка, немедленно подхватила:

— Да-да, чересчур безыскусно.

— А, по-моему, простенько, но очень стильно, — объявил с места Берг, первый Лизин защитник.

Ряха, скривившись, глянул на Берга, а затем милостиво позволил:

— Ну, ладно. Продолжайте, Кузьмина.

Лиза, стараясь оставаться хладнокровно-спокойной, проговорила:

— Портрет и факсимиле звезды планируется также разместить в местах продаж на баннерах, стикерах и воблерах. Но этого мало!.. Все в магазинах должны напоминать покупателям об Усачевой: ее портреты мы поместим и в витринах. Ее изображения нанесем на блюдечки для мелочи у касс, на значки на лацканах продавцов. И — на ложечки для переобувания. Даже на коврики, на которых покупатели будут мерить обувь. А по магазинной трансляции будут постоянно звучать песни Усачевой. И каждому десятому покупателю станем вручать бесплатный подарок: компакт-диск с записью последнего альбома звезды...

Берг, поддерживая Лизу, смотрел на нее во все глаза.

Ряхин в своем начальственном кресле изображал скепсис.

— Кузьмина! Нет ли у вас у самой ощущения перебора? — перебил ее он.

— Рекламы много не бывает, — парировала Лиза.

— А, по-моему, вы, увлекшись мерчандайзингом, упустили прочие способы продвижения брэнда. Вы, Кузьмина, затраты на свою программу просчитывали?

— Да. На двадцать восемь наших фирменных магазинов во всех городах страны должно уйти около восьми тысяч у. е.

— И у вас остается всего две тысячи. На что вы их предполагаете потратить?

— Разработка слогана, тестирование плаката вместе со слоганом в фокус-группах...

— Значит, ни на наружную рекламу, ни на пиар, ни на рекламу в общественном транспорте средств не остается?

— А чему там оставаться? Вы разве сами не понимаете, что десять тысяч долларов на раскрутку нового брэнда — это архимало?!

Лиза начинала злиться. Как умело начальник прикидывается простачком! Будто сам не понимает, что денег хватит только на рекламу в местах продаж — да и то с трудом. Ряха ее предложению радоваться должен: ведь мерчандайзинг — его конек. Для него слова «стикеры», «воблеры», «баннеры» звучат как мед по сердцу. Она и концепцию писала, отталкиваясь от его вкусов. И вот теперь Ряхин всем своим видом выражает недовольство.

Все понятно: что бы она ни сделала, любая ее концепция обречена на провал. Ряха не забыл, сволочь, как она громила его идею туфелек «от Усачевой» в присутствии генерального директора, и теперь отыгрывается.

— Что ж, — скептическая улыбка тронула губы Ряхина, — мы выслушали так называемую концепцию Кузьминой. Кто желает высказаться по этому поводу?

Верные боссу сотрудники мигом сообразили, куда ветер дует. Первой взяла слово Дроздова и не оставила на идеях Лизы камня на камне.

— Выделенные деньги уйдут в песок, — с пафосом провозгласила она. — А коврики для переобувания с изображением всенародной любимицы — это верх пошлости и профанации!

В следующих выступлениях коллеги, почуявшие запах крови и не желающие упустить возможность порвать Лизу на части, заявили, что ее концепция — сырая и неэффективная. И вообще она выглядит как неудачная пародия (!) на лучшие работы отдела. Только верный Берг попытался защитить Лизу, но голос его прозвучал гласом вопиющего в пустыне.

— Итак! — важно подвел итог Ряхин. Ему и не понадобилось самому громить Лизу. Вообще не потребовалось ничего делать — только скептически бровь поднимать. Сотрудники, прислушивающиеся к каждому чиху начальства, закопали Лизу быстро и без всякого его участия. — Концепция по продвижению обуви «от Усачевой», представленная нам Кузьминой, является, по общему мнению, сырой, недоработанной и неэффективной. Возможно, сыграли свою роль личные амбиции Кузьминой и ее в целом негативное отношение к проекту. Концепция не принимается, и я предлагаю ее доработать — точнее, коренным образом ПЕРЕработать. Общее руководство этой работой я поручаю вам, — и Ряха милостиво кивнул в сторону Дроздовой.

Дроздова расплылась в счастливой улыбке. А Ряха окончательно добил Лизу:

— Как я понял из вашего доклада, самостоятельная разработка концепций вам, Кузьмина, пока не под силу. Я, конечно, не снимаю с вас обязанностей по переделке концепции, но впредь по всем основополагающим моментам вы будете консультироваться с Антониной Кирилловной.

Лиза еле удержалась от нервного смеха, когда увидела триумф, перекосивший лицо Дроздовой. А Ряхин ласково улыбнулся своей протеже и добавил:

— Останьтесь, пожалуйста, Антонина Кирилловна. Мы с вами подумаем над основными позициями — а все остальные свободны. Идите, работайте.

Когда сотрудники вернулись в свою комнату, никто не смотрел на Лизу, и она не глядела ни на кого и с трудом сдерживала слезы.

Сзади подошел Берг, успокаивающе положил руку на плечо. Прошептал:

— Слышала, Лизавета, что Ряха сказал Дроздовой: «Мы с вами подумаем над основными позициями». Как мыслишь, над какой конкретно позицией они там у него в кабинете работают?

Как ни странно, шутка Берга оказалась последней каплей. Лиза стремительно вскочила и, кусая губы, выбежала из кабинета.

Она понеслась по коридору, не замечая никого и ничего. И, конечно, ей было совсем не до свидания с Красавчиком, на котором она должна была появиться еще полчаса назад.

ЛИЗА. ПРОИСШЕСТВИЕ

Когда Лиза закрылась в туалетной кабинке, на нее вдруг напал дикий приступ злобы. Попадись ей сейчас Ряхин, она бы удушила его своими руками. Выцарапала бы ему его маленькие глазки. Испинала б его лодыжки каблуками.

— Сволочь! Чтоб ты лопнул! Чтоб ты сдох! — шептала она. — Мстительное отродье! Жирный боров!

Злоба по отношению к Ряхину прямо-таки переполняла ее. Ей казалось, что она сейчас взорвется от негодования и ненависти. В бессильной ярости Лиза несколько раз от души врезала открытой ладонью по стенке кабины. «Бум! Бум!» — отозвалось дерево.

Потом злость достигла невыносимого пика — и вдруг куда-то схлынула. Осталось одно опустошение. Потом полились слезы.

А много времени спустя, когда Лиза поплакала и успокоилась, и привела себя в порядок («а я, в общем-то, ничего, только чуть-чуть глаза припухли»), она вдруг услышала в коридоре странный шум и возбужденные голоса, и крики.

В коридоре орали:

— Сюда, сюда!

— Врача, скорее!

— Да что же это такое делается?!

— Кто-нибудь встретьте врачей!

Когда Лиза выглянула из туалета, то увидела быстро шествующих по коридору двух санитаров со значительными лицами и пустыми носилками. Впереди поспешал доктор с чемоданчиком. Они шли в сторону Лизиного отдела. А у дверей ряхинского кабинета собралась небольшая толпа сотрудников. Некоторые пытались, оттесняя других, заглянуть внутрь — однако входить в кабинет никто не осмелился. Врач вежливо, но решительно раздвинул толпу и исчез внутри. За ним последовали санитары.

Странная робость овладела Лизой. Она стояла в коридоре, не в силах пошевелиться.

Она уже в тот миг стала догадываться, ЧТО случилось.

Через минуту санитары вынесли из кабинета на носилках что-то тяжелое. Это был человек в костюме. Бессильно свешивалась рука.

Санитары понесли свою ношу в другую сторону, к парадной лестнице. Следом озабоченно шествовал врач, а за ним — плачущая женщина.

Преодолевая страх, Лиза на нетвердых ногах приблизилась к своему отделу.

— Что случилось? — глухо спросила она у толпы, ни к кому в отдельности не обращаясь.

— Да видишь ли, — болезненно поморщившись, ответил ей Берг, — у Ряхина приступ. Кажется, инсульт.

— Как?! — выдохнула Лиза.

— Он, видишь ли, вышел из своего кабинетика, стал со Светкой разговаривать, распекать ее за что-то. А потом вдруг за голову схватился и — брык! — повалился на пол. Мы и охнуть не успели. Все к нему, а у него изо рта пена, силится сказать что-то и не может, только губами шевелит, как рыба, и сипит. Ну, мы в «Скорую» звонить...

В этот момент охочая до зрелищ толпа подалась от кабинета к окну коридора — и Берг с Лизой вместе со всеми.

Они увидели, как из парадного подъезда вынесли носилки с Ряхиным. Водитель «Скорой помощи» отворил задние дверцы. Санитары принялись заталкивать туда носилки. Следом запрыгнул врач, а потом в чрево «Скорой» залезла плачущая женщина. Это была Дроздова. Скорбная карета снялась с места и подалась к выезду со двора. Охранник отворил перед нею ворота.

ЛИЗА. И СНОВА КОТ

Спустя какое-то время все вроде бы успокоилось, и народ расселся по своим местам за компьютеры. Однако мысли блуждали вокруг происшедшего. То и дело раздавались шепотки.

— Господи, что же с ним случилось?

— Такой молодой...

— Я так испугалась...

— А я подумала, он нас разыграть решил. Выходит, такой солидный, что-то начинает говорить, а потом вдруг — бух! — и на бок упал...

Лиза сидела перед экраном монитора, но глаза ее не видели ничего.

Слишком много странного произошло с ней за

последнее время — с тех пор как вчера вечером экстрасенс объявил, что она якобы ведьма.

Вдруг проснувшееся в ней умение понимать незнакомые языки — какими глазами смотрели на нее вчера эти люди в чалмах... И эта утренняя встреча на остановке с Красавчиком — ведь случилось именно то, о чем она мечтала: рядом с ней остановился принц на белом коне — тот самый, виденный ею во сне... Как будто кто-то исполняет ее желания. Или, может, она сама их исполняет?

Но тогда...

Горячая волна поднялась в ней, заставила жгуче покраснеть всю, до кончиков ушей. Тогда получается, что это она погубила Ряхина! Ведь в туалетной кабинке она мечтала изничтожать его — колдовала, чтоб он лопнул, сдох, погиб! Неужели она как-то сумела исполнить свое горячечное желание?! Да может ли это быть?!

Лиза сидела ни жива ни мертва. А потом еще одно воспоминание вдруг пришло ей в голову: утро... кот на кухне под ногами... ее проклятия в его адрес... Боже!

— Какая глупость! — сказала она вслух (Берг удивленно покосился на нее) и придвинула к себе телефон.

— Алло? Бабулечка? — сказала Лиза в трубку.

— Лизочка! — обрадовалась бабушка на другом конце провода.

Бабушка говорила весело и бодро, словно молодая, и от звука родного голоса на душе потеплело, отлегло.

— Как ты там, бабуль?

— Хорошо. Как говорится, живем — хлеб жуем.

— Что делаешь?

— Да вот собиралась телевизор посмотреть, там сериал интересный, «Все девушки любят бриллианты», а вдруг по экрану такая рябь пошла...

— Наверное, антенну в подъезде отключили.

— Вот и я подумала, что ребятишки озорничают.

— А что там мой кот?

— Кот? Гм. Сейчас посмотрю. Лежит твой котик на подстилке и спит без задних ног, развалился.

На душе отлегло. «И вовсе это не я, и никакого отношения я не имею ни к встрече с Красавчиком, ни к болезни Ряхина. Иначе бы кот тоже провалился, как я ему велела».

— Все чушь! — произнесла Лиза вслух.

— Что чушь? — удивилась бабушка.

— Да Пират наш ходячая чушь, — спохватилась Лиза. — Все утро носился как бешеный, меня с ног сшибал, а теперь, видите ли, спит.

— Ну, он у нас зверь ночной, утром я его покормила, вот теперь он и дрыхнет, прости за выражение.

Бабушка, воспитанница старой школы, извинялась даже за такой невинный жаргонизм, как «дрыхнет».

— А ты, бабулечка, как себя чувствуешь?

— Неплохо, Лизочка, неплохо. Старость не радость, восемьдесят пять есть восемьдесят пять, но сегодня я бодрюсь. А почему ты, Лизочка, звонишь? У тебя случилось что?

Лизу всегда удивляло умение бабушки замечать малейшие оттенки ее настроения.

— Ничего, бабушка, — отговорилась она. О ее подозрениях не расскажешь даже бабушке (хотя ей, наверное, как раз и можно?), но все равно не с работы по телефону. — Я просто так звоню. Узнать, как вы там поживаете с моим котиком.

— Ты вовремя сегодня будешь? Не задержишься?

— Нет. Ничего у меня не намечается. Буду часов в семь.

И Лиза положила трубку. Разговор ее окрылил. Бабушка у нее — вообще чудо. Несмотря на годы, она образец разумности, трезвости и здравомыслия. Непонятно почему, но после беседы с ней все сегодняшние события стали представляться Лизе обычным чередованием счастливых и несчастливых случайностей. «Да если б все, кого подчиненные проклинают, с инсультом грохались — тогда б все на свете начальники уже перемерли», — почти весело подумала она.

Лизхен посмотрела на часы. Пятый час. Самое время пойти в отдел к Красавчику и извиниться, что она не пошла с ним обедать. У нее и железная отмазка есть — происшествие с Ряхиным. А Красавчик, может, возьмет и пригласит ее в буфет чайку-кофейку попить. Самое время, «файф-о-клок». Заодно и тема для разговора — Ряхин и его судьба — имеется.

Лиза встала с места, и тут в отдел ввалилась Дроздова. Вид у нее был усталый, жертвенный, но торжествующий. Взоры всех присутствующих немедленно обратились к ней. Послышались нетерпеливые вопросы:

— Ну, как он?

— Что там, в больнице?

— Что говорят врачи?

Дроздова устало привалилась к косяку и возвестила:

— Состояние тяжелое, но стабильное. Врачи говорят: прогноз, скорее, благоприятный. И еще я добилась для Аркадия Семеновича отдельной палаты...

Отдельские девушки окружили Дроздову, и она повела обстоятельный рассказ о своих злоключениях у одра Ряхина.

ЛИЗА. ПЯТИЧАСОВОЙ ЧАЙ

Лиза скорбную повесть Дроздовой не слушала. Убедившись, что Ряхин жив, она отошла от коллег. Идти к Красавчику почему-то расхотелось — да и неудобно, коллеги-то полагают, что она вместе со всеми внимает саге о страданиях Ряхина... Поэтому Лиза снова склонилась к монитору. Лучший способ не думать о грустном — это чем-то увлечься. Например, работой. «Ты сейчас что-нибудь придумаешь! — вдохновляла себя Лиза. Но аутотренинг протекал тяжело. Зря Лиза себя мучила: «Работа — лучшее лекарство. Я должна, обязана сосредоточиться! Мне *нужно* переработать эту гадскую концепцию! Я только начну, только напишу хотя бы пару фраз — а потом с легким сердцем пойду пить чай!»

Но сосредоточиться на концепции не получалось. Вместо конструктивных мыслей в голову почему-то все время лезла картинка: коврик с портретом певицы Усачевой и грязный сапог, безжалостно елозящий по изображению всенародной любимицы...

«К черту коврики, — внушала себе Лизхен, — от ковриков мы откажемся... Действительно, с ними — перебор... Зато плакаты с физией Усачевой — идея классная. Лицо, проникающий в душу взгляд, подпись: «Всегда ваша Анна», а в руке — скажем, туфелька. Изящная, хрустальная, как у Золушки...»

Лиза быстренько открыла нужный файл и добавила в концепцию новый пункт: «У Усачевой в руках — хрустальный башмачок, внизу плаката — слоган из серии «Почувствуй себя королевой». Например: «Теперь тебя заметят все».

«Ряха в чем-то прав, — пыталась убедить себя Лиза. — Наверняка найдутся оригиналы, особенно из провинции, кто захочет купить такую обувку, связанную со звездой...»

Но в голове против воли вспыхнула очередная картинка: доярка с усталым, беспросветным лицом... красные с мороза руки, одета в телогрейку и штаны на синтепоне... А на ногах — огромного размера калоши с изящным логотипом: «УСАЧЁВА».

Лиза едва удержалась от нервного смеха.

Вздохнула, вычеркнула пункт про хрустальный башмачок, снова задумалась... И тут над ее ухом прозвучало:

— Цяй пить будем или ну его в зопу?

Лиза вздрогнула, вскинула глаза...

Над рабочим столом нависал мужчина ее мечты. Тот самый. *Он*. И явно — обращался к ней. Только что еще за «цяй»? И «зопа»?

— В «зопу»? — машинально переспросила Лиза.

Она видела: коллеги выглядывают из-за своих компьютеров и жадно прислушиваются. А Дроздова — та вообще глаз с них не сводит, гипнотизирует, словно удав. На кислой роже читается: «Да как можно! У нас в отделе — горе, начальник при смерти, а некоторые тут свою личную жизнь смеют устраивать!»

А Красавчик будто и не замечает, что на него обращены все взгляды. Он весело улыбается Лизе:

— Это анекдот такой, про китайскую официантку. Не знаешь? Приехали наши в Пекин, ну, один друг и решил местный персонал русскому обучить.

Вот и надрессировал официанточку. Научил ее предлагать: «Цяй пить будем или ну его в зопу?»

Кто-то из коллег фыркнул. Лиза тоже вымучила улыбку, хотя анекдот ее совсем не насмешил. Прямо скажем, пошленько. На «троечку». Да еще в присутствии коллег.

Или это у нее просто настроение такое, что ничто не радует?

— Так что насчет чая? — повторил Красавчик.

— Конечно. С удовольствием. — Лиза встала. — Пойдем в буфет?

— В буфет. Ко мне в отдел. В ресторан. Куда угодно, — галантно откликнулся он.

А вот это уже — твердая «четверка». Не особо, конечно, оригинально, зато — от души. Вон, Мишка Берг сразу ревниво насупился. А Дроздова — та и вовсе не выдержала. Проскрипела со своего стула:

— Между прочим, Елизавета, рабочий день еще не закончен.

«Ах ты, грымза!» — мелькнуло у Лизы. С какой это поры Дроздова тут стала руководить, посещаемость контролировать? С языка так и рвалось: «Чтоб тебе провалиться!» Но Лиза усилием воли удержалась от опрометчивых слов и кротко сказала:

— Я ведь не насовсем ухожу, Антонина Кирилловна. Чаю попью и сразу вернусь.

А Красавчик наградил Дроздову очаровательной улыбкой и укоризненно сказал:

— Неужели не знаете КзоТ? Статья сорок, часть четыре, подпункт семь «Б»?

— И что там? — тупо переспросила Дроздова.

— То есть как «что»? — строго сказал он. — Данный подпункт гласит: при работе с компьютерами

каждые четыре часа следует делать пятнадцатими-
нутный перерыв.

— Как-как? — захлопала бесцветными ресницами Дроздова.

— А вот так, — буркнула Лиза, спеша вон из отдела.

Краем глаза она успела заметить, что Дроздова
выползает из-за стола. Наверняка сейчас в отдел
кадров пойдет. КЗоТ читать будет.

— Ну и мымра! — озвучил Лизины мысли Красавчик, когда они вышли в коридор.

— Ага, — согласилась Лиза. — Хлебом не кор-
ми — дай из себя начальницу построить... Слушай, а
в КЗоТе, правда, такая статья есть? Про перерыв?

— Бог его знает, — широко улыбнулся мужчина
ее мечты. — Наверное, должна быть...

«Супер! — оценила про себя Лиза. — «Пятерка»,
твердая!»

А Красавчик легонько коснулся ее руки и сказал:

— По агентурным данным, в буфет только что за-
везли пирожные. Безе и эклеры, еще тепленькие...

— Откуда ты знаешь?

— Проходил мимо. Услышал божественный запах. Заглянул. Увидел. Подумал, что ты любишь эклеры. И попросил отложить. Для тебя, — лапидарно, в
стиле «пришел — увидел — победил» отчитался он.

— Спасибо, — пробормотала Лиза.

Ох, до чего же приятно, когда он до нее дотраги-
вается! Вот бы еще раз, как бы между делом...

— Я, между прочим, очень расстроился, когда ты
на обед не пришла. — И Красавчик, словно по заказу, снова коснулся ее руки! Его пальцы были такими
теплыми и нежными, что Лизу будто током ударило.
Слегка. Приятным таким током, возбуждающим...

«Работает! Клюнула рыбка! Я его зацепила!» — возликовала она.

— Давай это будет одной из наших с тобой традиций, — Красавчик преданно заглянул ей в глаза.

— Что именно? — Лиза кокетливо опустила ресницы.

— Пятичасовой чай с пирожными. Каждый день. В любую погоду. При любых обстоятельствах.

Он ласково обнял ее за плечи. И Лиза — будто в омут прыгнула. Прямо тут, в коридоре «Сельпроекта» прильнула к нему — ну и пусть две клушки из отдела розницы вылупились на нее как на чумную! Прошептала:

— Хорошо... Коля.

Она впервые назвала своего Красавчика по имени. И поразилась: насколько этому сильному, уверенному в себе мужчине не подходит простецкое имя «Коля».

И с языка вдруг сорвалось:

— Можно, я буду называть тебя Ник?

Он удивленно замер, отпустил ее.

— Что-то не так? — растерялась Лиза.

— Нет, что ты, Лизочка... — он тоже впервые обратился к ней по имени. — Я просто очень удивился. Откуда ты знаешь... про Ника?

— Ниоткуда не знаю. Мне просто показалось, что... Тебе разве не нравится?

— Очень нравится! — горячо откликнулся он. И пояснил, чуть запнувшись: — Меня так... мама называет.

«Ага, как же, мама!»

— Прогрессивная у тебя мама, — усмехнулась Лиза.

— Ну, и не только мама. Так меня называют все... м-мм... мои друзья.

«И подружки», — закончила Лиза — разумеется, про себя.

Ей почему-то стало обидно. Хотя чего обижаться? Разумеется, у такого мужчины — полно подруг. Целые роты девиц, которые преданно заглядывают в глаза и шелестят: «Ах, Ник, Ник!»

«Что думать о его подружках? Сейчас — он со мной и чай ведет пить — меня, и в глаза смотрит — тоже в мои...»

И обращается — к ней:

— Так что, Лизочка, осилим по два эклера? И по безе на закуску?

— Конечно, Ник, — улыбнулась она в ответ. И подумала: «Пожалуй, Кирилл Мефодьевич все-таки прав. И я действительно могу исполнять желания. *Свои желания*».

Глава 5

ХУДОЖНИК. ЧТО ДЕЛАТЬ?

Когда я проснулся на следующее утро, первой моей мыслью было: а что делать, если дурацкое пророчество — правда? Если и в самом деле мне осталось жить-поживать восемь — нет, уже всего семь дней?

Я перебрал в уме возможные варианты.

Логично было бы отправиться в путешествие — но куда я могу успеть съездить? Открытой визы у меня нет, а без оной россиян пускают в две-три страны да обчелся. В Турции с Египтом я уже был, и больше к жуликоватым арабам ехать не хочется — хотя там уже и тепло, и солнце, и песок, и пальмы, и люди купаются... На Кипре, кстати, тоже песок и, наверное, вовсю купаются, и туда тоже пускают без визы — но неужели я соглашусь провести САМУЮ ПОСЛЕДНЮЮ НЕДЕЛЮ ЖИЗНИ на топчане? Лежа к солнцу брюхом или плескаясь в средиземноморской соленой водичке? А вечерами — фланируя по набережной и танцуя на потной дискотеке?

На свете, конечно, есть огромное количество мест, где я ни разу не был и всю жизнь мечтал побывать: американский Гран-Каньон, например, или Нью-Йорк, или Токио, или природный австралийский зоопарк, где прыгают кенгуру и ползают утконосы... Но чтобы исполнить эти желания, требуется гораздо больше, чем неделя. Вот если бы у меня был хотя бы год...

А, может, пуститься во все тяжкие? Купить ящик шампанского «Моэт и Шандон», выписать самых красивых телок, попробовать, наконец, наркотики — все равно привыкнуть не успею?

И что в итоге? Встретить старуху с косой с перепою, в галлюцинаторном бреду, в объятиях равнодушной продажной женщины? Нет, тоже не катит...

Или посвятить свою последнюю неделю тому, что мне, в сущности, нравится делать больше всего в жизни, — работе? Запереться и писать как оглашенному — и закончить задуманный натюрморт с цветами на кухне, каковой, ввиду дыхания смерти, прославит меня в веках, по законам экзистенциализма?

Нет, на такое самопожертвование я не способен. Провести последние часы жизни с кистью в руках? Ради чего? Ради эфемерной посмертной славы — которая то ли будет, а скорее всего нет? И на которую мне, в сущности, совершенно наплевать?!

Да, ни один из вариантов меня в принципе не прикалывал.

Тут я поймал себя на мысли, что думаю о своей гипотетической гибели совершенно всерьез.

Мне даже самого себя стало реально жалко.

«Эй, очнись!» — велел я. Ведь это просто чья-то неумная шутка. Хорошо организованная, скоординированная, но от этого не становящаяся чем-то более реальным, чем затянувшийся прикол. Неужели дурацкий розыгрыш, родившийся в воспаленном мозгу какого-нибудь моего недоброжелателя, можно воспринимать всерьез?!

За своим *memento mori*[1] я и не заметил, как совершил все утренние ритуалы: побрился, почистил зубы, попил кофе и оделся.

И почему-то ничуть не удивился звонку в дверь.

ХУДОЖНИК. НЕОЖИДАННОЕ ПРЕДЛОЖЕНИЕ

За дверью оказался не капитан Флинт, принесший мне очередную черную метку. На пороге стоял Андрюха — мой маршан, посредник между мною и покупателями. Андрюха был жук и ловчила — впрочем, беззлобный ловчила, никогда (кажется) по-крупному не обманывавший и (кажется) искренне желающий мне процветания.

— Ты чего без звонка? — вылупился я на него.

— Да вот, пролетал мимо, решил проведать, — привычно соврал он.

— Ну, проходи, раз залетел. Кофе будешь?

— Лучше чаю. Зеленого. А еще лучше — водочки.

— Водки в доме не держу.

---

[1] Помни о смерти (*латынь*).

— Ладно, шучу. У меня еще дела. Заваривай свой чай.

Андрюха проследовал на кухню. Покрутился, озираясь, и автоматически бросил в рот кусочек сырокопченой колбасы, оставшийся после моего завтрака. Наконец расселся: лысый, полный, одутловатый от нездорового образа жизни. Я был рад его видеть: все лучше, чем бесплодные размышлизмы о скорой смерти или одинокое рисование — «пепсикольной» рекламы или натюрморта.

— Рассказывай, — потребовал я, наливая ему зеленый чай, а себе — кофе.

— Чего рассказывать-то?

— Никогда не поверю, чтоб ты сорвался ко мне с утра пораньше просто так.

— Соскучился без твоих глубоких синих глаз. Гы-гы-гы.

— Ты мне эти голубые штучки брось. Сам знаешь, они со мной не проходят.

— Знаю. Ты прав: у меня до тебя дело. Дело на сто тысяч.

— Выкладывай.

— Я тут, знаешь ли, закорешился с одним капиталистом. Он в Москву приехал разжиться чем-нибудь новеньким. Вот и отсматривает разных деятелей искусства. И, знаешь ли, оказалось, что вкусы у него старорежимные — похоже, на иллюстрациях к «Огоньку» воспитывался. Никакого модернизма, сюра, гиперреализма и прочей дребедени ему не надо. Ты подавай ему такой умеренный, кондовый реализм. Типа «Медведей в лесу». Или «Охотников на привале». Ну, я сразу и вспомнил о тебе.

— Я никаких «Охотников» не пишу.

— Ну, пейзажи пишешь с натюрмортами. Слушай, ты на меня не обижайся, я человек простой, что думаю, то говорю.

Совсем не простым человеком был Андрюха, а, между прочим, кандидатом искусствоведения.

— Хочешь, я тебя великим живописцем земли русской назову? — продолжил он, ерничая.

— Не хочу.

— Тогда скажу без комплиментов. У этого капиталиста бабла немерено. Он, если ему понравится, все, что у тебя есть, оптом скупит, да еще по такой цене, что закачаешься. Озолотишься!..

— А ты?

— Ну, и я, конечно, вместе с тобой озолочусь.

Андрюха брал за свои труды ровно половину цены картины. Согласитесь, немало. За такие деньги можно со мной и понянчиться.

— В общем, — резюмировал он, — я его к тебе сегодня вечером привезу. А сейчас давай показывай.

— Что?

— А что в закромах имеется. А я тебе, неразумному, подскажу, какой холст куда вешать да в каком порядке ему показывать.

— Ну, пошли.

Мы отправились в мою комнату-мастерскую. Андрюха рассмотрел только начатый мой натюрморт, бросил на лету:

— Недурственно. Но ты его отсюда сыми да спрячь.

— Почему?

— А поставь на подрамник что-нибудь уже законченное. У покупателя будет ощущение, что он покупает холст с пылу с жару. Только что вышедший из-под кисти мастера. Это, знаешь ли, всегда покупателя возвышает.

За что я любил Андрюху: он весь был набит подобными хитростями из серии «как развести клиента на бабки». И торговаться умеет как зверь.

Под его руководством я развесил по стенам свои натюрморты и пару пейзажиков. Три холста, которые показались Андрюхе самыми лучшими, он посоветовал оставить в загашнике, прислоненными к стене.

— Сделаешь вид, что ни в коем случае не хочешь их продавать. Что они тебе страшно дороги. Ломайся до последнего — а когда я мигну, притворишься, что он тебя уговорил. Понял?

— Понял. А кто он такой, твой иностранец?

— Какой иностранец?

— Ну, тот, которого ты ко мне приведешь.

— А я разве сказал, что иностранец?.. Он — наш. Фамилия — Шевченко. Денежный мешок из какого-то «Ворюга-нефть-и-газ». Наворовал себе достаточно, теперь удалился от дел, живет в Европах, с молодой какой-то девкой-моделью. Занимается коллекционированием. Собирает автографы поэтов Серебряного века и современную живопись. Хобби у него такое. Понял?

— Понял. Надо же ему чем-то заниматься и как-то наворованные бабки тратить.

— Именно.

После того как мы развесили картины, комната приобрела полубогемный вид небольшой картинной галереи. Андрюха удовлетворенно потер руки.

— Ну, теперь другое дело. Денежному мешку — достойную встречу. В общем, жди, вечерком мы к тебе подскочим. И перекрести пальцы, чтобы этому капиталисту понравиться.

И Андрюха исчез, оставив после себя аромат одеколона «Хьюго Босс», который у меня почему-то ассоциировался с запахом свежеотпечатанных долларовых бумажек.

МАГАЗИН

Покупатели любят, когда их угощают художники. Это придает им вес в собственных глазах.

Я не думал, что сегодняшний «Ворюга-нефтегаз» окажется исключением.

Заглянул в холодильник. Впрочем, я и без этой
инспекции знал, что там лежит: купленный вчера
йогурт «Даниссимо», «Вискас» и сыр.

Этого было явно недостаточно, чтобы потчевать
заезжего мецената. Похода в магазин, значит, мне не
избежать.

Я оделся и отправился на стоянку за автомобилем. Решил не шкандыбать в магазин на своих двоих,
а воспользоваться колесами и затовариться полной
мерой. Чтобы и вечернего покупателя накормить, и
Андрюху, и мне самому на пару дней осталось.

Свой автомобиль я держал на стоянке — он у
меня хоть и древний, да уж больно редкий: «Фольксваген-жук» первого выпуска. Самый популярный
автомобиль всех времен и народов. В моем «жуке»,
ввиду его древности, вечно что-то ломалось, и я
всеми правдами-неправдами доставал для него запасные части и стимулировал слесарей-умельцев
изрядными суммами. Зато когда с ним все было в
порядке и я его седлал, мне нравилось, что на него
поглядывают — и в автомобильном потоке, и с тротуаров. На такой машине в серой массе не затеряешься.

«На прогулочку?» — традиционно приветствовал
меня сторож на стоянке. Он вечно задает один и тот

же вопрос. Видимо, в его понимании жизнь художника только и состоит, что из разнообразных «прогулочек».

— По делам, — важно ответил я, и по выражению лица сторожа понял, что он мне, как всегда, не поверил.

«Жук» приветливо затарахтел, когда я повернул ключ зажигания. Я включил на полную «Радиоджаз» — и порадовался. Мне понравилось, как я выгляжу со стороны: молодой художник на раритетной машине, отправляющийся куда-то под звуки джаза.

Я решил, поскольку уж вооружился авто, поехать в дальний понтовый супермаркет «Седьмой океан». Во всяком случае — гарантированно накуплю вкуснятины перед вечерним приемом.

В «Седьмом океане» я разошелся и стал сваливать в тележку все деликатесы подряд: осетрину и нарезку семги, икру красную и черную, колбасу «Дворянскую» и «Брауншвейгскую», пирожные «Тирамису» и мороженый торт «Венеция». Решил денег не жалеть: ведь если понравлюсь меценату, сегодня вечером я стану богаче как минимум на пару тысяч долларов.

Питейные вкусы заезжего покупателя мне были совершенно неизвестны, поэтому к традиционной русской водке пришлось присовокупить коньяк, джин, а также по бутылочке «Шабли» и «Бордо».

Когда я подходил к кассе, то пересчитал в уме стоимость трофеев. Кажется, зашкаливало за пять тысяч. У меня не было с собой столько наличных, но имелась «Виза», а на карточку рекламное агентство недавно перечислило мне гонорар.

Кассирша — молоденькая, крепко сбитая, губастая — с почтением стала пробивать мои понтовые покупки. Закончив, бросила на меня недвусмысленный взгляд, выпятила грудь, улыбнулась и пропела четырехзначную сумму. Когда я достал из портмоне «Визу», она улыбнулась еще двусмысленней и пропела «Спа-а-асибо» с таким видом, будто бы я ее уже на ужин пригласил. Хотя кредитные карточки есть сейчас у каждого студента, почему-то они до сих пор производят впечатление на девушек.

«А может, и вправду ее пригласить? — мелькнуло у меня. — Допустим, на завтра — причем, не чикаясь, сразу домой? А что — она, кажется, согласится».

Я уже открыл было рот, чтобы подкадриться к губастенькой, как она вдруг нахмурилась и проговорила:

— Что-то не так с вашей карточкой.

— А что такое?

— Кажется, она заблокирована.

— Не может быть! — воскликнул я. — Я по ней позавчера туфли покупал. Все было нормально. Проверьте еще раз.

Она снова засунула карту в щель счетчика.

— Да, карта заблокирована, — сказала она.

— Что за фигня! — воскликнул я. — Не может быть! Позвоните в банк!

— Ваша карточка — вы и звоните, — фыркнула губастенькая.

— Что же делать? — произнес я, как растерянный остолоп.

— У вас есть другая кредитка? — спросила девушка.

Она, видимо, ожидала, что в ответ я рассыплю перед ней ворох карт, от «Американ Экспресс» до «Дайнерс клаба».

— К сожалению, нет.

— Ну, тогда заплатите наличными. А с банком потом разберетесь.

— Наличными? Боюсь, что у меня наличных на все не хватит.

— Н-да-а? — разочарованно пропела губастенькая.

Я стремительно падал в ее глазах.

— Мне придется кое-что оставить. — Я открыл портмоне и пересчитал наличность. Имелось около тысячи, включая тертые червонцы, а также монеты.

Сзади меня к кассе подкатила хорошенькая домохозяйка с лицом, ухоженным горным отдыхом и косметичкой. Видать, моя черная икра с «Шабли» издалека притягивали ко мне женщин.

— Не занимайте! — сердито крикнула ей девушка-кассир. — Мы тут возврат будем оформлять. — И взялась за трубку местного телефона. — Лида, подойди, — сказала она в трубку.

Разочарованная домохозяйка отвалила к другой кассе.

— Что оставляем? — буркнула мне губастенькая. На ее лице светилось разочарование: будто я обещал на ней жениться и бросил у самого алтаря.

Чтобы уложиться в лимит, мне пришлось оставить и «Шабли», и «Бордо», и черную икру, и рыбу, и колбасы.

Явилась старшая по смене.

— Что случилось?

— У гражданина денег не хватает. И карточка у него заблокирована.

Старшая бросила на меня подозрительный взгляд.

Девушки произвели с кассой какие-то манипуляции и выбили мне гораздо более скромный чек.

Когда я, довольно-таки приниженно, отходил от кассы, губастенькая гордо отвернулась от меня. Прищурясь, она смотрела куда-то вдаль. Весь ее вид словно горестно пенял мне: «Как же ты мог — так подло меня обманывать!»

ДОРОЖНАЯ ПОЛИЦИЯ

Поездка в магазин оставила неприятное послевкусие. Не радовала и перспектива грядущих разборок с банком. Я совершенно четко знал, что на карточке у меня имеется около десяти тысяч рублей — не далее как позавчера проверял остаток. Какому идиоту пришло в голову ее заблокировать — поставив меня в крайне неудобное положение перед губастенькой?!

Я раздраженно пошвырял покупки на заднее сиденье. Прекрасный весенний денек совершенно перестал меня радовать. По «Радио-джаз» вместо бодрящих мелодий заунывный голос начал зачитывать какую-то лирическую фигню:

«Любовь моя, люблю тебя безбрежно,
Порывисто, и сдержанно, и нежно!»

В результате я и сам себе стал казаться не понтовым художником на стильной машинке (как мне представлялось еще полчаса назад), а каким-то мошенником на старой таратайке.

В унылом раздражении я вырулил с магазинной стоянки. Езды от дома до «Седьмого океана» минут семь, и по дороге я стал размышлять, сумею ли сегодня же объясниться по телефону с банком? Восстановят ли они счет? А если восстановят, может, стоит повторить попытку: вернуться в универсам и накупить у той же губастенькой продуктов на еще большую сумму? В конце концов я решил, что это будет мальчишеством: ни в одну реку нельзя войти дважды, и губастенькая, видимо, потеряна для меня навсегда.

Занятый собственными мыслями, я не заметил, что с обочины мне машет своей полосатой палкой гаишник. Сроду здесь, в тихом окраинном микрорайоне, не дежурило никаких гаишников! Я резко тормознул — злосчастные покупки повалились на пол с заднего сиденья.

Я проскочил пикет метров на пятьдесят, и дорожный полицейский не торопился ко мне — стоял на месте, помахивая палочкой. Я врубил заднюю передачу и подъехал к нему. Запарковался в теньке и вышел из машины. Гаишник лениво подошел ко мне.

— Добрый день, офицер, — поприветствовал я его. Работники с большой дороги обожают, когда их называют офицерами. — С чего это вы вдруг решили здесь дежурить? Ловите кого-то?

Гаишник не снизошел до объяснений. Я протянул ему документы.

Он внимательно перелистал их, спросил:

— Техосмотр есть?

— Как положено: на ветровом стекле, в правом нижнем углу.

Гаишник рассмотрел карточку техосмотра, неожиданно улыбнулся и спросил, кивнув на «жучка»:

— Хорошая машина, а?

— Неплохая.

— Какого года?

— В России с восемьдесят пятого. А до этого, говорят, на ней Джордж Харриссон ездил.

— Харриссон? — улыбнулся офицер. — Это «битл», что ли?

— Ага.

— Ну, пошли, — вдруг объявил гаишник и широкими шагами направился к патрульной машине, которая была припаркована невдалеке.

Тут я сообразил, что мои документы остались у него, и бросился вслед за ним.

Гаишная машина оказалась воплощением роскоши и комфорта. Большие двери, широкие удобные кресла. Офицер сел на водительское сиденье, я примостился рядом.

Гаишник положил себе на колени ноутбук, раскрыл его и стал, сверяясь с моими правами, вбивать одним пальцем мою фамилию. Я покорно ждал. «Сколько у него передовой техники, — мимолетно подумалось мне, — а все ради одного: сшибать сотни и пятихатки у водителей».

Наконец гаишник закончил процедуру засаживания моей фамилии в компьютер и, высунув кончик языка, щелкнул на «enter». Всмотрелся в экран, а затем удивленно присвистнул.

— Что такое? — буркнул я.

— А ведь ваши права недействительны, — усмехнулся он.

— Почему?!

— Потому что вы — умерли.

— Что??!

Вместо ответа гаишник повернул ко мне экран своего ноутбука. На экране значилась моя фамилия, номер прав и в конце строчки — резолюция: *«Водительское удостоверение аннулировано. Основание: смерть владельца».*

Глава 6

ЛИЗА. ПРОИСШЕСТВИЕ В АВТОБУСЕ

Так и не поняла Лиза: удачный у нее сегодня день или нет. Плюсов — всего два, но каких! Во-первых, Красавчик на нее явно запал, и вся женская часть «Оникса» умирает от зависти. А во-вторых, заболел Ряхин, и она какое-то время будет обходиться без его указующего перста, и это просто замечательно!

Но и минусы у сегодняшнего дня имелись — и тоже в количестве двух штук. Разгром концепции и внезапная хворь начальника. В самой-то хвори ничего плохого нет: без Ряхина дышится намного легче. Одна беда: угрызения совести. Как ни убеждала себя Лиза, что болезнь шефа проистекла от гиподинамии да от вредности характера — а все же червячок сомнения точит. Вдруг Ряхину поплохело из-за нее?! Она пожелала начальнику сдохнуть — тот и сдох. Почти. Конечно, никто из коллег не расстроится, если их вредный шеф выйдет в отставку или вовсе сгинет, но все равно: разве имеет Лиза право, говоря красиво, вершить людские судьбы?

Утешил ее Берг.

Подавая Лизе пальто, он сказал, пародируя начальственный тон:

— Ну, Лизавета, завтра на работу можете не спешить. Контроль за опозданиями временно отменяется.

Лиза вздохнула и совершенно искренне сказала:

— Знаешь, а мне Ряхина жаль.

— Жаль?! — возмутился Мишка. — А что его жалеть-то? Подумаешь, поболеет недельку...

Как ни странно, после Мишкиных слов плюсы сегодняшнего дня окончательно перевесили минусы. По крайней мере, Лиза возвращалась с работы в шикарнейшем настроении. Так хорошо вдруг стало на душе, что даже начала себя «охлаждать».

«Чему радуешься, бестолочь? Чай с Красавчиком — еще не повод для триумфа. А объективно: на работе — все шатко, и погода испортилась: то ли дождь, то ли снег — в общем, гнусность. Хорошо хоть, автобус сразу подъехал. Правда, забит, как банка с «килькой океанической». И ладно бы одними клерками — а то ведь сплошные пенсионеры, по новому сапогу уже дважды сумкой-тележкой проехались».

Но хоть Лиза и пыталась испортить самой себе настроение — ничего у нее не выходило. Подумаешь, снег с дождем! Подумаешь, толпа в автобусе и засилье колесных сумок! Сапоги, будем надеяться, выдержат, а нога — не очень и пострадала. И вообще, от хмурых сограждан можно прекраснейшим образом абстрагироваться. Не обращать на них внимания. Как говорится, воспарить над суетой. В буквальном смысле слова.

«Вовсе я и не в автобусе еду, — фантазировала Лиза. — Разве счастливые люди ездят в автобусах? Нет. Они... летают верхом на бабочке».

И Лизхен представила: роскошный пятнистый махаон, тонкие, сильные крылья, свист ветра, а в нос бьют сладкие весенние запахи...

— До утра мечтать будешь? — рявкнула на нее кондукторша.

Лиза очнулась и увидела, что автобус уже стоит на конечной остановке, у метро «Выхино», пассажиры расползлись, а водитель устало откинулся в своем кресле и пьет минералку. И только она, Лизхен, прислонилась к окошку, и вид у нее, судя по всему, глупейше-мечтательный. Настоящая «бедная Лиза». И мысли в голове — пустые. Такая, например: «Почему никто никогда не говорит шоферу автобуса «спасибо»? Проводников в поезде — всегда благодарят, пилотам — вообще аплодируют, а водителю — ни слова доброго... Хотя работа у него — сложнейшая. Попробуй, припаркуй такую махину или в поток на ней влейся — дорогу-то никто не уступает... Вот подойду сейчас и поблагодарю его — за то что хоть и устает, а возит нас в любую погоду!»

Лиза резво отпрыгнула от окошка и бросилась к шоферской кабине — всего одно словечко водителю скажет, а как человеку будет приятно!.. Но на пути вдруг выросла кондукторша. Она схватила Лизу за рукав и заорала:

— Куда прешь! А ну, вон отсюда!

От такой неприкрытой грубости Лиза даже опешила:

— Почему вы кричите? Я вас чем-то обидела?

Но вежливый вопрос почему-то разозлил кондукторшу еще больше. Она повысила голос до максимально визгливых тонов и заверещала:

— У, бомжи проклятые! Иди, в ночлежке спи!

«Она решила, что я выходить не собираюсь. Хочу в автобусе туда-сюда ездить. В тепле и на мягком кресле. Как бомжиха, — поняла Лиза. И тут же обиделась: — Да неужели я на бомжа похожа?!»

Вот это оскорбление! И Лиза не выдержала, рявкнула на кондукторшу — совсем в духе трамвайной склоки:

— Да ты сама бомжиха! Пойди, в зеркало на себя посмотрись!

Хамство, ей-богу: стоит тетка в засаленной куртке и сапогах «Прощай, молодость!», хватает Лизу за пальто от «Максмары», оскорбляет нищенкой!

Но кондукторше, кажется, только и надо было — развязать ссору. Она разинула криво подкрашенный рот и заорала на Лизу:

— Профурсетка! Овца нечесаная! Мымра! Пасть свою гнилую закрой!

Да, недостойный получается диалог. Видел бы сейчас Лизу ее красавчик Ник!

«Ну, и что теперь? Соревноваться, кто кого больше оскорбит? Или просто молча уйти? И стыдливо сгорбиться — потому что эта дура будет орать мне в спину, пока не устанет?»

— А твой Толик опять у Анжелки сидит, — вдруг злорадно и тихо сказала Лиза.

Кондукторша тут же захлопнула пасть — с досадливым шлепком, словно кашалот, упустивший добычу.

— Сидят они, «Очаковское» пьют, рыбкой закусывают — и над тобой насмехаются, — продолжила Лиза. — А почему насмехаются? Да потому, что и пиво с воблой, и мимозы Анжелке твой сожитель на твою же заначку купил. На те триста рублей, которые ты в книжку Дрюона спрятала.

Лиза говорила — и сама не понимала, что несет. Удивительное чувство: когда слова идут не от мозга, а откуда-то извне. Будто какой-то злой карлик сидит у нее во рту и выплевывает едкие реплики.

И слова ее — правда. *То, что так и есть на самом деле*, Лиза это прекрасно понимала. Достаточно на кондукторшу взглянуть — куда только вся скандальность исчезла, стоит жалкая, бледная и несчастная. Лицо такое потерянное, будто медузу Горгону увидела...

«Все. Хватит с нее, — решила Лиза. — Оставить дуру-бабу в покое и уходить».

Но «карлик», что сидел в ее рту, видимо, считал по-другому. И на прощание наградил кондукторшу еще одной новостью:

— Анжелка твоему Толику знаешь чего советует? Ты, говорит, ее — то есть тебя — из квартиры выпиши, она ведь приезжая, на жилплощадь твою прав никаких не имеет. Пусть на вокзале с бомжами живет. А Толик твой и не возражает... Так что смотри, милочка! Выкинут тебя из квартиры — и будешь ночевать в подворотнях.

— Кто ты?! — хриплым шепотом выдавила кондукторша.

Но Лиза уже заткнула своего «карлика» и сломя голову бросилась вон из автобуса...

«Что же со мной происходит? — думала она, торопливо шагая к остановке маршрутки. — Уже не смешно, ей-богу!»

Нет, Лиза совсем не жалела, что ей удалось отплатить кондукторше за несправедливые оскорбления. И то, что красавчик Ник на нее «запал» — тоже приятно. Да и Ряхину поделом — раз тот не умер, а только приболел, вот и будет ему наказание за вредность и придирки. В общем, кто спорит: полезный у нее открылся дар. И интригующий. Много интересных дел можно наворотить. Одно страшно: контролировать себя не получается.

Лиза никак не могла избавиться от картинки: кондукторша, растерянная, жалкая, с лихорадочными красными пятнами на щеках... Видно было, что каждое Лизино слово не просто ранит ее и старит, а убивает, уничтожает... Но остановиться, уйти — у Лизы никак не получалось... Когда «карлик» решил ее отпустить — только тогда и ушла. «Да и с Ряхина вполне бы хватило — головокружения да легкого обморока. А я его до больницы довела...»

ЛИЗА. ВОЗМЕЗДИЕ

Лиза, будто в тумане, отстояла очередь на маршрутку до своего Новокосина. Впрыгнула в теплое нутро машины, забилась в уголок... На пассажиров-соседей поглядывала с опаской: ей совсем не хотелось, чтобы в голову, как вчера, вдруг полез перевод с какого-нибудь хинди-суахили. Или выплеснулись очередные интимные тайны, как с сегодняшней кондукторшей...

Но, видно, «лимит экстрасенсорности» на сегодня был исчерпан, и Лиза спокойно добралась до дому. Заглянула в магазинчик, купила конфет бабушке и очередную банку корма Пирату. У подъезда столкнулась с соседкой, рыжей Ленкой. Ленка тут же принялась жаловаться, что муж уже второй день дома не ночует, врет, что в командировке, а голос лживый, и телефона своего не оставляет. Лиза сочувственно выслушала Ленку и, грешным делом, даже порадовалась — что никаких ей видений нет и она понятия не имеет, где блудный Ленкин супруг шляется и с кем проводит время. Но соседке все-таки пообещала:

— Вернется твой ненаглядный, сердцем чувствую!

— Да знаю я, что вернется, — фыркнула Ленка. — Где ж он еще такую дуру, как я, найдет? Чтобы и кормила его, дурака, и обстирывала, и денег на пиво давала!

«Зачем он тебе тогда нужен?» — подумала Лиза,

но благоразумно промолчала. Она распрощалась с рыжей Ленкой и юркнула в подъезд. Чем блаблакать с глупышкой-соседкой, она лучше с бабушкой поболтает. Поужинают сейчас, а потом будут чай пить — долго-долго, уютно-уютно. И Лиза бабушке все расскажет. Про колдуна, про Красавчика, про Ряхина, про кондукторшу. И спросит ее совета — метафизического, материалистического или просто мудрого...

— Бабулечка, это я! — радостно крикнула Лиза, отпирая входную дверь.

Ей в ноги тут же кинулся Пират — так юлил, так обтирался, чуть с ног ее не свалил.

— Не провалился ты, как я тебя утром просила! — упрекнула кота Лиза.

— Мяу! Мя-ау! — истошно откликнулся Пират.

— Чего вопить-то так? Голодный, что ли? — упрекнула его Лиза, скидывая пальто. И снова крикнула в недра квартиры:

— Бабулечка-а! А я тебе «Стратосферу» купила! И грильяж в шоколаде, смерть зубным протезам!

«Сейчас выйдет и будет делать вид, что сердится: «Елизавета! Прекрати надо мной смеяться! Вот доживешь до моих лет — тоже своих зубов не останется!»

Но в квартире было тихо.

Лиза прислушалась. Ни звука. Одно «Радио России» занудливо бормочет. Но ведь бабушка всегда встречает ее в коридоре! И иногда отпирает дверь даже раньше, чем на этаж подъедет лифт. Говорит, что «сердце — вещун»... С ней что-то случилось?! И Лиза, не скидывая сапог, бросилась в комнату.

Бабушка лежала на диване. Совершенно неподвижная. Клетчатый плед сбился в комок, подушка откинута, рука бессильно свисает к полу, глаза закрыты, и ресницы, кажется, не трепещут...

— Бабулечка! — только и выдохнула Лиза.

Бабушка не пошевелилась. Ее губы замерли в скорбной гримасе. Все, конец... Нет, нет, она просто спит!.. Да ладно, кого ты обманываешь? Разве спят так — не шевелясь и не дыша?! Нужно подойти к ней, взять за руку... а вдруг она холодная?! Или... или нет?.. Но приблизиться к бабушке и убедиться — Лиза боялась. Ледяным, безжалостным осколком пронзила мысль: «Это мне наказание! За Ряхина! Болезнь — за болезнь! Нет, даже хуже. Я сотворила *болезнь* — а высшие силы ответили *смертью*».

Она так и застыла на пороге комнаты. *Возмездие?* Неужели это, правда, возмездие?! Свинцовая чернота, которой наливается сердце... И — краткая, пульсирующая мысль: «Это я. Я убила ее. Я пожелала *смерти* — и Всевышний откликнулся. Только выполнил мою просьбу не совсем так, как я его попросила...»

И тут бабушка пошевелилась и еле слышно застонала.

Лиза мгновенно оправилась от столбняка, кинулась к старушке, обняла ее, прижалась к ее щеке — теплой-теплой и пергаментно-нежной.

— Бабушка! Это я, я! Что с тобой?!

Хотя что спрашивать? Лиза уже и сама почти врач: щеки у старушки горят, глаза блестящие, губы не слушаются... Гипертонический криз. И, похоже, очень тяжелый. Иначе бы бабушка ее так не напугала. Откликнулась бы, когда внучка ее звала...

Лиза вихрем бросилась в кухню, на полсекунды задумалась. Сразу в «Скорую» звонить или сначала давление ей измерить? Да что там мерить, бабулечка шевелится и то с трудом!

Операторша на «Скорой» попалась хорошая. Лишних вопросов не задавала, тут же сказала, что высылает бригаду. И только потом спросила, сколько старушке лет. (Обычно, как узнают, что бабушке — целых восемьдесят пять, сразу голоса становятся равнодушными, и потом машину ждешь чуть ли не час.) А эта — даже утешила:

— Не волнуйтесь, девушка. Минут через десять подъедут, вызовов сейчас мало.

И Лиза, чуть успокоенная, вернулась к бабушке. Снова ласково погладила ее по щеке, прошептала:

— Едут врачи, не бойся.

Старушка благодарно сжала ее ладонь — еле-еле, будто с цыпленочком здороваешься. А Лиза ловко закрепила манжетку на бабушкиной руке, накачала грушу... ой-ой-ой, двести тридцать на сто пятьдесят, огромное какое... Дать нитроглицерин? Или дождаться врачей?

— Я... п-пила... — выдавила бабушка.

Прочитала внучкину мысль про лекарство.

— Нитроглицерин, да? Целую таблетку? — уточнила Лиза.

Бабушка с трудом кивнула.

— Давно?

— С ч-час... — пробормотала старушка.

Но почему же тогда давление не опустилось?

Лиза взялась за бабушкин пульс. Так она и думала. Аритмия — чудовищная. Вот сердце стукнуло... пауза... потом слабый, еле слышный толчок... и только теперь с трудом пробивается новый удар... А бабулечка уже и говорить не может, силится что-то вымолвить, а губы не слушаются, и румянец на щеках сменился молочной бледностью. Где же врачи?

— О... от-жила я свое, — наконец с трудом выдохнула старушка.

— Не говори так, бабушка! — вскинулась Лиза.

Губы у старушки дрогнули.

— Жаль... — прошептала она.

А Лиза комкала ее руку и понимала: мало сказать *жаль*. Это ведь ужасно, когда знаешь, что больше никогда не увидишь ни ковер в пошлый цветочек, ни букет из хвойных веток на столе и никогда-никогда не сядешь на кухне и не выпьешь чаю с любимыми «Стратосферами»...

— Нет, бабушка, нет! Ты выживешь!

Старушка только вздохнула.

А Лиза чуть не взвыла:

— Я не смогу без тебя! И Пират не сможет!

— Вот и жаль мне... — с трудом проговорила бабушка. — Вас обоих жаль. Вы такие... беззащитные...

И Лиза вдруг разозлилась. Закричала на старушку, словно на давешнюю злую кондукторшу:

— Вот и не уходи! Не бросай нас! Ты... ты не имеешь права! Мы без тебя не сможем!

Бабушкино лицо дрогнуло от ее истошного крика. На пороге комнаты замер Пират. Не понимает кот, прятаться ему от гнева хозяйки или, наоборот, бежать к ней, тереться о коленки и утешать.

— По... поцелуй меня, внученька... — с трудом вымолвила бабушка. Ее губы дергались. Казалось, что она пытается проглотить какой-то комочек — да никак не может.

Лиза не просто склонилась к ней — навалилась на нее всем телом. Нет, не сможет она жить без бабушки — такой теплой, оптимистичной, мудрой...

И внезапно ее охватила злость. Да как же так! Она с легкостью фокусника отправила в больницу гада — Ряхина, очаровала первого красавца во всем «Ониксе», шокировала несчастную кондукторшу — а бабушке, единственному человеку, который ей дорог, ничем не поможет?!

Но как помогать — Лиза не знала. Внушать ей: «Ты здорова, здорова?» Нет, глупо. А ведь не дождется бабушка «Скорой», у нее уже и крылья носа синеют...

«Я хотя бы одно могу сделать, — сказала себе Лиза. — Я не должна показывать, что волнуюсь. Что я в панике и не знаю, как быть. Мне нужно заразить ее своей надеждой. Нет, уверенностью в том, что она справится. Выживет. Выстоит».

Лиза спокойно обняла бабушку, прижалась к ней и сказала:

— Не волнуйся, моя маленькая (старушка нашла в себе силы слегка улыбнуться). Ты — никуда не уходишь. Ты — остаешься здесь, на земле. Со мной и с Пиратом. И мы с тобой со всем справимся.

Одной рукой Лиза легонько гладила ее по плечу, а вторую — положила на слабую ниточку пульса. Тук-тук... пауза... пауза затягивается, кажется, все... и вдруг снова — тук-тук...

— Я принесла тебе конфет, твоих любимых. И чай мы сейчас откроем, тот самый, который ты давно клянчишь...

Банку чая Лизе подарил коллега, ездивший на конференцию в Цейлон, и они с бабушкой по обоюдному согласию чай не трогали, хранили до какого-нибудь торжественного случая...

— А завтра я схожу в Интернет (Лиза давно рассказала бабуле об удобствах Всемирной паутины) и

закажу нам с тобой билеты в Большой театр. На «Ба-
ядерку», хочешь? Или на новый балет сходим, на
«Светлый ручей»... Это из колхозной жизни, там до-
ярки танцуют и трактористы...

Лиза болтала свою чепуху и слушала бабушкин
пульс. Тук-тук... пауза. Тук-тук... тук... кажется,
бьется все тише, затухает.

— А хочешь, я тебе вообще эксклюзив предложу?! Ты от такого просто отказаться не сможешь!
Мы с тобой на мой отпуск в Европу поедем! Хочешь — в Париж, хочешь — в Венецию! Ты же давно
мечтала в какую-нибудь «Гранд Опера» сходить!

Но бабушка ее, кажется, уже не слышала. А пульс —
все-таки бился. Тук. Тук. Тук. Слабенькая ниточка,
еле слышная...

И тут в дверь позвонили — резко, как умеют
только фельдшеры «Скорой помощи». Умник Пират
резво отпрыгнул с порога, под ногами не путался —
знает, когда можно, а когда нельзя.

— Где больная? — сухо спросил Лизу желчный,
прокуренный врач.

— Т-там, — махнула она на комнату.

Сейчас, когда ответственность была уже не на
ней, а на докторе и фельдшере, Лиза почувствовала,
что больше сдерживаться не может, всхлипнула.

— Только реветь тут не надо, — дежурно цыкнула на нее толстая фельдшерица.

Но, нужно отдать должное, в коридоре бригада
не топталась и деньги авансом не вымогала — сразу
прошли в комнату, нацепили на бабушкину руку
манжетку, взялись за пульс... И тут старушка вдруг
открыла глаза и прошептала:

— Где... я?

— На рай непохоже, — цинично хмыкнула фельдшерица, оглядывая скромную комнату с пошлым ковром на стене. И сообщила врачу: — Давление сто шестьдесят на сто, пульс восемьдесят, аритмии нет.

Лиза не верила своим ушам:

— Только что... только что... еле прощупывала... одни перебои! И давление было двести тридцать!

Фельдшерица посмотрела на нее с сомнением:

— Двести тридцать?

— Ну да. И нитроглицерин не помог, и комочек она сглатывала, будто задыхалась...

— Давай, бабуля, выкладывай, — фамильярно потребовал врач. — Что, на тот свет собралась?

Лиза далеко не первый раз имела дело со «Скорой», но всегда возмущалась врачебной грубостью. Ветеринар с Пиратом разговаривал вежливей, чем «скорпомощные» врачи с пациентами. А бабушка ее наставляла: «Не обращай внимания. Работа у них такая, нервная. Пусть говорят, что хотят. Главное, чтоб помогли».

Но Лиза не могла позволить, чтобы с ее бабушкой разговаривали в таком тоне. Она отлучилась к шкатулке и вынула десять долларов — очередную «неприкосновенную заначку». Молча протянула деньги врачу. Тот купюру принял, сразу оживился, приказал фельдшерице:

— Пойди, кардиограф принеси.

И сразу стал обращаться к бабушке на «вы». Долго расспрашивал ее — та уже могла говорить, хоть голосок и был еще слабенький. Потом слушал сердце, смотрел в зрачки, делал и изучал кардиограмму... И наконец вынес вердикт:

— Ничего не понимаю. Двести тридцать, говорите, было? И аритмия? И комок она сглатывала? С трудом, честно говоря, верится... Все в порядке с вашей бабушкой.

Он подозрительно посмотрел на Лизу. Не дай она ему десятку — уже бы набросился, что «Скорую» по пустякам отвлекает.

— Слава богу! — искренне выдохнула Лиза.

— Вы уверены, что у вас тонометр исправен? — спросил доктор Лизу.

— Конечно, исправен! — воскликнула девушка. — И она... — Лиза не смогла произнести слово «умирала». — Ей правда было очень плохо!

— В какой-то момент я почувствовала... — тихо сказала бабушка и вдруг запнулась.

Фельдшерица уже топталась на пороге, нетерпеливо поглядывая на часы. Но доктор, честно отрабатывающий десятку в свободно конвертируемой валюте, переспросил:

— Ну, говорите.

— Я вдруг потеряла сознание. А потом увидела... себя. Как я лежу на кровати. И Лизу увидела, она сидела рядом. А я вроде бы где-то сверху, смотрю на них... на себя и на нее... и не могу ничего ни сказать, ни сделать. Наверное, в этот момент у меня сердце остановилось?

Фельдшерица дернула плечом и что-то буркнула. Лизе послышалось: «Маразм!» А доктор успокаивающе погладил старушку по руке и сказал снисходительно:

— Нет, бабушка, сердце у вас не останавливалось. С чего бы? Двадцать лет еще проживете. Это вы вдруг заснули, и вам сон такой приснился.

Бабушка не стала спорить:

— Ну, может, и правда заснула...

И вдруг подмигнула Лизе — озорно, молодо, весело. В ее глазах плясали такие искорки, что внучка вдруг поверила: а ведь они с бабушкой и впрямь еще поедут вместе в Европу! И снимут в оперном театре самую лучшую ложу, и будут очаровывать иностранцев: Лиза — красотой, а бабушка — мудростью и благородной статью...

ЛИЗА. «ЛЮБОВНЫЙ СЕЗОН»

Лиза была так счастлива, что любимая бабуля выкарабкалась, что весь вечер носилась вокруг нее, как Пират — вокруг плошки с кормом. И чай заваривала, и ноги бабушке пледом укутывала, и конфетки ей разворачивала. Старушка на нее даже цыкнула, строго, как в школе: «Ну, что ты ластишься? Натворила небось чего-то?»

— Нет, бабулечка, ничего не творила. Просто радуюсь, что с тобой все хорошо, — улыбнулась Лиза.

— А я по глазам вижу: ты мне что-то рассказать хочешь, — не отставала проницательная старушка.

М-да, от бабули так просто не отвяжешься. Что ж, расскажем. Но — с купюрами. На сегодняшней вечер бабуле назначается щадящий режим.

— У нас начальник сегодня заболел. Увезли в больницу с подозрением на инсульт, — скупо отчиталась Лиза.

— Ряхин, что ли, ваш? — уточнила старушка.

— Ну да.

Лиза ждала, что бабуля сейчас начнет охать. Или как минимум — расспрашивать о симптомах. Но она отреагировала неожиданно:

— И поделом ему.

— Что ты такое говоришь, бабуля?! — Лиза аж отпрянула.

А бабушка с достоинством ответила:

— Нехороший человек ваш Ряхин. И болезнь ему — бог в наказание послал...

— Ну, ты, ба, даешь! — Лиза еле справилась со своим ступором. — Не по-христиански рассуждаешь, право слово!

И тут бабуля отрезала:

— А у меня, Лизонька... как бы это сказать... — *выборочное* христианство. За добро — и правда нужно платить добром. А за зло — извините, злом. Вот хочешь, я тебе такой случай расскажу...

И бабушка повела неспешный рассказ: как однажды пришел к ней пациент с экземой на ладонях. Болезнь вроде несложная, только никакое лечение не помогало: ни мази, ни таблетки, ни диеты. А потом выяснилось, что пациент этот — нечист на руку и не раз судим за воровство. «И ты знаешь, Лизочка, что интересно? Я ведь никак не могла понять, почему у него сыпь на правой руке проступает больше, чем на левой. И только потом догадалась: ворует-то он правой рукой, верно? Потому она и пострадала больше...»

В общем, болтали до часа ночи, и, конечно, наутро Лиза снова проспала. Опять не позавтракала, брючки гладила в «полвзмаха», красилась на ходу. Одна радость: нет Ряхина, и к девяти можно не спешить. И на такси от «Выхина» до офиса не тратиться...

Лиза терпеливо стояла на остановке, ждала автобуса и прислушивалась к импровизированному митингу, который устроили пенсионеры.

Старики, как всегда, возмущались тем, что «транспорт нынче ходит как хочет». Какая-то бабка истошно вопила:

— Надо в мэрию писать! И в правительство! Безобразие! Каждый день этот автобус час ждем!

«Делает вид, что злится, а физия-то — доволь-на-ая», — отметила Лиза.

Она давно заметила, что на остановке «их» авто-буса образовался своего рода пенсионерский клуб. С раннего утра окрестные деды и бабки съезжались на продуктовый рынок, раскинувшийся у метро «Выхино». По дешевке скупали бананы с гнильцой и кур с тухлецой. А потом — как раз в то время, когда Лиза ехала на работу, — с удовольствием болтались на остановке, демонстрировали друг другу покупки и вдохновенно ворчали на азербайджанцев, «под-мявших под себя всю торговлю».

«Так что им большой интервал даже на руку. Если б автобус ходил часто — когда бы они трепа-лись? И где?» — подумала Лизхен.

Обычно она с интересом прислушивалась к дис-куссиям на автобусной остановке, но сегодня без-обидные пенсионеры ее раздражали. Орут, словно грачи прилетели, и всю остановочную скамейку сво-ими авоськами заставили — а хорошо бы сейчас по-сидеть, подремать, пока автобуса нет...

Эту ночь Лизхен спала очень плохо. Не помогли ни бабушка с вечерней сказкой, ни Пират — хотя кот и добросовестно урчал у нее под боком. Раз двадцать, наверное, проваливалась в сон — и через минуту в ужасе просыпалась. То перед глазами всплы-вало лицо Ряхи: одутловатое, с кровожадными глаз-ками и почему-то с фингалом. Или виделась давеш-няя кондукторша — ее пальцы с облупившимся ла-ком тянулись схватить Лизино горло. А то казалось, что спит она в пустой квартире, а бабушка с Пира-том куда-то исчезли — далеко, навсегда... В общем, ерунда какая-то, а не спанье. А сегодня с утра — го-лова тяжелющая. Так и хочется рявкнуть на митингующих пенсионеров, поскидывать с лавочки их авоськи, усесться и блаженно закрыть глаза. Хорошо хоть, Ряхе сейчас явно не до контроля посещаемости. Лежит небось в больничной, неудобной кроватке и с трепетом утреннего обхода ждет.

...Впрочем, свои полномочия по ворчне и придиркам Ряха с успехом делегировал гидре-Дроздовой. Лиза едва в офис вошла, как та прошипела:

— Ты, Кузьмина, в курсе, сколько времени?

Ссориться с ряхинской протеже не хотелось, и Лиза вежливо ответила:

— Да, Антонина Кирилловна, в курсе. Девять часов семнадцать минут. Я приношу вам свои извинения.

Мишка Берг, изумленный Лизиной кротостью, аж присвистнул.

— Так вот, Кузьмина, — Дроздова триумфально провозгласила, — чтобы этого больше не повторялось! — И милостиво разрешила: — Можете приступить к работе.

Берг не удержался, фыркнул — и Антонина тут же оборотилась в его сторону:

— А от вас, Михаил, я жду макета по Усачевой. Сегодня, к пятнадцати ноль-ноль.

— Это вы, Антонин-Кирилн, сами додумались? — ехидно спросил Мишка.

— Что-что? — грозно нахохлилась Дроздова.

— В смысле, свои собственные указания раздаете или являетесь рупором?

— Каким еще рупором?!

«Тупая ты, Кирилловна», — явственно расслышала Лиза. Комментарий донесся из уголка, где сидели юные менеджерши.

— Я имею в виду, как там наш шеф поживает? В сознании он? Способен ли руководить процессом?

Лиза бросила на Берга предостерегающий взгляд: пожалуй, Мишка перебарщивает. Но Дроздова не заметила иронии в его голосе. Она серьезно заявила:

— Аркадий Семенович чувствует себя удовлетворительно, находится в полном сознании, но он очень переживает.

— Что, кормят плохо? — теперь не удержалась Лиза.

Перед глазами мелькнула картинка: пухленький Ряха, с отвращением взирающий на больничную тарелку с жидкой манной кашей.

— Это больница Управления делами президента, Кузьмина, — снисходительно ответила Дроздова. — И питание там организовано по высшему разряду. А волнуется Аркадий Семенович потому, что по Усачевой поджимают все сроки, а концепция (уничтожающий взгляд в сторону Лизы) до сих пор в зачаточном состоянии.

— Нет, Антонина Кирилловна. Теперь концепция — в ваших опытных, чутких руках, и, значит, волноваться Ряхину незачем, — Лиза изо всех сил разыгрывала подобострастие.

А Мишка Берг от своего компьютера показывал пантомиму: *что именно* Дроздова делает своими руками, когда находится наедине с Ряхиным.

Бабушка всегда учила Лизу не смеяться над пошлыми шутками, но тут уж удержаться было никак невозможно. Лиза хихикнула, молодые менеджерши ее поддержали, Дроздова насторожилась... и тут распахнулась дверь, и на пороге возник Красавчик. Николай. Ник.

— А у вас тут весело, — оценил он.

— Вы что-то хотели, молодой человек? — прозудела Дроздова.

Красавчик окинул ее насмешливым взглядом.

— От вас — ничего.

Менеджерши опять зафыркали, а Лиза Дроздову даже пожалела. Право слово, несчастная тетка. Ни лица, ни фигуры, ни мозгов, вот и смеются над ней все кому не лень...

А Ник подошел к Лизиному столу:

— Привет, Лизочка! Ну что, ту-ти ту-ту-ту?

Юные, только после школы менеджерши недоуменно переглянулись, но Елизавета Ника поняла. «Ту-ти ту-ту-ту» — это из старого анекдота. Когда «малиновый пиджак» в лондонской гостинице просит на ломаном английском подать два чая в двадцать второй номер. Значит, Ник ее опять чаевничать зовет... Что ж, приятно!

Лиза встала:

— С удовольствием. Только я бы лучше кофейку...

Ник тут же скользнул взглядом по ее лицу и сочувственно спросил:

— Не выспалась?

«Господи, неужели я так ужасно выгляжу?»

Рука автоматически потянулась в нишу стола, к пудренице с зеркальцем. Ник заметил ее движение и тут же поправился:

— Нет, выглядишь ты прекрасно. Просто мне показалось, что у тебя глаза грустные...

«Вот умник! — оценила Лиза. — На лету все схватывает!»

— Глаза у меня не грустные, а сонные, — поправила она Ника. И зачем-то соврала: — Всю ночь под окном коты вопили, уснуть вообще невозможно, я уже и окно закрыла, и под подушку спряталась — а все равно не скроешься...

— Что поделаешь, у них сейчас любовный сезон, — со знанием дела ответил Ник и пообещал: — Я буфетную девушку попрошу, чтобы она тройной кофе сварила. И веселить тебя буду, чтобы ты поскорее проснулась.

— Кузьмина! — рявкнула со своего места Дроздова. — Хватит! — И досадливо добавила: — В коридор выходите и там воркуйте!

ЛИЗА. ПОБЕГ

С кофепития Лиза вернулась окрыленной.

Во-первых, Красавчик назначил ей самое настоящее свидание. На завтра пригласил ее в ресторанчик — в какой-то «Шафран». Ни про какой «Шафран» Лиза сроду не слышала, но авансом надеялась, что там окажется покруче, чем в «Макдоналдсе».

Во-вторых, Ник, как и обещал, без устали ее веселил. Анекдоты из него так и сыпались. Смешными, правда, оказались не все, но ведь и ее красавчик — не Жванецкий. Хотя бы потому, что куда симпатичней, чем пожилой сатирик. Ну, и, в-третьих, то есть в главных, — Ник три раза касался ее руки, а один раз даже дотронулся до коленки. И касания его получались абсолютно волшебными, каждый раз будто... будто глоток хорошего шампанского выпиваешь.

Одна беда: в отделе ее встретили совсем неласково. Мишка Берг явно взревновал, даже не поднял головы от своего монитора, менеджерши наградили завистливыми взглядами, а Дроздова проговорила:

— Собирай вещички, Кузьмина.

— По какой статье увольняете? — беззаботно спросила Лиза.

Она прекрасно понимала: покуда генеральный не даст «добро», уволить ее не посмеют. Ни Ряха, ни тем более Дроздова.

— Уволим, все еще впереди, — заверила Кирилловна. — А пока тебе другое задание. Аркадий Семенович передал, раз уж ты с концепцией не справляешься. Нужно съездить в Центр изучения общественного мнения. Забрать методическую разработку по фокус-группам.

Лиза скривилась. Ехать в Центр, какая тоска!

Затея с опросами общественного мнения была полностью ряхинской. Обучили его где-то, что каждый новый товар нужно обязательно тестировать на потребителях. Редкостная, на Лизин взгляд, чушь, тем более что репрезентативной выборки у них сроду не получалось, новые товары проверяли на «людях с улицы» — кто согласится потратить время, тот и приходит. Вот и получается: соберут полную комнату пенсионеров, выставят перед ними новейшую модель сапог и просят высказаться:

— Нос слишком острый, — со знанием дела изрекает древняя бабка.

— И каблук неустойчивый, — вторит ей какой-нибудь старикан.

— И кожа слишком мягкая, мигом солью разъест, — поступает следующий комментарий.

А менеджерши все слушают и записывают... А потом данные обрабатывают, и рождаются «рекомендации»: каблук уменьшить, носок округлить, кожу огрубить... Вот и получаются вместо стильной обувки сапоги «Прощай, молодость!».

И знает ведь Ряха, что Лиза эти опросы на дух не

переносит — а все равно, явно специально, ее в это дело втягивает. И в опросах заставляет участвовать, а теперь — еще хлеще. Словно какого-то курьера, посылает в Центр — просто привезти очередную методичку.

«И на смертном одре — ни одного дельного указания», — пробурчала Лиза. И мигом составила «план мести»: она быстренько съездит за разработкой, а на обратном пути позвонит Сашхен. Время будет как раз обеденное, вот она и вытянет подругу на бизнес-ланч. Причем заланчуют они как следует, часика на два: есть, слава богу, что обсудить.

ЛИЗА. ДНЕВНИК

*14 апреля 20** года.*

Что-то очень странное происходит в моей жизни. Хотя Сашка и говорит, что я должна ликовать.

Мы с ней встречались сегодня. Договорились пойти в «Патио-пиццу» — там дешевые бизнес-ланчи. Обычно, когда мы встречаемся, разговор у нас начинается по традиционному сценарию: «Прикольный у тебя маникюр!» — «А у тебя — кофточка классная!» И только потом мы делаем заказ и переходим к делу: обсуждаем амурные и служебные дела. Но сегодня Сашка — вот уж психолог! — тут же почувствовала, что у меня что-то случилось. Она быстро потребовала у официанта два ланча и два дополнительных кофе и велела:

— Ну, выкладывай.

Первоначально я планировала рассказать подруге лишь *кое-что*, да и то намеками, но, конечно, не удержалась. Рассекретилась полностью, от «а» до «я». Пока я повествовала про колдуна, Сашхен позевывала, стреляла глазками в симпатичного официанта и ухмылялась:

— Исключительные способности, говоришь, в тебе признал? А ты дай мне сто баксов, я и не такого тебе напою!

Вот язва!

Я пожала плечами и поведала ей про свой перевод — с хинди-суахили. Сашхен только фыркнула:

— А помнишь, мы с тобой в «Вермеле» с каким-то вождем танцевали? На каком он языке говорил, на дивехи, кажется? *Шукрия, мароба, вара рангалю,* — передразнила она. — Но понимали мы его прекрасно!

Еще бы не понять, когда туземец шлет на твой столик шампанское, прижимает к сердцу обе руки и встает на одно колено...

— А что ты скажешь на это?

И я рассказала Сашке-скептику про болезнь Ряхина, случай с кондукторшей и про то, как вылечила бабушкин гипертонический криз. Разливалась я без умолку — пицца остыла напрочь. Одна радость: Сашка тоже не ела. Слушала меня, выпятив нижнюю губу и даже рот слегка разинув, чтобы никто ее неправильного прикуса не заметил.

Наконец я выдохлась. Устало откинулась на спинку стула, отломила кусочек уже ледяной пиццы и спросила:

— Ну, какие будут вопросы? Комментарии, идеи, мысли?

Сашхен молчала. Неужели не верит? Я уже подумывала о том, чтобы выложить свой главный козырь — рассказать, как приворожила красавчика Ника, — когда подруга вдруг выдохнула:

— Слушай, а он мне Мадуру вернет?

— Что-что? — опешила я.

А Сашхен терпеливо повторила:

— Вернет ли он мне Мадуру?

— Кто — «он»? И кто такая «Мадура»?

Сашкины глаза, горевшие радостным нетерпением, тут же потухли.

— Я думала, ты знаешь... — разочарованно протянула она. И выделила голосом: — ВСЕ — знаешь.

А потом разочарованно объяснила: «он» — это ее новый воздыхатель из рекламного агентства «BBDO», а «Мадура» — так зовут ее любимую игрушечную обезьянку, которую поклонник взял якобы для съемки какого-то ролика и никак не возвращает...

— Ну, знаешь ли, Сашхен, — возмутилась я. — Ты все совсем уж буквально поняла. На уровне детской сказки про волшебную палочку.

— Ладно, не расстраивайся, — утешила меня Сашка. — Все равно прикольно. Слушай, а когда ты на эту кондукторшу налетела... Ты прямо видела, как ее сожитель с другой теткой пиво пьет? Как в кино, да?

Я задумалась. Как бы лучше объяснить? Нет, это было не кино. Скорее серия фотографий. Обрывочные картинки. А текст... текст вообще не я произносила, а кто-то *внутри меня*. В общем, не объяснишь.

— Понимаешь, Сашка, — сказала я. — Совсем неважно, как это все происходит. Как в кино, как в театре... Какая разница?! Я почему тебе все это рассказала? Потому, что меня этот дар, не дар — не знаю, как его назвать, — очень беспокоит.

— Ну и дурочка! — припечатала подруга и передразнила: «Беспоко-о-ит!» Да чего беспокоиться-то?! Тебе радоваться надо! Плясать от счастья! Это ж каких дел можно наворотить!

Будто я без нее не понимаю, что наворотить могу

такого, что потом будет и стыдно, и страшно, и гадко! Я попыталась объяснить:

— Но, понимаешь... мне и Ряхина жалко. И эту кондукторшу — тоже... Когда я с ней говорила — ведь понимала, что уже перебарщиваю, и хотела уйти... Но остановиться не могла. Никак.

— И правильно, что не остановилась, — авторитетно сказала Сашка. — Поделом ей, хамке. Хотя твое пальто максмаровское, и правда... Не то чтобы, конечно, совсем нищенское... но очень скромное. Неудивительно, что кондукторша тебя в бомжатничестве заподозрила.

Я пропустила мимо ушей Сашкин выпад и продолжила:

— И еще я очень волнуюсь, потому что никогда не знаю, когда *это* начинается. С бабушкой, например, я вообще ничего не чувствовала. Просто держала ее за руку и болтала всякую чушь. Была, кстати, уверена, что ничего у меня не получится. Что умрет бабушка. А потом врачи сказали, что никакого повышенного давления у нее не было. Но я же видела, что ей очень плохо!.. И давление я измерять умею.

— Верю, — кивнула Сашка. И усилила свою мысль: — Да ясное дело, что у бабули твоей тяжелый криз был, ты же с бабулькой своей уже по гипертонии эксперт, что я, не знаю?! Вот ее и вылечила. Влегкую, почти не напрягаясь! Не напрягалась ведь, нет? Голова потом не болела? У самой сердце не кололо?

— Ничего не болело, — призналась я. — Только долго уснуть не могла.

— Ну, это не самое страшное, — пожала плечами Сашка.

— И что теперь мне делать? — задала я риторический вопрос.

«Если опять скажет, что «плясать от счастья», я в нее солонкой запущу».

Но Сашка торопиться с ответом не стала, задумалась... а потом выдала целую программу:

— Во-первых, нужно разобраться, отчего у тебя это начинается...

— Кто его знает! — перебила я ее. — Говорю же тебе, сама не понимаю! Вдруг накатывает — и все.

— А, по-моему, все просто, — не согласилась Сашка. — Нужен толчок. Стресс. Чтобы ты разозлилась или испугалась. Ряха с кондукторшей тебя довели, за бабушку ты разволновалась...

Да, в логике подруге не откажешь.

— Во-вторых, — продолжала разливаться Сашка, — нужно выяснить пределы твоих возможностей. Что ты можешь — а что не можешь.

— Я пыталась кассиршу в валютном обменнике обмануть, — неохотно призналась я. — Внушить ей, что меняю не десять долларов, а сто. Ничего не вышло.

— Потому что мелко, — пожала плечами Сашка. — А главное — не нужно. Что, разве лишних девяносто долларов погоду сделают? А вот если б тебе миллион понадобился... на какое-то благое дело... ты б его получила. Гарантирую.

— А не на благое дело дадут? — усмехнулась я. — Просто так?

— Просто так, на меха и машины — нет, — серьезно ответила подруга. — У высших сил тоже своя логика есть. И своя справедливость.

— Складно излагаешь, — оценила я. — Может, выдашь прогноз? Как все будет развиваться дальше?

— Легко, — хмыкнула Сашхен. — Ты пока попрактикуйся, свои возможности поизучай... с недельку. А потом мы с тобой что-нибудь придумаем.

Ого, уже «мы с тобой»! Вроде я ей никакого совместного предприятия не предлагала...

— И что же мы придумаем?

— Ну, пока не знаю. Может, кооператив откроем. Будем, скажем, пропавших людей искать.

— Детский сад, Сашхен, — пожала я плечами.

Пожалуй, я все-таки дурочка. Зря ей рассказала... Но раз уж начался разговор...

— Слушай, Сашхен... а если Ряхин умрет?

— Не умрет, — авторитетно ответила подруга. И снисходительно пояснила: — Неужели ты не въезжаешь?! Даже я — и то уже поняла. Твой дар — *адекватный*! Если б ты ненавидела своего Ряхина смертельно, всей душой, — он бы давно коньки отбросил! В адских муках. Но у тебя, слава богу, все получается справедливо, «око за око»: он тебя расстроил — ты его «заболела». Эх, если б я так могла! У меня начальница новая — такая мымра... Может, попробуем ее, а?..

Лицо у меня, наверное, сделалось нехорошее, потому что Сашхен тут же пошла на попятный:

— Ладно, шучу, шучу...

А я подумала: «Сашхен, конечно, все упрощает. Хотя в целом — излагает разумно. Логично и, главное, *не страшно*. Затевать с ней совместный бизнес — основанный на моих паранормальных способностях — наверное, не стоит, а вот советоваться — вполне можно». И я спросила ее еще об одном — о том, что беспокоило меня больше всего.

— А если... кто-то наделил меня этим даром, а теперь, как бы для равновесия, что-то другое отберет?..

Сашхен, кажется, была готова к этому вопросу. Она тут же отчеканила:

— Хотел бы отобрать — отобрал бы бабушку. — И добавила: — Да хватит тебе, Лизхен, дрейфить! Ее, можно сказать, одну из миллиардов выбрали, все дороги перед ней открыли, а она — нет бы радоваться — рефлексиями занимается!

Сашка взглянула на часы и добавила:

— И подруг под монастырь подводит. Мы с тобой, между прочим, третий час уже обедаем. Хочешь, чтобы меня с работы выгнали?

Я тоже посмотрела на часы: ого, как затянулась моя поездочка в Центр изучения общественного мнения, уже начало пятого! Дроздова этого точно не переживет. Я замахала официанту:

— Будьте добры, счет! Только, пожалуйста, побыстрей!

— Ты-то что суетишься! — фыркнула Сашка. — Тебя-то небось не уволят...

Ну, все, я в ее глазах теперь — сверхчеловек.

— Саша, только я тебя очень прошу: никому ничего не рассказывай!

— Да что ж я, дура?! — округлила глаза подруга. И закончила вполне в духе специалиста-маркетолога: — Это ведь даже не коммерческая тайна, а куда круче!

Глава 7

ЛИЗА. НАКОЛДУЙ МНЕ ЛЮБОВЬ...

Лиза вернулась в офис только в начале шестого. Дроздова встретила ее очередной претензией. Взглянула на часы, прошипела:

— Кузьмина! Ты отсутствовала три часа. А всех

дел в фонде, вместе с дорогой, максимум — на полтора. Будь добра, объяснись.

Как объясняться — Лиза не знала. Что уж тут спорить: ланч с Сашхен действительно затянулся... Уже приготовилась униженно каяться — но ангел-хранитель Берг тут же бросился ей на выручку. Он укоризненно посмотрел на Дроздову и сказал:

— Антонина Кирилловна, Кузьмина не виновата!

Дроздова вперила в Мишку ледяной взгляд и отрезала:

— Попрошу не встревать!

Но тот не смутился. Удивленно округлил глаза и продолжил:

— А вы что, разве не слышали? На ТЭЦ авария, пол-Москвы без света!

— Что ты несешь, Берг! — брезгливо поморщилась Дроздова. И назидательно постучала ногтем по экрану включенного монитора: — Как это нет света? Компьютеры ведь работают!

Берг жалостливо посмотрел на Дроздову и изрек:

— Вы меня удивляете, Антонина Кирилловна... В нашем «Ониксе» — автономные генераторы.

Мишка говорил настолько уверенно, что Дроздова растерянно переспросила:

— Ты серьезно? Правда, нет света?

— Ну да! — триумфально подвел итог Мишка. И добавил: — И метро не ходит, и троллейбусы стоят. Но вы не волнуйтесь, Антонина Кирилловна. Обещали, что к шести вечера поломку устранят и свет дадут.

Лиза изо всех сил сдерживалась, чтобы не рассмеяться. А тут еще Дроздова спрашивает ее, очень серьезно:

— Как же ты добиралась, если метро не ходит?

— Пришлось такси ловить, — выдавила Лиза и

украдкой показала Бергу кулак: спасибо, конечно, что выручил, но от таких шуточек и икота может начаться!

— Ну, тогда ладно, — милостиво кивнула Дроздова. И разрешила: — Можешь приступить к работе.

Лиза включила свой компьютер, открыла файл с **ненавистной концепцией**... и удивленно замерла. Кто-то за нее, что ли, все написал? До обеда — было две страницы, а сейчас — целых десять. Она нетерпеливо перевела курсор на третью страничку... и улыбнулась. Нет, никаких дельных мыслей по поводу Усачевой и ее обувки в компьютере не появилось. Зато на восьми страницах повторялась одна и та же фраза: «А ЗАВТРА МЫ С ТОБОЙ ИДЕМ В «ШАФРАН»!»

— Мишка, мой компьютер кто-нибудь трогал? — спросила Лиза у Берга.

— Не знаю, не видел. А что? Что-то случилось?

— Да нет, ничего, — поспешно ответила Лиза. Мишке совсем ни к чему видеть послание от Красавчика. А Ник — молодец! Как он, интересно, в ее компьютер влез? В комнату пробрался — или по сети взламывал? А, неважно. Главное — приятно.

Лиза выделила многократно повторенное предложение «А ЗАВТРА МЫ С ТОБОЙ ИДЕМ В «ШАФРАН»!» и сохранила его в новом файле под названием «great».

Действительно — great, суперклево, что у них с Ником все так красиво складывается!

МУКИ ВЫБОРА

Весь вечер накануне свидания, разумеется, ушел на выбор одежды.

Лиза грустно перебирала содержимое платяного

шкафа. Ну, как всегда: плечики заняты, полки забиты, а надеть нечего. И в голове вертится назойливая фразочка, прицепившаяся еще со школьных времен: «Любовь — зараза, доводит до маразма».

Кто бы ты ни была — школьница, менеджер по маркетингу или ведьма, — а ведешь себя одинаково. Еще и любовь толком не началась, и в глазах его ты ничего не прочла, и никаких особых слов он не сказал — а в душе уже полный винегрет. Дикая смесь из несвязных мыслей: и «что надеть», и «нос чешется, не дай бог, завтра прыщ выскочит», и «как поступать, если он вдруг позовет поехать к нему», и даже что-то из области комплекса неполноценности: «А вдруг он в ресторане скажет: платим каждый за себя, у меня денег не хватит?!»

...А бабуля — молодец. Клюет себе носом над аляповатой книжонкой (на обложке изображены пачки долларов, роковая красотка в тапочках и пистолет с бантиком), а едва Лиза примерит новый наряд и выйдет крутиться к зеркалу — сразу просыпается и комментирует:

— Нет, Лизочка, эта кофточка тебя чуть-чуть старит... И юбку до колена не надевай — слишком солидно, не по годам.

И ведь всегда права оказывается старушка — хоть и журналов модных не читает!

— А может, я, наоборот, хочу выглядеть весомо и респектабельно? — возражает Лиза. — Ты же сама говорила, что эта юбка смотрится шикарно! Твои, между прочим, слова: «Сразу видно, что чистая шерсть и куплена не на рынке».

А бабушка усмехается:

— Прибереги ее для переговоров. Или если на собеседование пойдешь.

Можно подумать, Лиза ей сказала, что выбирает наряд для свидания! Но бабуля, хоть и не колдунья, а Лизины планы просчитывает почище Нострадамуса. Однако кое-что и для нее остается тайной — потому что она наконец не выдерживает, спрашивает:

— А кто он такой? Или это пока секрет?

Ответ так и вертится: «Он — самый лучший!» Но Лиза, конечно, сдерживается и равнодушно отвечает:

— Да так... Коллега. У нас в отделе продаж работает.

— Симпатичный? — заговорщицки подмигивает бабушка.

«Ален Делон в молодости!» — думает Лиза и скупо отвечает:

— Нормальный. Не кривой, не косой. Глаза голубые, волосы чер...

— Тогда надень оранжевое платье, — неожиданно перебивает бабушка.

— Ора-анжевое? — удивляется Лиза. — Ты же сама ворчала, что оно эта... этапи... эпатирующее!

Старушка только плечами пожала и продолжила консультацию по имиджу:

— А колготки надень простые, без рисунка. И туфли без каблуков.

Лиза немедленно исполнила бабушкину рекомендацию. И правда, классно! Верх — легкомысленный, низ — строгий, а вид в целом — соблазнительный. Только весь отдел будет почем зря коситься. Мишка Берг начнет горестно вздыхать, а мымра Дроздова ее вообще без отпевания закопает.

— Молодец, бабуля. Классно подсказала, — похвалила Лиза. — Но видишь, какая беда: мы в ресторан идем вечером, сразу после работы. А как я на службе покажусь?

Но старушка сегодня оказалась в ударе.

— А серый пиджак на что? Застегнешь его наглухо, повяжешь на шейку платочек — и выглядишь паинькой. А после работы пиджак с платком снимешь и оставишь в шкафу.

Лиза примерила пиджак с платком, просияла — и бросилась к бабушке, целовать в худенькие, теплые щеки:

— Ах ты, мой гений, мой суперстилист! Что ж ты мне раньше такой наряд не посоветовала?!

А старушка расплылась от похвалы (в любом возрасте приятно, когда тебя гением называют!) и важно ответила:

— Когда пришло время — тогда и посоветовала...

И Лиза внутренне просияла: «Кажется, бабуля моего Ника одобряет! Хотя еще его и не видела...»

...Следующий рабочий день пролетел стремительно. Особых бед не произошло — хотя Дроздова, конечно, и ворчала, и придиралась. Но ей соперничать с Ряхой — как комару со скорпионом. Лиза на ее уколы даже не реагировала, только отмахивалась. А сам Ряха возвращаться на трудовую вахту не спешил. Как сообщила Дроздова, «хотя Аркадий Семенович и чувствует себя удовлетворительно, он счел необходимым пройти всестороннее обследование».

«Что ж, пусть обследуется, — весело подумала Лиза. — Нам же легче».

Красавчик зашел в ее отдел ровно в шесть, Лиза еще компьютер выключить не успела. Встал на пороге, озарил всех сотрудников теплой улыбкой, проворковал:

— Всем добрый вечер!

И — тут же к Лизиному столу, склонился к ее уху, прошептал — интимно, чуть слышно:

— Еле дождался!

«Не краснеть! Только не краснеть!»

Но, кажется, не получилось. Лиза почувствовала, как запылали щеки.

Сотрудники старательно изображали полное равнодушие. Мишка Берг притворялся, что с головой погружен в работу, а «Марш тореадора» насвистывает просто так, для сопровождения мыслительного процесса.

— Ты уже освободилась? — спросил Ник.

«Разумеется, нет: очередная мысль про усачевскую концепцию недодумана, фраза на экране компьютера оборвана на полуслове».

— Конечно, да. — Лиза щелкнула по иконке «выключить компьютер» и встала. — Сейчас идем.

Она отвернулась от Красавчика — спина прямо горит, видно, что Ник глаз с нее не сводит! — и двинулась к шкафу, где отдел маркетинга хранил верхнюю одежду. Достала пальто, бросила его на спинку стула — Красавчик тут же подскочил, схватил — молодец, галантный, готовится ухаживать, подавать.

— Сейчас, минутку, — остановила его Лиза. Развязала и сняла шарфик. А потом скинула серый пиджак.

Все разговоры в отделе немедленно смолкли. А потом из уголка, где гнездились юные менеджерши, донеслось:

— Ну и обтяжечка!

— Вот это вырез!

А Ник спокойно сказал:

— Очень красивое платье. И очень к месту. Я имею в виду тот ресторан, куда мы идем. Он называется

«Шафран», помнишь, я тебе говорил? А шафран — это самая дорогая в мире приправа. И она как раз цвета твоего платья.

«Ну, шафран, конечно, не совсем оранжевый», — мысленно возразила Лиза. Но спорить с Ником не стала. Царственно приняла от него пальто и поплыла к выходу. На скрежет Дроздовой («Кузьмина! Чтобы завтра, в девять ноль-ноль, новый вариант концепции по Усачевой был у меня на столе!») она даже не повернула головы.

СЛИШКОМ ПРЯНЫЙ «ШАФРАН»

Ресторан «Шафран» выглядел совсем не так, как ожидала Лиза. Ей почему-то казалось, что Ник выберет место спокойное, домашнее, без изысков. Ей даже виделось, что на столах будут лежать клетчатые скатерти, а официантки окажутся уютными, простецкими толстушками. Подмигнут и спросят: «Будете ужинать или просто по пиву?»

Но в «Шафране» порядки были совсем другие.

Едва они сели — Лиза почему-то очень смутилась, когда метрдотель завис у нее за спиной и задвигал стул, — как к столику мухой подлетел официант:

— Что вы желаете на аперитив?

В простеньком «Бахусе», куда Лиза с Сашхен хаживали по субботам, они обычно ухмылялись и отвечали, пародируя восточный акцент: «Пива — лучший из апэре-тива!» А тут (на столах — жесткие от крахмала скатерти, приборы — серебряные, и вся парковка — в «Мерседесах» и «Бимерах») что просить — неизвестно. Явно не пиво. Может, кампари? А вдруг оно здесь такое дорогущее, что она этаким аперитивом сразу же Ника из бюджета выбьет? Он ведь не олигарх, а обычный менеджер, и «восьмерка» его — самая скромная из всех машин на стоянке «Шафрана»...

Ее спас Ник. Навязчивого официанта будто и нет, обращается к Лизе:

— Здесь очень хорошее белое вино. Хочешь попробовать?

— Конечно, — облегченно выдохнула Лиза.

— Шато бур-бур-бур... — неразборчиво попросил Ник.

Однако официант все прекрасно расслышал.

— Сию минуточку. — Что-то черкнул в блокноте и тут же отступил, а Лиза чуть-чуть расслабилась.

— Ты здесь часто бываешь? — спросила Лиза у Ника.

«А ну как ответит: «Да пару раз в неделю!» И ломай потом голову — или понтуется, или доходы у него левые, потому что на нашу зарплату в этот «Шафран» явно не походишь».

Но Ник только усмехнулся:

— Да раза два случалось... Это ведь местечко модное, я сюда клиентов прогуливал... — И вдруг добавил: — Сам не знаю, зачем я тебя в этот «Шафран» повел. Пыль в глаза, наверное, захотелось пустить.

Его улыбка была беззащитной и слегка смущенной.

И Лизе сразу же стало с ним легко-легко. Она улыбнулась в ответ:

— Ну, насчет пыли — тебе это удалось. Мне здесь нравится. А кормят тут как: вкусно или просто дорого?

— Вкусно, но необычно, — признался Ник. —

На закуску, например, едят ливанские паштеты, они называются «мезе», и к ним подается теплый лаваш. А из супов — надо обязательно заказывать кус-кус.

— Давно мечтала приобщиться к ливанской кухне, — заверила Лиза. — А также попробовать кус-кус. — И зачем-то добавила: — Ты не волнуйся, я все ем. Даже солянку в нашей столовке.

И, когда к столику вновь явился официант, Лиза светски поблагодарила за вино и вполне уверенно сделала заказ:

— Мне, пожалуйста, один «мезе» с баклажанчиками, кус-кус и шашлык из баранины, степень прожарки — medium.

А когда официант обернулся к Нику, тот только улыбнулся:

— Мне все то же самое.

И, едва тот отошел, сказал Лизе:

— А у нас с тобой, оказывается, вкусы совпадают!

«Ну и отлично: мне готовить для тебя будет легко!» — едва не вырвалось у Лизы. От опрометчивых слов она удержалась в последний момент и жестоко себя отругала: тоже мне, ведьма! Даже школьницы — и те знают, что мужчине ни в коем случае нельзя намекать на совместную семейную жизнь.

Но Ник — вот поразительно! — вдруг сказал:

— А ты знаешь, мне бы очень хотелось самому приготовить для тебя ужин.

— Ты любишь готовить? — удивилась Лиза.

— Для себя — не люблю. А для тебя — постараюсь.

И снова этот взгляд, от которого по коже бегут мурашки и немеют кончики пальцев... Лиза даже не нашлась что ответить.

— Впрочем, здесь, наверное, еда будет вкуснее, чем у меня, — пообещал Ник.

— Ну, и ладно. Как будет, так и будет, — беззаботно проговорила Лиза.

Она обрадовалась, что скользкая тема пока отставлена. Готовить друг для друга... заманчиво, конечно, звучит, но как-то... немного даже страшно. И преждевременно. Нужно срочно переводить разговор на другое.

Лиза аккуратно, из-под опущенных ресниц, осмотрела прочих посетителей «Шафрана» и сказала:

— Слушай, тут так интересно! Полный зал знаменитостей!

— Да? — Ник скользнул равнодушным взглядом по публике за соседними столиками. — А я что-то никого не узнаю...

— Ну, как же! — вполголоса произнесла Лиза. — Вон, видишь, справа — «мисс Москва» сидит. Как зовут, не помню, но девка красивая. А у окошка — Стефанович с Ольгой Кабо.

Этих Ник тоже не знал, и Лиза объяснила:

— Стефанович — режиссер, он фильм про Ротару снял, «Душа» называется, и «Пену». Но это давно было, еще при Советском Союзе.

— А сейчас?

— А сейчас сериалы снимает. Очень, кстати говоря, неплохие. Жаль, что вы, мужчины, сериалы не любите...

— Я люблю, — тут же возразил Ник.

«Да он на меня так смотрит, что в чем угодно готов признаться!» И опять от этого его взгляда — одновременно и приятно, и страшно...

Правда, признался Ник только в «Комиссаре Рексе» и «Спасателях Малибу».

— Ну, это зарубежные, они не в счет, — снисходительно усмехнулась Лиза. — Ты еще скажи, что «Дикую Розу» смотришь.

— Смотрел, — серьезно ответил Ник. И тут же поправился: — В смысле, бабушка смотрела, а я краем глаза.

— У тебя есть бабушка? — почему-то обрадовалась Лиза.

— Была, — нахмурился Ник. — До прошлого года.

— Извини. — Лиза тут же смутилась.

— Да ладно, чего уж, — вздохнул Ник. — Бабушка говорила, что и так хорошо пожила, почти до девяноста...

Хотя он и старался говорить небрежно, его лицо помрачнело, и Лиза тут же принялась корить себя за бестактность. Загладить бы неприятную тему, только как? Способ один — старый, как мир: она перегнулась через столик (сидели, как и положено по этикету, друг против друга), ласково коснулась руки Николая — он посмотрел на нее просветленным взглядом... А у Лизы в голове вдруг пронеслось: *«Все такой же гуляка! Одно на уме: как девчонке голову задурить!»*

Откуда эти слова? Кто их произнес?

— Лизочка, что с тобой? — встревоженно произнес Ник.

«Эх, Колюня... Накажет тебя бог, ох, накажет!» — в ушах снова прозвучала посторонняя и совершенно непонятная фраза. Произносил ее абсолютно незнакомый голос — старческий, с дребезжинкой. Очень похоже, что так говорила... И Лиза вдруг выпалила:

— Слушай, а как тебя бабушка называла? «Коленька», или «внучек», или?..

Николай растерянно ответил:

— Колюней. А почему ты спрашиваешь?

— Не знаю. Просто поинтересовалась, — промямлила Лиза.

Значит, действительно голос Колиной бабушки... Вот гадость! И Лиза спешно перевела разговор на другое. Принялась расспрашивать, как Нику работается в «Ониксе» да где он живет и далеко ли ему добираться до работы...

Но тот, в отличие от большинства мужчин, о себе рассказывал неохотно — все пытался перевести разговор на нее, на Лизу.

— Ты, Лизочка, — гениальный симбиоз.

— Какой еще симбиоз? — удивляется она.

— Симбиоз красоты, обаяния и ума.

Ну, что тут скажешь! Слишком хорошо, чтобы быть правдой.

Не «спасибо» же отвечать...

И Ник ее, кажется, понял. Виновато улыбнулся:

— Извини. Не умею я говорить комплименты... Но как еще сказать, что ты мне, правда, очень-очень нравишься! И снишься — каждую ночь.

«Форсирует. Спешит. И ведь мне — врать не буду! — тоже так бы хотелось: спать с ним рядом. И видеть — *общие* сны», — подумала Лиза.

— Ник, ты... — произнесла она и вдруг замолчала.

Потому что у нее снова *началось*. Но теперь — другое.

Перед глазами вдруг всплыло видение: какая-то девушка, лица не видно. Ясно только, что совсем юная, тощенькая, доверчивая... Сидит на грязной кухне, за обшарпанным столом. Уронила голову на руки и плачет так горько, что рука сама тянется —

прорваться внутрь картинки и успокаивающе погладить девчушку по голове...

— Лизочка, о чем ты думаешь? — вырвал ее из забытья Ник.

«Пытаюсь понять, что за ерунда мне видится», — едва не вырвалось у Лизы. Да что же с ней такое происходит, никакой жизни нет!

«Исчезни!» — приказала девушке-призраку Лиза. И видение начало послушно рассыпаться, тоненькая фигурка — таять... Последнее, что увидела Лиза, — это рука безутешной девчонки: на безымянном пальце — дешевенькое серебряное колечко, а на запястье — свежий, едва подживший шрам...

А Ник опять смотрит на нее встревоженно и, кажется, уже утвердился во мнении, что Кузьмина — девушка со странностями. «Спасать положение, думать, выкручиваться!» — приказала себе Лиза. И пробормотала — смущенно, как и полагается воспитанной девушке, которую осыпают комплиментами:

— Да я всегда теряюсь, когда меня так хвалят... — И кокетливо добавила: — Неужели, я тебе, правда, снюсь?! А в каком виде?

Ник опять успокоился: тревога из глаз исчезла, тут же принял ее игру.

— В самом целомудренном, — заверил он. Секунду подумал — будто взвешивал, стоит ли продолжать, и все-таки сказал: — К сожалению, в целомудренном...

«Да я бы сама с удовольствием посмотрела, какой ты, если сбросить с тебя одежду!» — вдруг подумала Лиза и почему-то обрадовалась. Неприличная, конечно, мысль, такие на первом свидании даже в голову приходить не должны, но зато — с ней все в порядке. Нормальная женская реакция на симпатичного мужика. Естественная. Без всякой мистики.

А Ник снова смотрит на нее так, что хочется отодвинуть недоеденный шашлык и, наплевав на церемонных посетителей ресторана, броситься к нему на шею...

«Одно мое слово — и мы поедем к нему! И, — почему-то Лиза не сомневалась и в этом, — одной ночью наш роман не закончится!»

Она уже и рот открыла, чтобы сказать: «Проси счет, и поехали!» — но вместо этого произнесла:

— Ник, а какой институт ты закончил?

«Боже мой, что я говорю? И, главное, совершенно непонятно: я сама эту фразу сказала или опять этот «карлик» внутри меня?!»

А Ник снова обжег ее своим горячим взглядом... и, тщательно скрыв разочарование, ответил:

— В Финансовой академии я учился. На факультете макроэкономики.

Момент был упущен. Остаток ужина болтали исключительно на общие темы: книжки, новые фильмы, модные спектакли...

— А ты, кстати, цирк любишь? — спросила Лиза.

— Если скажу, что люблю, — будешь насмехаться?

— Не буду. Мне самой нравится. Особенно гимнасты и медведи в юбочках.

— Тогда договорились, — просиял Ник. — В следующий раз идем в цирк. Медведей не обещаю, но морские котики — точно будут, я афишу видел.

А Лиза облегченно подумала: «Все-таки я ему очень нравлюсь. Вон, улыбается мне и в цирк зовет... Эх, за что такое счастье?!»

И она допила свой зеленый чай с мятой, а потом обратилась к Нику:

— Я так рада!

— Чему? — Его глаза улыбались.

— Тому, что чай вкусный... — кокетливый взмах ресниц. — Тому, что мы с тобой в цирк пойдем... — Теперь можно облизнуть губы, будто скидываешь с них невидимую соринку. — И тому, что ты мне очень нравишься!

А Ник сделал вид, что сердится, и шутливо погрозил ей пальцем:

— Ах ты, Лизка-Лиска!

— Что-то не так? — Она снова облизнулась.

А Ник с притворным возмущением приказал:

— Немедленно прекрати! А то мне сегодня тако-ое приснится!

И глаза его гарантировали: «Сегодня — только приснится. А вот через несколько дней... скажем, после пресловутого «третьего дринка»...

«Наверное, так оно и будет», — ответил ему взгляд Лизы.

— А, может быть... все-таки сегодня?.. — неуверенно произнес Николай.

Ну, они точно на одной волне! Он понимает, о чем она думает! Может, действительно наплевать на все эти условности-правила? Предупредить бабушку и поехать к нему?

— Нет, Ник, — твердо произнесла Лиза.

И в этот раз была твердо уверена: говорит именно она, а не «карлик».

— Не волнуйся, Лизочка. Все будет так, как ты хочешь, — спокойно сказал Николай. — Ну что, я прошу счет?

Он расплатился (Лизины попытки поучаствовать в оплате были с гневом отвергнуты). Быстро и аккуратно доставил к ее дому. Отметая робкие возражения, запер машину и проводил не до подъезда, а до самой квартиры. Губы, подарившие прощальный поцелуй, были мягкими и родными — почти как у бабушки.

— До завтра, Лизочка. Спасибо тебе за шикарный вечер!

— Тебе спасибо...

Он покачал головой:

— Это ты зря. Девушкам так говорить не полагается. Ваше дело — не благодарить, а *снисходить*.

— О'кей, шеф. Я сообщу, когда буду готова снизойти до цирка.

— Ты чудо, Лизочка! — Он еще раз чмокнул ее — на этот раз в щеку — и, не связываясь с лифтом, побежал вниз по лестнице. А Лиза долго стояла у подъездного окна. Видела, как сорвалась с места Колина «восьмерка»... как рассеялся синий дымок из выхлопной трубы... слышала, как замер вдали шум движка...

«Он такой классный!.. Все бы для него сделала!» — кричала душа.

А мозг возражал.

«Если допустить, что мои видения — это правда... Тогда... Ясное дело, что значат слова его бабушки и почему она называла его *гулякой*. А эта плачущая девушка, которая мне привиделась?»

Лиза прижалась лбом к ледяному, влажному от весенней сырости стеклу.

— Бред какой-то. Ерунда. Чушь. Не *дар*, а натуральные глюки, — проворчала она.

Плевать на то, что ей говорит мозг. Потому что душа больше всего сейчас хочет выскочить из подъезда, схватить такси и помчаться к нему. К любимому. К Нику.

Лиза даже велела своему «карлику»: «Ну-ка, сообщи мне Колин адрес! Быстро!»

Но «карлик» явно жил по своим собственным правилам и, конечно, ей не ответил...

РОДОВОЕ ПРОКЛЯТИЕ

ДНЕВНИК ЛИЗЫ

15 апреля 20** года.

Я люблю его — или нет?

Куда важней, чем «быть или не быть».

— Ты хорошо провела время? — спросила бабушка, когда я вернулась домой.

Я кивнула:

— Вкусно. Весело. Мило.

И про себя добавила: «Но так странно...»

Не понимаю. Не понимаю я Ника — и не понимаю себя... Мне было с ним так хорошо! Он — надежный, умный, красивый! Но... В том-то и дело, что есть «но». Что-то меня в нем настораживает. А что — не могу объяснить даже себе, а уж бабушке — и подавно. Впрочем, я и сама себя настораживаю.

Огромное количество странностей, происходящих со мной в последние дни, действительно беспокоит меня даже больше, чем сомнения по поводу Ника. Не то чтобы я вообще по жизни не верю в телепатию, ясновидение, телекинез. Как раз верю. Человеческий мозг — огромная, странная и неизученная территория. Бог его знает, на что он в принципе способен. Но... Но почему? Почему вдруг необычайными качествами оказалась наделена именно я? За что — я? И отчего — сейчас, ни с того ни с сего, на двадцать четвертом году жизни? Очень хотелось разгадать эту загадку, и открытие этой тайны представлялось мне не менее интересным, чем само по себе существование у меня паранормальных способностей.

Сегодня вечером, хотя я пришла довольно поздно, мы с бабулей засели пить чай. И я спросила ее:

— Бабушка, а у нас в роду ведьм не было?

Честно говоря, я думала, что бабушка отреагирует юмористически, отшутится — как она всегда делала, когда я задавала ей дурацкие вопросы. Типа: «Существуют ли в природе принцы на белом коне?»

Однако бабушка нахмурилась и переспросила:

— А почему ты спрашиваешь?

Я соврала ей: мол, хочу знать о своих предках все — а она в ответ пристально посмотрела на меня:

— Лизонька, с тобой ничего не случилось?

Я сделала невинное лицо:

— В каком смысле?

— Может, — говорит бабуленька озабоченно, — с тобой происходит что-то необычное?

— Да нет, ничего, — опять солгала я и ответила вопросом: — А что необычное со мной может происходить?

Бабушка снова пытливо смотрела на меня — таким же взглядом, как в детстве, когда выясняла, куда подевалась коробка конфет, припрятанная к празднику.

Я выдержала этот взгляд — я все-таки взрослая и неплохо научилась врать, — и тогда бабушка сказала:

— Ты уже совсем выросла, Лизонька, и поэтому имеешь право знать... — А потом рассказала мне историю, удивительнее которой я ничего не слышала.

Она поведала мне о своей сестре (моей, значит, двоюродной бабушке), которую она называла Талочкой или тетей Талочкой. Про тетю Талочку я вообще-то слышала не раз: она была популярным персонажем из бабушкиных рассказов «о жизни». Однако то, что бабулечка рассказала мне сегодня вечером, рисовало жизнь и судьбу Талочки совсем в ином свете. И я бы никогда не поверила в подлинность историй, происходивших с нею, если бы бабушка рассказала мне их раньше...

Впрочем, изложу все по порядку.

Тетя Талочка, родная бабушкина сестра, была старше ее на пять лет. Бабулечка ее боготворила, во всем ей подражала, слушалась и старалась быть на нее похожей (это я слышала от бабушки и прежде). Во многом благодаря примеру Талочки бабушка поступила в медицинский институт. (Дело было еще перед войной.) Талочка к тому времени вуз уже заканчивала и демонстрировала блестящие успехи по всем предметам. Профессора в ней души не чаяли и предрекали ей большую будущность. Однако по окончании мединститута Талочка не осталась в ординатуре (куда ее усиленно зазывали), а пошла работать обычным врачом — педиатром в детскую поликлинику. Случилось это в тридцать девятом году.

Жили тогда сестры, бабушка и Талочка, вместе со своей мамой в Краснодаре — городе не маленьком, но, в сравнении с Москвой и Ленинградом, и не большом. И очень скоро после того, как Талочка начала самостоятельно работать, по всему городу разнеслась о ней слава как о замечательном докторе. Несмотря на ее молодость, именно к ней рвались на прием со своими детьми родители, в том числе самые вельможные — местные партийные и советские руководители. А причина такой популярности заключалась в том, что Талочка всегда необыкновенно точно ставила пациентам диагноз и, как следствие, назначала лечение.

Однажды бабушка, в ту пору студентка четвертого курса мединститута, напросилась посмотреть, как работает Талочка. Она пришла вместе с ней на прием и выполняла при ней обязанности медсестры. «Я была поражена!» — воскликнула тут бабулечка. За несколько часов Талочка приняла около сорока маленьких пациентов. На каждого уходило не более трех-четырех минут. Мальчик или девочка только и успевали, что раздеться. Они подходили к Талочке, но та не слушала их фонендоскопом, не мерила температуру, не осматривала слизистую, не измеряла частоту пульса — словом, не делала ничего из того, что положено делать врачу при первичном приеме. Она только пристально смотрела на больного да еще (иногда) легонько ощупывала его туловище и голову руками. И после этой быстрой процедуры она тут же формулировала пациенту предварительный диагноз и делала ему назначение. «Я только и успевала (сказала бабушка), что записывать ее вердикты в медкарты. Раз — а пациентик уже оделся, и на его месте стоит следующий».

— А вечером мы с Талочкой поругались, — продолжила бабушка, — и впервые в жизни инициатором ссоры выступила я. Я нападала, обвиняла, поучала. С жаром новообращенной (все-таки я сама была без пяти минут врач) я высказала Талочке свое неодобрение и даже возмущение ее врачебным подходом. «Как ты можешь, — сказала я, — без подробного осмотра, без лабораторных исследований ставить пациенту диагноз — да еще с такой безапелляционностью! Ведь речь идет о здоровье, а иногда даже о жизни маленьких советских граждан — а ты с легкостью необыкновенной штампуешь им диагнозы направо и налево, почти не разбираясь, наугад!»

Талочка не стала тогда со мной спорить, сказала только одну простую вещь — меня, однако, поразившую до глубины души. «Я, — говорит, — работаю уже почти два года. Принимаю по тридцать-сорок больных ежедневно. Значит, по самому меньшему счету, через мои руки прошло несколько тысяч пациентов. А после многие малыши и в больницах лежали, и разные научные светила — в том числе московские и ленинградские — их осматривали. И не было еще ни единого случая, чтобы мой предварительный диагноз не подтвердился. Ни одного, понимаешь ли!»

«Как же тебе это удается?» — спросила я тогда, пораженная. А Талочка засмеялась в ответ: «Сама не знаю. Просто, — говорит, — вижу, каким заболеванием малыш страдает». — «Как, — говорю, — видишь? Как на рентгене, что ли?» — А она: «Нет, иначе. Что-то прямо-таки вспыхивает в мозгу: картинка, или образ, или мысль». — «Как это?» — спрашиваю. — «Ну, иногда, — говорит, — внутренние органы ребенка вижу — действительно будто на рентгене, только в цвете и в движении: как сердце у него бьется, кровь пульсирует, легкие дышат. А если что-то у него болит, я этот орган немного в другом цвете вижу: иногда с красноватым оттенком, а иногда черным... А порой, — говорит она, — никаких картинок не возникает, а в моей голове словно вспыхивает фраза: диагноз, с первой до последней буковки». — «А меня, — спросила я тогда у Талочки, — ты можешь так посмотреть?» — А она опять смеется: «Да ведь время от времени я тебя смотрю. И маму тоже — только ничего вам не говорю. Все у вас в порядке — я и молчу. А если, не дай бог, заболеете — тут же примем меры».

— Вот это здорово! — воскликнула я в этом месте рассказа. — Талочка была настоящей ведьмой!

А бабушка никак это мое заявление не прокомментировала, губки поджала, строго на меня посмотрела и велела более ее не прерывать.

— Конечно, — повела она свое повествование дальше, — мы договорились с Талочкой, что я никому не буду даже заикаться о ее способностях (она сама тоже ни единой душе о них не говорила). Время было лихое, сталинское, предвоенное. Я думаю — чудо, что тогда из ее необыкновенных способностей никакого политического дела не раздули. Наверное, это объяснялось тем, что главный врач поликлиники симпатизировал Талочке и пропускал мимо ушей всяческие слухи по ее поводу. А сестричкой у нее на приеме работала молодая и малограмотная девчонка, которая, видимо, считала, что лечить так, как наша Талочка, положено, и все врачи — такие же кудесники, как моя сестренка.

— Тогда, перед войной, — продолжала бабулечка, — был еще один случай, когда Талочка применила свои удивительные способности — причем на другом поприще. Я в ту пору заканчивала мединститут, и за мной ухаживал один студент — малограмотный, из простой семьи, из станицы, рабфаковец. Звали его Василием. Высокий, красивый, видный. А голос у него был баритон, бархатный. Начнет петь романсы или украинские народные песни — заслушаешься. Этот Василий прямо-таки проходу мне не давал. А я была к нему довольно равнодушна. Хотя, конечно, его ухаживания мне льстили, и я их принимала благосклонно. И вот стал этот Василий меня в буквальном смысле слова шантажировать. «Выходи, — говорит, — за меня замуж, а не то я с собой покончу. Жизнь, — говорит, — без тебя мне не мила». А у него, неизвестно откуда — ведь он был не военный и не чекист, — имелся настоящий револьвер с боевыми патронами. И однажды он при мне зарядил этот револьвер, приставил его к своему сердцу и сказал: «Или обещай, что выйдешь за меня — или я прямо сейчас, при тебе, в себя выстрелю». Ну, я ему пообещала — а то ведь, неровен час, и застрелился бы. Что мне было делать! Раз так, думаю, — значит, судьба. Пришла я домой и родным — маме и Талочке — объявляю: я, мол, выхожу замуж. Мама поахала, но смотрю: она только рада, что меня замуж зовут. Что я, как Талочка, в вековухах не засижусь. (Талочке ведь к тому времени уже двадцать семь стукнуло, а она все не замужем была, хотя ухаживали за ней многие и сватались — но она всем отказывала. И мама наша страшно переживала, что так и старой девой стать недолго.) И вот я объявила о своем замужестве — мама радуется, а Талочка мрачнее тучи сидит. Потом вызвала меня во двор — а у нас там с детства было секретное место, лавочка под грушей, где мы с ней самые задушевные разговоры вели — и спрашивает: «Ты ведь за Василия N собралась?» — «Да», — отвечаю. — «Не надо, — говорит, — не ходи за него. Прошу тебя». — «Почему?!» — «Нехороший он человек. Не будет у тебя с ним счастья. Да и не любишь ты его». — «С чего ты взяла?!» — «Я вижу». — Она сказала это так спокойно и уверенно, что у меня аж мурашки пробежали по коже. Не знаю почему — может, потому, что я Талочку, старшую сестру, очень уважала и всегда во всем ее слушалась — я вдруг поверила ей. Только говорю: «Но как же быть — Васька ведь застрелиться обещал, если я за него не выйду?!» А она с усмешкой мне отвечает: «Ничего, не застрелится».

И при следующей встрече с Василием я ему отказала. Решительно и бесповоротно. Сказала: замуж за тебя я не пойду. Он опять пистолетик свой схватил, к груди приставил и грозится: «Застрелюсь!» А я только попросила его: «Пожалуйста, не надо!» — и ушла. Очень, конечно, трусила: вдруг он свою угрозу в исполнение приведет, как Маяковский, — но нет, ничего. На следующий день я увидела его в институте — мрачный, как туча, на меня не смотрит, но живой. А у меня прямо от сердца отлегло — и оттого, что он с собой не покончил, а главное, потому, что не придется мне с ним свою судьбу связывать.

А вскоре, через полгода, этот Васька женился на другой нашей однокурснице, Любаше. Но их совместная жизнь совсем не задалась. Началась война, и Василия мобилизовали, но он, уж не знаю какими правдами-неправдами, устроился на хлебное местечко — снабженцем при госпитале. Жил на широкую ногу. У него в семье, если считать по военному времени, всего было вдоволь. Говорили, что он, конечно, поворовывал. Пить стал. Семья — Любаша с годовалой дочкой — жили при нем в госпитале. И вот однажды вечером, напившись до положения риз, затеял он в квартире, где они проживали, пальбу — кстати, из того самого револьвера. И — умышленно, нет ли — Любашу эту убил.

Его судили, дали всего семь лет лагерей (в те годы режим к уголовникам был гораздо снисходительнее, чем к политическим) — да только и этих годков ему хватило. Из лагерей он больше не вернулся. Рассказывали, что убили его уголовники из-за карточного долга. А годовалую дочурку взяла к себе куда-то в станицу на воспитание мать Любаши — да тоже не уберегла: в четырехлетнем возрасте та упала в колодец и утонула...

Эту бабушкину историю про сватовство Василия, его револьвер и неудалую судьбу я от нее уже слышала, причем не раз, — но до сих пор ничего не знала о той роли, которую сыграла в судьбе бабулечки сестра Талочка и ее предсказание.

— Потом я не раз, — продолжила бабушка, — вспоминала тот наш разговор с Талочкой под грушей — и то, что она фактически запретила мне выходить замуж за Василия. Ведь она, можно сказать, судьбу мою переменила, жизнь мне уберегла...

— А за нашего деда замуж выходить — тоже Талочка тебе посоветовала?! — воскликнула тут я.

Бабушка вздохнула:

— За деда я вышла после войны, в сорок шестом — тогда Талочки уже не было с нами. Но я часто мысленно спрашивала себя: «А что бы она по поводу моего Кости сказала?» — как будто бы с ней разговаривала. И получалось у меня, что Талочка мой выбор одобряет.

— Так оно и вышло, — рассудительно заметила я. — Вы с дедом столько лет прожили.

— Да, Костя-Костя... — вздохнула бабулечка и пустилась в воспоминания о деде — которые я здесь опускаю, как не имеющие отношения к предмету разговора. Хотя, замечу в скобках, история сорокалетнего союза двух сердец, которые все время рядом, совместно сражаются с невзгодами и делят радости, живут и стареют, — самая, на мой взгляд, интересная история любви на свете.

Однако я снова постаралась навести бабушку на разговор о Талочке.

— Когда началась война, — рассказала она, — Талочка отправилась в военкомат и сама попросила призвать ее в действующую армию. Накануне ее отъезда в часть мы снова уселись на нашу любимую лавочку под грушей и завели задушевный разговор. Я спросила, сколько месяцев, по ее мнению, продлится война с немцами — а она грустно улыбнулась в ответ: «Не месяцев, а лет. Война будет очень жестокой и закончится через четыре года». Тогда этот срок показался мне невероятным, невообразимо долгим, однако время показало, что Талочка снова как в воду глядела. И еще она настоятельно посоветовала нам с мамой эвакуироваться из Краснодара. «Неужели наш город будут бомбить?» — воскликнула я. — «И не только бомбить, — ответила Талочка, — фашисты оккупируют его». Тогда, в июле сорок первого года, невозможно было поверить, что война продвинется настолько далеко на советскую территорию, и только мое уважение к Талочке — уважение, граничащее с преклонением, — заставило меня последовать ее совету. Когда представилась возможность эвакуироваться, мы с мамой уехали из Краснодара — сначала в Сталинград, а потом на Урал. Как выяснилось, правильно сделали, потому что наш город в конечном итоге был захвачен нацистами.

— Талочка, — продолжала свой рассказ бабулечка, — получила чин лейтенанта и приступила к работе в прифронтовом госпитале. Письма от нее приходили регулярно. Несмотря на испытания, выпавшие на ее долю, — бомбежки, потоки раненых, хронический недосып, — ее послания к нам с мамой были проникнуты оптимизмом — да ведь иные, упаднические, и не пропустила бы военная цензура. Талочка описывала забавные случаи, происходившие в госпитале, писала об интересных людях из числа раненых, с которыми ей довелось познакомиться... И только одно ее письмо выделялось из общего ряда — оно было написано наспех, карандашом и содержало нехарактерное для Талочки количество восклицательных знаков. В нем она экивоками напоминала мне о наших с ней тайных беседах на лавочке под грушей — и своих, сделанных там, предсказаниях. А потом написала: «Я знаю, что это покажется тебе странным — даже очень странным. Но у меня имеется к тебе и маме огромная просьба: я вас очень прошу, пожалуйста, до самого конца войны не надо пользоваться общественными банями. Почему? Не знаю. Мне так кажется. Я уверена: там что-то случится. Можешь считать, что я увидела плохой сон». Я Талочке и ее письму поверила безоговорочно — потому что перед моими глазами уже были примеры ее точных предсказаний. Но маме я ничего не могла рассказать — и несколько недель мне стоило огромных усилий, ссор, скандалов отговаривать ее от традиционного субботнего посещения бани. Я устраивала мытье у нас на кухне, в корыте и терпела насмешки и придирки от мамы. А примерно через месяц после того, как я получила письмо от Талочки, в здание бань попала немецкая бомба. Причем она упала как раз в субботу, в тот день и час, когда мы с мамой обычно туда ходили. Все, кто находился внутри — и посетители, и персонал, погибли. «И тогда я поняла, что Талочка в очередной раз повлияла на мою судьбу — исправила ее».

Тут глаза у бабушки налились слезами, и мне пришлось успокаивать ее — налить еще чаю, предложить конфетку, перевести разговор на бытовые темы. И лишь когда к ней вернулось ровное, спокойное настроение, она продолжила историю своей сестры.

— В сорок четвертом году, когда фронт уже откатился за Днепр и мы с мамой вернулись в Краснодар, случилась беда. Какое-то время от Талочки не было писем. Они не приходили месяц, два, три... Такое уже бывало, когда госпиталь перебрасывали с места на место и полевая почта не успевала за передвижениями войск. Однако в начале сорок пятого года в Краснодаре оказался проездом Талочкин однополчанин — майор медслужбы. Он зашел к нам и потихоньку рассказал мне и маме, что нашу Талочку *взяли*. «Боже мой, за что?!» — воскликнула я, и майор дал понять: она пострадала за несдержанный язык, за лишние разговоры. А потом, когда майор, оставшийся у нас на ночь, изрядно выпил, он опять шепотом, в оглядку, рассказал мне, за что конкретно пострадала наша бедная Талочка. Она в одной довольно большой компании медработников утверждала, что через девять лет умрет Сталин и расстреляют Берию, и, после того как у власти не станет этих двоих грузин, все в нашей стране изменится, пойдет по-другому. Кто-то из компании — обычное в то время дело — и донес на Талочку.

В тот вечер, после того как мы с мамой с трудом уложили крепко перебравшего майора, я одна сидела на нашей с Талочкой лавочке под грушей и горько плакала. И спрашивала себя: почему же сестра оказалась столь неосторожна? Зачем она демонстрировала свой редкий дар перед случайными, посторонними людьми? Почему раскрылась? Наверное, долгая близость фронта и смерти сыграла с ней злую шутку. Когда на протяжении стольких лет видишь рядом с собой великое множество смертей, забываешь о том, чего стоит твоя собственная жизнь, забываешь об осторожности. Впрочем, о том, как все случилось с Талочкой на самом деле, я могла только догадываться.

Мы с мамой не знали о том, что с Талочкой, очень долгое время. Судили ли ее? И к какому наказанию приговорили? И где она находится? И только в сорок девятом году, спустя четыре года после того, как закончилась война, в наш дом в Краснодаре постучал изможденный человек в ватнике. Убедившись, что перед ним нахожусь именно я (он даже паспорт у меня проверил), передал мне скатанный в трубочку, наподобие козьей ножки, листок папиросной бумаги. Мужчина передал его, по-старомодному поклонился — и исчез, как будто его и не было. Листок оказался испещрен мельчайшими буковками. Почерк был до боли знакомым. Это оказалось письмо от Талочки.

Это ее письмо, — продолжила бабушка, — я долгое время помнила наизусть. Сейчас детали подзабылись, но вот что, в общих чертах, писала Талочка. Она сообщала, что жива, здорова и даже неплохо себя чувствует. Она действительно была арестована и приговорена по статье «пятьдесят восемь-десять» к десяти годам без права переписки, однако вопреки этому ее не уничтожили. (Ты знаешь, Лизочка, что приговор «десять лет без права переписки» был в те годы эвфемизмом смертной казни.) Талочка писала, что находится в лагере — но лагере привилегированном. Живут они в теплых домах, в комнатах по четверо, спят на чистом белье, едят досыта. Работой их не перегружают, и она надеется года через четыре, максимум пять, вернуться домой. А дальше в письме Талочки следовала фраза, которую я (сказала бабушка) запомнила на всю жизнь слово в слово. «На работе (писала Талочка, адресуясь к бабуленьке) у меня здесь часто возникает ощущение, что я вместе с тобой сижу на нашей скамеечке под грушей и рассказываю тебе о житье-бытье».

— Как-как? — донельзя удивленная, прервала я бабушкин рассказ.

Она снова повторила ту же фразу: «...Сижу на нашей скамеечке под грушей и рассказываю тебе о житье-бытье».

— И как ты думаешь, что это значило? — взволнованно спросила я.

— Я много думала и фантазировала над этой фразой, — покачала головой бабушка, — и уверила себя в том, что сталинские опричники пытались использовать Талочкины необыкновенные способности. Я выдумала себе, что существует специальная, очень засекреченная организация, которая изучает таланты Талочки и других людей, похожих на нее. Я решила, что военные и ученые в лагере исследуют ее умение точно ставить диагнозы, предсказывать будущее, видеть на расстоянии. Что над Талочкой и другими такими же необыкновенными людьми сталинские врачи ставят эксперименты и проводят опыты[1]...

— Но ведь это очень похоже на правду! — воскликнула я.

— Да, — печально проговорила бабушка, — но мы об этом можем только догадываться.

---

[1] Подробнее о подобных экспериментах читайте в романе Анны и Сергея Литвиновых «Звезды падают вверх».

— Ты не получала от нее больше никаких весточек?

— Нет, совсем, — покачала она головой. — А потом, когда началась реабилитация невинно осужденных, мы с мамой написали по поводу Талочки письмо в Генеральную прокуратуру. Довольно быстро маме пришел ответ: в период пребывания в местах лишения свободы, двадцать первого июня тысяча девятьсот пятьдесят второго года, ваша дочь скоропостижно скончалась от остановки сердца. Место ее захоронения установить не удалось... Потом нам прислали бумажку, что Талочка посмертно реабилитирована...

— И больше вы о ней ничего не узнали?

— Официально — нет... Но... — Бабушка замолкла, как бы сомневаясь, нужно ли рассказывать дальше.

— Что?

— Была еще одна встреча... — нехотя проговорила она.

— Что за встреча, бабулечка? — затормошила я ее.

— Это случилось уже в конце пятидесятых годов... — медленно начала рассказывать она. — Мама к тому времени умерла, а моего Костю перевели на работу в Москву... И однажды я вместе с ним отправилась в Большой театр. Мы сидели с дедом где-то высоко, на балконе. Естественно, чтобы хоть что-то рассмотреть на сцене, мы взяли с собой бинокль... И вот в первом антракте я осталась сидеть на своем месте и принялась исподволь рассматривать публику в партере. Там были по большей части обычные советские люди, как мы с дедом, но изредка встречались и гранд-дамы в вечерних туалетах, мехах, бриллиантах... Я переводила бинокль с одной роскошной дамы на другую — и вдруг чуть не вскрикнула: в окуляре я увидела Талочку!

— Талочку?! — переспросила я.

— Во всяком случае, так мне показалось... Дама была в длинном платье, с бриллиантовым колье на шее, и сопровождал ее спутник в смокинге и бабочке — явно иностранец. Она сидела ко мне спиной, но руки, шея, изгиб тела — все напоминало мне Талочку! Все второе действие я ни разу не посмотрела на сцену, а разглядывала в бинокль ее. Когда начался второй антракт, я оставила деда и опрометью бросилась вниз, в партер... Она, эта женщина, со своим спутником как раз выходила из партера в фойе. Мы столкнулись нос к носу. Я закричала: «Талочка!» — и бросилась к ней. Но она холодно посмотрела на меня, проговорила что-то по-французски и отстранилась. Я опешила. Они прошли мимо меня и удалялись прочь. Я бросилась за ней. Схватила за руку, развернула лицом к себе. «Талочка, — кричу, — это же я, твоя сестра!» Тут ко мне оборачивается ее спутник и говорит, коверкая слова, с явным иностранным акцентом: «Моя жена не знать вас. Мы не говорить по-русски». И они ушли.

— Ты обозналась?

— Не знаю, Лизонька... — выдохнула бабулечка. — Потом, ночью, я стала считать: тогда, в конце пятидесятых, Талочке было бы глубоко за сорок. И она прошла войну, лагеря... Но та женщина в театре выглядела так, как выглядела Талочка, когда я видела ее в последний раз — в сорок первом году. На вид ей было не больше двадцати пяти лет. Светящаяся молодая кожа, лучистые глаза, ни одной морщинки... Наверное, я все-таки обозналась. Но до чего поразительное сходство! Те же руки, плечи, шея, как у моей бедной Талочки...

— И ты так и не знаешь, кто это был? — воскликнула я.

— Увы, нет, — развела руками бабушка.

— И больше никогда ее не видела?

— Нет.

— И не слышала о ней ничего?

Бабушка немного поколебалась, а потом сказала:

— А месяца через два я получила письмо.

— Письмо? Какое письмо?

— В нем было всего несколько строчек, а в конце содержалась настоятельная просьба сжечь его сразу после прочтения. Я его запомнила слово в слово...

— Это было письмо от Талочки! — воскликнула я.

— Да, — печально кивнула бабуля. — Там было написано: «Я жива, здорова и хорошо себя чувствую. Пожалуйста, не ищите меня и не пытайтесь узнать, где я. Я вас всех очень люблю. Пожалуйста, никому не рассказывай об этом письме и сожги его сразу, как прочтешь».

— А как пришло то письмо?

— По обычной почте. Отправлено оно было с Центрального телеграфа.

— И его вправду написала Талочка?

— Ее почерк я бы узнала из тысячи, — печально сказала бабулечка, и ее глаза наполнились слезами.

...Сейчас глубокая ночь, бабушка давно спит. Она растревожилась из-за воспоминаний, всплакнула по своей давно исчезнувшей сестренке. Мне пришлось поить ее корвалолом, мерить давление... Наконец она уснула, а я стала записывать ее рассказ в дневник. И вот во всей квартире — или во всей Москве — не спим только мы с Пиратом. Он свернулся на столе в клубок и, не мигая, смотрит на меня. А я все думаю: куда же на самом деле попала Талочка? И, может, теперь ее мятущаяся душа вселилась в меня? Может, мне передались, через поколение, ее странные гены? Неужели? Неужто цепочка ДНК, передаваемая из глубины веков, и виновата в тех удивительных способностях, которыми вдруг оказалась наделена я?..

Глава 8

МИССИЯ НЕВЫПОЛНИМА?

ЛИЗА. ДНЕВНИК.

16 апреля 20** года.

Сегодня утром подхожу к нашему отделу и слышу, как Мишка Берг кому-то говорит:

— Нет, Лизы еще нет. Я понимаю, что очень нужна. Она всем нужна... Перезвоните минут через двадцать. Она должна подойти.

Я автоматически взглянула на часы: всего-то девять пятнадцать. Кому, интересно, неймется в такую рань?

Ускорила шаг, ворвалась в отдел — а Мишка протягивает мне телефонную трубку: «Какая-то девушка. Очень взбудораженная».

Это оказалась Сашхен.

— Что-нибудь случилось? — осведомилась я.

— Случилось, — отвечала Сашхен. — С нами хочет встретиться Валька Серебрякова. Очень хочет. Немедленно.

— А кто это — Серебрякова?

— Привет! Ты с нами в институте училась или где?

И тут я вспомнила эту Серебрякову, из одной с Сашхен группы: мышь серая, незаметная, с пегими волосами и бесцветными ресницами.

— А чего это она вдруг о нас вспомнила?

Сашхен уклонилась от ответа.

— Будет ждать нас сегодня в «Ёлках-Палках» на Пушкинской.

— Зачем мы ей понадобились?

— У нее какие-то личные проблемы. Желает поплакать нам в жилетки.

...Но уже сегодня вечером, едва мы все втроем заняли позиции в «Ёлках-Палках», я сразу поняла, что Сашхен наврала мне. И на самом деле она заложила меня Серебряковой со всеми потрохами. Потому что хотя Серебрякова от вопросов и воздерживалась, но смотрела она на меня во все глаза, как на какую-нибудь ожившую маску Клеопатры.

— Треплешься, Сашхен?! — прошипела я, когда Серебрякова отошла наполнить свою «телегу».

— Ты о чем это? — невинно захлопала ресницами Сашхен.

— Все про меня разболтала?!

— Да ты что! — ненатурально возмутилась подруга.

— А чего ж она на меня такими глазюками смотрит?! Как будто я Вольф Мессинг и Дэвид Копперфильд в одном флаконе!

— Ну, прости, — прохныкала Сашхен в ответ на мои инвективы. — Я ей только чуть-чуть намекнула. У нее такое горе, такое горе!

Горе не помешало Серебряковой набрать на тарелку гору салатов и поедать их в три горла. Аппетит ее явно не пострадал.

Вскоре она, с набитым ртом, поведала о свалившемся на нее несчастье. Оказалось, что у нее исчез бойфренд — молодой человек, с которым она вот-вот должна была подавать заявление. Исчез — с концами. Сам не звонит, а ни домашний, ни мобильный у него не отвечают.

Мы с Сашхен переглянулись. Мы хорошо знали подлую мужскую натуру, неотъемлемую часть которой составляют исчезновения безо всякого объяснения причин. Что тут удивительного: Серебрякова не производила впечатления особы, которая умеет постоять за себя — в том числе и по части удержания мужчин.

— Мужик, как трамвай, — бодро прокомментировала Сашхен печальные для Серебряковой обстоятельства. — Один ушел — придет другой.

— Да-а-а, — жалко искривила рот Серебрякова, — а он совсем исчез.

— Что значит «совсем»? — удивилась я.

— Его и дома нет, и соседи его не ви-идели!

— Ты что же, домой к нему ездила?

— Е-езди-ила, — прохныкала Серебрякова.

Мы опять переглянулись с Сашхен: что за овца эта Серебрякова, никакой гордости!

— Я и на работу ему звонила, — продолжила повесть о своих злоключениях наша сотрапезница.

Она, казалось, упивалась своим горем. Ее челюсти механически пережевывали салат.

— И что там сказали? — подтолкнула ее рассказ Сашхен.

— Сказали, что не знают, где он. Сами удивляются, куда исчез.

Это было уже серьезней. Мужики — такая мерзкая порода, что держатся за свою работу крепче, чем за подружек.

— Может, тебе в милицию обратиться? В розыск его объявить? — предложила Сашка.

— Не берут у меня заявление. Вы, спрашивают, пропавшему кто? Я говорю: жена. Они: а где штамп в паспорте? Я говорю: мы гражданским браком живем. Тогда, говорят, приведите нам трех свидетелей, что у вас совместное хозяйство. Он, говорят, может, от вас специально скрывается, а мы зря на его розыск силы потратим.

— А в больницах ты его искала?

— Нету его там. И в моргах нет.

Словом, из рассказа Серебряковой вырисовывалась загадочная картина: был человек — и нет человека. Сгинул неизвестно куда. А потом Серебрякова нагло посмотрела на меня и беспардонно заявила:

— Ты должна мне его найти.

Если б я не сидела, я тут так и села бы.

— Почему — «должна»? Почему я?

— Ну, мы же с тобой подруги, — безапелляционно заявила Серебрякова (хотя сроду мы никакими подругами не были). — И ты ведь не бросишь меня в беде.

— Понимаешь, солнышко, — попыталась вразумить я ее. — Я не участковый, не оперуполномоченный и не частный сыщик. И звать меня не Шерлок Холмс и даже не мисс Марпл.

Моя утонченная ирония до Серебряковой не дошла.

— Ты сможешь, — с какой-то языческой верой заявила она. — Я знаю.

От такой первобытной упертости я на минуту потеряла дар речи, а когда пришла в себя, на столе передо мной уже возлежала фотография.

— Это еще что? — строго спросила я.

— Это он, — твердо ответила Серебрякова, и я подумала: уж не ошиблась ли я в ней? И не скрывается ли под этой овечьей шкуркой хитрый и клыкастый волк?..

Волей-неволей я рассмотрела фотографию. На снимке крупным планом был изображен молодой человек, почти что юноша: чуть веснушчатый, нос картошкой, волосы встрепаны. Он улыбался в объектив, обнажая красивые, белые, ровные зубы. Улыбка была открытой, но чуть хитроватой. Был он совсем не красавец. Во всяком случае, с моим Красавчиком — никакого сравнения, однако парень мне понравился сразу, с первого взгляда. Хотя я, как никто, знала, что фото (как и мужская внешность вообще) обманчиво.

Однако я чуть даже не пожалела, что такие замечательные парни достаются всяким овцам типа Серебряковой. Впрочем, почему достаются? Ведь неслучайно он от нее все-таки сбежал. Любил бы — уж, наверное, не скрылся. Как-нибудь дал бы о себе знать. Только за что любить и ценить такую бесцветную тряпку, как эта Серебрякова?!

Я вгляделась в фотографию пристальней.

Несмотря на внешнюю беззаботность юноши и широкую его улыбку, почудилось мне в этом снимке что-то трагическое. Что именно — объяснить я не могла. Какой-то багряный отсвет, что ли? Но не физический, видный глазами, — а ментальный. Безотчетная тревога охватила меня при взгляде на безмятежное чело парня. Странное беспокойство за его судьбу. То ли с ним что-то уже случилось, то ли должно случиться... Я попыталась понять: что конкретно произошло и почему? И откуда у меня тревога за него? Я подумала: может, дар всевидения вспыхнет и сейчас? И я узнаю — примерно как в случае с автобусной кассиршей, — что случилось с парнем?

Однако я вглядывалась в фотографию минуту, две — и ничего не происходило. Я ничего не могла понять — за исключением того, что юноша этот хорош и мил и что ему угрожает какая-то опасность.

А потом я — неожиданно для себя — сунула карточку в свою сумочку. Серебрякова торжественно-утвердительно проговорила:

— Значит, ты берешься за это дело.

И я, идиотка, промолчала. А когда смотреть на триумфальную физиономию Серебряковой стало совсем невмоготу, попросила официанта принести счет...

...Сейчас глубокая ночь. В доме напротив светится совсем мало огней. И даже бабушка, моя полуночница, уже спит. Только кот бродит туда-сюда, довольный, что он не одинок и его хозяйка тоже бодрствует. А я не могу оторваться и все пишу и пишу, как какая-нибудь графоманка, этот дневник — наверное, потому, что если перестану писать, то все равно не усну, а начну рефлексировать и думать: а правильно ли я поступила, что взялась за поиски парня? Зачем я взвалила себе на горб этот груз? Мало мне проблем с работой, бабушкой, Ряхиным, котом, Красавчиком? Зачем мне еще искать чужого любовника? И, главное — как мне его искать?!

Но, допустим, как искать — я придумаю. Это будет тяжело, хлопотно — пусть... Но тут дело не только в хлопотах. Меня ведь наняли не частным сыщиком, а — ведьмой! И, согласившись разыскивать серебряковского парня, я словно публично призналась: я — экстрасенс, я — колдунья. Не слишком ли самоуверенное и преждевременное признание? Найду я бойфренда Серебряковой, и обо мне пойдет слава как о женщине с паранормальными способностями (проще говоря — ненормальной). Не найду — скажут, что я трепушка, что-то вроде Хлестакова в юбке. Получается: куда ни кинь, всюду клин.

...И времени уже половина четвертого. ПОЛОВИНА ЧЕТВЕРТОГО УТРА! И ЭТО НАЗЫВАЕТСЯ ЖИЗНЬ?! Слава богу, завтра суббота. Ладно, пойду лягу. Может, усну.

РЕЦЕПТ ВЫХОДНОГО ДНЯ

Проснулась Лиза поздно. За окном вовсю стучал последней капелью весенний денек. Таяли остатки снега. Пират сидел на подоконнике и с тоской поглядывал во двор, на разгульных, пьяных от солнца кошек. Бабушка уже встала: в квартире хоть и тихо, а с кухни тянет запахом свежих оладушков...

«Ох, красота!» — подумала Лиза, сладко потягиваясь. По квартире пляшут солнечные пятна, будильник стоит с опущенной клавишей и время показывает неприличное: половину двенадцатого. Хорошо, когда выспишься и никуда мчаться не надо...

Какое счастье, что рано не вставать и целых два дня пройдут без мымры Дроздовой. Ох, надоела она своими придирками да неумелым руководством! Поневоле о Ряхе заскучаешь: тот — хотя бы противник достойный, если приложит, так с применением заумных терминов: «У вас, Кузьмина, полная игнорация в аппликации[1] мерчандайзинга!» А Дроздова,

---

[1] От английского «ignorance» — «незнание», «application» — применение.

простушка, ругается попроще, по-народному. Знай себе бубнит: «Бестолковая ты, Кузьмина. Одни гульки на уме!» Уже и не обижаешься на обидное слово «гульки», воспринимаешь ее воркотню как неизбежное бабушкино «Радио России» по репродуктору...

Едва Лиза вспомнила о Нике, как Дроздова вместе с Ряхой тут же вылетели из головы. Ей вдруг показалось, что Красавчик — здесь, в комнате. Будто стоит у окошка и ласково наблюдает, как Лиза нежится на мягких подушках.

«Пижамку новую нужно купить, на всякий случай! — вдруг подумала Лиза. И тут же поправилась: — Фу, какая пижамка! Мы что, пенсионеры?! Лучше белье обновить. Нику, наверное, понравится белое, со стильными кружавчиками».

Почему именно такое — не знала, наверное, «карлик» подсказал. А может, ее дар тут ни при чем: обычная женская интуиция. Но решила Лиза твердо: «Прямо сейчас поеду и куплю».

Она встала с постели и ринулась к книжным полкам. Вытянула «Алхимию финансов» Сороса, открыла книгу на сто двадцать четвертой странице, глава про «коллективную систему займов». Именно тут она прятала «глобальную заначку» — не на мелочи типа такси или кошачьего корма, а на серьезные покупки. Под словом «серьезный» имелись в виду машина и доплата за новую квартиру. Но, хотя деньги и лежали в книге про финансовую алхимию, никаких чудес пока не происходило. Деньги совершенно не хотели приумножаться, и ни на квартиру, ни на машину Лиза пока не накопила. Не умеет она быть Плюшкиным. Не тот характер. Копить, конечно, дело хорошее — но не ходить же ей в ботах с неактуальными тупыми носами или в синтетических кофточках и при этом радоваться, что ее денежный припас вырос — еще на половину квадратного метра.

Лиза скептически осмотрела заначку: м-да, несолидная пачечка. Совсем тощенькая. «Эх, была б я настоящей ведьмой! Сейчас бы дунула, плюнула — и бац, живу на Рублевке и рассекаю на «Бимере».

От нечего делать — Сашхен же ей велела изучать собственные возможности! — Лиза даже «погипнотизировала» деньги, пошуршала ими, подула... Никакого толку. Только ветхая сотня, которую бабуля тщетно пыталась отреставрировать кусочками скотча, окончательно разорвалась. Ах да, Сашка же говорит, что деньги «упадут с неба» только на благое дело, а новую квартиру с машиной высшие силы ей предоставлять не обязаны...

«Ну и ладно! — Лиза пожала плечами, отделила две стодолларовые купюры и вернула финансы обратно в «Алхимию». — Пусть денег нет, зато оладушки у меня никто не отнимет!»

И она с легким сердцем отправилась в кухню — предаваться позднему завтраку и неторопливой беседе с любимой бабулей.

БУТИК

Когда в кошельке двести долларов, в магазинах особо не разгуляешься. Москва — город особенный, такое впечатление, что врачей, учителей и прорабов здесь не водится, одни миллионеры живут. И по-настоящему порезвиться на двести баксов можно только на рынке (а вечером, рассмотрев обновки, рыдать, что строчки кривые, а сапожки — на глазах расползаются). В магазинах за две сотни тебе перепадет не так уж и много — или костюмчик в детском «Наф-Нафе», или свитерок в «Максмаре». В понтовых торговых домах и вовсе: хватит только на платочек от «Гермеса». Но ей-то нужен не свитер и не платочек. Решила же — красивое белье!

Но, по необъяснимой женской логике, Лиза все равно направилась не «по белью», а «по одежкам». «Для разминки», — оправдала себя она.

И в первом же магазине — дорогом, из тех, где денег только на платок хватает — притормозила надолго. Как назло: вешалки ломятся, только что новые коллекции поступили, и целый ряд занимает ее давняя мечта — длинные юбки с провокационными разрезами, а к ним — и трикотажные свитерки, и кружевные кофточки, и игривые топы.

У Лизы был давний принцип: если денег нет, вещи зря не мерить. Но она не удержалась. Она просто посмотрит, как это выглядит, а покупать, конечно, не будет, все равно не на что. «Просто примерю, чтобы тенденцию понять... А потом, может, найду что-нибудь похожее в магазине из дешевых».

Лиза выбрала три юбочки, к ним — с пяток «верхов» (многовато, конечно, но резвиться — так уж резвиться!) и отправилась в примерочную...

Первая юбка оказалась велика, вторая — просто не села: хоть размер и подходил, по бокам шли некрасивые складки. «Есть справедливость! — восторжествовала Лиза. — Хоть не обидно будет уходить ни с чем».

Но третья юбочка, как назло, облегла фигуру изумительно, будто ее личный портной сшил. И кофточка к ней тут же подобралась: нежный шелк с цветочками ручной вышивки. Вот это красота! Лиза тщетно вертелась в тесной кабинке: пыталась разглядеть в зеркале хоть один недостаток. Нет, ни морщинки! Только черные сапожки картину портят...

В примерочную заглянула продавщица. Цепким взглядом оценила наряд, авторитетно сказала:

— Знаю, в чем дело!

И тут же явилась с темно-лиловыми сапожками и сумочкой в тон. Красота неописуемая, но на ценник — лучше не смотреть. Впрочем, она же все равно ничего покупать не собирается, а за спрос — денег не берут! И Лиза тут же облачилась в сапожки, небрежно водрузила на плечо лиловую сумочку, снова вгляделась в зеркало и чуть не взвыла.

Да никакие девицы-модельки ей в подметки не годятся! У тех — только «параметры», пресловутые 90—60—90, а у нее, Лизы, и стиль, и изящество, и легкая провокация... Вон, какой-то толстячок тут же подкатил. Лиза вышла в зал, вертится перед большим зеркалом, а он отирается рядом и бубнит:

— Берем! Все! И ко мне!

Лиза только плечом дернула. Получилось так изящно, что навязчивый толстячок аж губы от вожделения облизнул. А продавщица на надоедалу нахмурилась:

— Гражданин! Не приставайте к девушке!

— Она со мной, — не растерялся нахал и вопросительно взглянул на Лизу.

«Эх, ну почему я продаваться не умею?! А ведь многие девчонки свои шмотки не зарабатывают, а отрабатывают...»

Она презрительно подняла бровь:

— Извините, но я вас не знаю.

Толстячок грустно отвалил, а Лиза, еле сдерживая слезы, подумала: «Тоже мне, ведьма! И богатства нет, и приворожила вот — лысенького мужичка...»

А тут еще и продавщица подливает масла в огонь:

— Изумительно! Настоящий миланский лоск! Ну, что — берете?

— Мне надо подумать, — промямлила Лиза.

— Да что тут думать! — возмутилась продавщица и припугнула: — Эта коллекция просто разлетается, до распродаж ничего не долежит, сегодня-завтра все разберут.

«Отложить? Помчаться домой за заначкой?»

Лиза мельком, будто поправляя сумочку, взглянула на ценник: о-ля-ля! Притворилась, что рассматривает каблучок, и посмотрела на сумму, приляпанную к подошве: а это уже не просто «о-ля-ля», а блин горелый! Быстрый подсчет в уме: кофта, юбка, сумка, сапоги — и все вместе выливается в аккуратненькую, кругленькую сумму. Как раз все ее сбережения за полтора года. Неужели она такая дурочка, что выкинет их за один-единственный наряд?!

А в голове вертится бесшабашная мысль: «Ну и пусть! Один раз живем!» И скрипучий голос разума («Елизавета! Ты — просто неразумная идиотка! Твой костюм выйдет из моды через год, а на машину ты не накопишь никогда!») становится все тише и тише...

— Я... беру, — пролепетала Лиза. — Все. Только мне сначала нужно...

— Одну минуту, — остановила ее продавщица.

Она по-прежнему стояла рядом с Лизой, но смотрела не на нее, а на какого-то господина (свитерок грубой вязки, скромные джинсы, зато глаза — человека со средствами).

Господин стоял у кассы, показывал на Лизу и делал продавщице какие-то знаки.

«Сосватать меня, что ли, ему хочет? — не поняла Лизхен. И не удержалась от «продажной» мысли: —

А этот куда симпатичней, чем давешний толстяк, может, и правда — согласиться?!»

И тут продавщица расплылась в ярчайшей улыбке и заверещала:

— Поздравляю! От всего сердца! Компьютер выбрал именно вас!

— Какой еще компьютер? — невежливо спросила Лиза.

Знает она, что означает подобная фраза: какой-нибудь псевдовыигрыш в псевдолотерее. Право слово, несолидно для такого магазина.

А тут и господин подвалил, заулыбался Лизе, заболтал с сильным иностранным акцентом:

— Я очень рад, от всей ду...ши, прошу вас пройти.

— Да с чего это? — буркнула Лиза.

Сейчас заставят заполнять дурацкую анкету и предлагать фен — при условии, если она купит два утюга. Нет, эти игры — для провинциалов, а она в такие не играет.

— Вы бояться? — вдруг спросил господин.

Лиза фыркнула:

— Чего мне вас бояться? Не люблю просто, когда меня на бабки разводят!

— На бабку? — непонимающе уставился на нее господин, а продавщица сделала страшные глаза.

— И в бесплатных лотереях я не участвую, — распалялась Лиза.

— Вы не хотите покинуть нас конкретно в этом костюме? — вдруг огорчился господин. — Смею сказать, вы не правы, он очень подходить вашим глазам.

Да они просто над ней издеваются!

— Дайте мне пройти, — хмуро повторила Лиза, оборачиваясь к примерочной.

И тут странный господин хлопнул себя по лбу:

— Постойте! Это я неправый! Я же вам не рассказывать! Я просто полагать, вы знать сами, мы имеем адвертайзинг более одной половины года.

И он протянул ей листочек яркой плотной бумаги. Лиза хотела лист отпихнуть, но потом все же взглянула на заголовок. И прочитала: *«Подарочный сертификат каждому тысячному покупателю. Дает право на любую покупку в нашем магазине стоимостью до трех тысяч долларов!»*

— Примите мои поздравливания! — разулыбался господин. — Тысячный покупатель есть вы!

ЛИЗА И СТРАУС

Ну и выходные у нее получились! Просто шикарные! Всегда бы так: пришла в магазин, а тебе костюм с туфлями и сумкой дарят!

Бабушка от обновок пришла в восторг. Безапелляционно сказала:

— Вот так тебе, Лизочка, и нужно всегда одеваться. Сразу видно, что вещи — не просто модные, но и стильные.

— Всегда не получится, — вздохнула внучка. — Знаешь, сколько это стоит?

Интереса ради посчитали. Получилось, что как минимум — шестьдесят бабулиных пенсий.

— А тебе — подарили! — радовалась бабушка. — Колдовство, просто какое-то колдовство...

Старушка проницательно взглянула на внучку. Но Лиза тему колдовства не поддержала. Небрежно сказала:

— Да ладно, бабуль, какое уж тут колдовство! Просто повезло, единственный, можно сказать, раз в жизни...

Из-за того, что день прошел абсолютно *эгоистично*, только для собственного удовольствия, Лиза чувствовала себя слегка виноватой. А ведь были мысли: попробовать поискать молодого человека Серебряковой. Возможно, съездить к нему на работу. Или — домой, поговорить с соседями... Но когда она вышла из магазина — в новом наряде, в шикарнейшем настроении, — все *чужие* проблемы тут же вылетели из головы...

Ладно, что теперь себя корить? В конце концов, Серебрякова ее не нанимала — а только попросила помочь. Значит, поможем. Только со временем. Тут ведь *просветление* нужно, а его пока нет. Вся энергия — на радость по поводу нового наряда ушла.

Вместо вечернего чая Лиза с бабушкой выпили по бокалу вина — обмыли неожиданную обновку — и тут же дружно заклевали носами.

— Пойдем, Лизонька, спать, — предложила бабушка. — Слишком много эмоций сегодня было — и у тебя, и у меня.

Они бережно разместили Лизин новый наряд в шкафу и пожелали друг другу спокойной ночи.

А в ночь на понедельник Лиза снова увидела сон...

Завязка сна такая — она идет по Тверской, разглядывает витрины... Обычно дальше ночные видения развивались так: она с кем-то знакомится. Или — ссорится. Или — от кого-то убегает. А тут — ничего интересного, просто улица и витрины. Ну, и к чему такая скучища? И вдруг Лиза увидела: рядом с ней вышагивает самый настоящий страус на высоких тонких лапах. Страус выглядел неважно: какой-то неухоженный, с грязными перьями. Откуда взялся — непонятно, но идет он за ней как приклеенный. «Улица, страус — а дальше-то что?» — с недоумением подумала Лиза. Но дальше — ничего не происходило. Просто она долго и нудно шла по улице, и страус топал рядом. Лиза и гнала его, и замахивалась, но птица не улетала, только скорбно склоняла башку. Отстанет на полшага, а чтобы исчезнуть — никак.

Лиза в кафе — и страус в кафе, на потеху посетителям. Усаживается на соседний стул, вытягивает тощие лапы — а официант почему-то не удивляется, спокойно спрашивает: «Что будет пить ваша птичка?» В общем, не сон — сплошное недоразумение. Лиза даже порадовалась, когда прозвонил будильник и она обнаружила, что никакого страуса и в помине нет.

«Нет, такие сны мне не нравятся», — пробормотала она. Проснулась окончательно, осмотрелась. Все как обычно. Пират, негодник, опять почивает в ее постели — и не то чтобы скромно, в ногах, а развалился прямо на подушке, уткнул мокрый нос ей в щеку.

Лиза невежливо растолкала кота, проворчала: «Это ты мне дурацкие сны насылаешь?»

— М-мряу! — возмущенно ответил Пират. Похлопал глазами, перевернулся на другой бок и опять уснул.

«Надо его перевоспитывать! — в который уж раз подумала Лиза. — Гнать из постели! Ишь, моду взял...»

Но, конечно, не выгнала. Пусть спит... Негигиенично, конечно, — зато она где-то читала, что коты на себя отрицательную энергию оттягивают. Не будь рядом Пирата — страус из сна, наверное, ее бы покусал.

Она почесала кота за ухом (тот в благодарность даже не помурлыкал, спит без задних лап) и пошла умываться.

«Интересно, к чему снятся страусы? — думала Лиза, пока заваривала кофе. — Бабулю, что ли, спросить?»

Но будить старушку из-за такой ерунды было жалко, а сонников они не держали. «Умный человек и сам свой сон растолкует, — говаривала бабуля. — А сонник — пустая трата времени, квинтэссенция вранья». Лиза была с ней полностью согласна. К примеру, сколько раз она видела во сне и червей, и навоз (говорят, что такая гадость снится к богатству) — а денег как не было, так и нет...

«Ну, и что же может означать навязчивый страус из сна? — гадала она, прихлебывая кофе. — Может быть, мне предстоит поездка в Австралию — страусы ведь там, кажется, живут?»

Слетать в Австралию Лиза бы, конечно, не отказалась — только никто пока не предлагает, а покупать путевку за несметные тысячи — жаба душит.

«Нет, Австралия тут ни при чем. Тем более страус по Москве за мной ходил. Может быть... Может...» И вдруг она догадалась. Даже по лбу себя хлопнула: до чего все оказалось просто. Конечно же, страус — это знак! Страус — обозначает трус. Страус — тот, кто прячет голову в песок. И не хочет признать очевидное. А это — как раз о ней.

«И вовсе я не трусиха!» — пробормотала вслух Лиза. Но вот что странно: голос прозвучал так, будто она перед кем-то оправдывалась.

И тут же сама себе ответила: «Вопрос не в том, что я делаю что-то плохое, — а в том, что не понимаю, что со мной происходит. А принять свой дар за новую данность и просто им пользоваться — как советует Сашхен — я не могу».

Ну, и что в таком случае делать? Притворяться, что ничего не переменилось? Нет, это как раз по-страусиному. А что тогда?

Решение пришло внезапно — простое и логичное. Надо съездить к Кириллу Мефодьевичу, тому самому колдуну. Ведь до визита к нему все в ее жизни было нормально, а как съездила — началось. Целая серия странных и необъяснимых событий. Сначала индусы, которых она стала понимать. Потом ряхинский сердечный приступ. Потом — Красавчик, который вдруг сам по себе приворожился... Мысли кондукторши. Излечение бабушки. Дорогой костюм, который она захотела — и тут же получила в подарок... И то, что в ее предках была ведьма тетя Талочка, ничего не объясняет. Ведь до визита к Мефодьевичу она жила нормально, как все. А тот ее странные способности словно разбудил. Вот и пусть теперь объяснит ей, что случилось и что он с ней вытворил.

Как только решение было принято, на душе сразу полегчало. Лиза допила кофе и пошла одеваться. Разумеется, в новый сиреневый костюм. Не удержалась, потерлась щекой о ткань: до чего же красивый!

Она уже опаздывала и торопливо перебрасывала содержимое старой сумки в новую. (Какая удобная, сколько всяких кармашков, и кожа нежная, ручной выделки!)

Лиза вынула из коробки новые сиреневые сапожки, аккуратно вытащила распорки, надела... Будто личный сапожник сшил — не жмут, не давят.

«Я и не буду от нового дара отказываться. Просто спрошу Мефодьевича: за что мне все это? Неужели правда — от двоюродной бабушки по наследству передалось? И почему — именно сейчас?»

Хотя часы и показывали угрожающее время, Лиза не удержалась, с минуту полюбовалась на себя в зеркало: до чего же стильно она выглядит! «Не-ет, свой дар я ни за что не отдам! Наоборот — проконсультируюсь у колдуна, как его усилить и развить! А то что за дела: такой элитный костюм, а надеть к нему можно лишь скромную золотую цепочку... Сюда колье нужно, из бриллиантов или хотя бы из дорогого жемчуга. Вот пусть мне Мефодьич и расскажет, как раздобыть колье!»

Лиза снова взглянула на часы, ойкнула и, чуть не сломав каблук, вылетела из квартиры. Припустила рысью на остановку маршрутки. И на бегу решила: «И еще... и еще... мне бы машина не помешала. Хотя бы скромная «Дэу».

ВОРОЖБА «С ГАРАНТИЕЙ»

Временная начальница Дроздова встретила ее обычной нудятиной:

— Опять опаздываешь, Елизавета.

— Затруднения на дорогах, — привычно оправдалась Лиза. — И перебои с автобусами.

— Я смотрю, у тебя со всем затруднения. И перебои... — зловеще прищурилась Дроздова. — Ты новый вариант концепции подготовила?

— Он в работе, — пожала плечами Лиза.

В файле в ее компьютере, озаглавленном «Концепция-2», пока так и было всего две страницы... И в них, если честно, — ни одной дельной мысли.

Дроздова выгнулась, как кобра перед прыжком, и прошипела:

— Я жду результат!

— Ряхина цитируете? — поинтересовалась Лиза. — Его любимая фраза...

— А что тут плохого? — ощетинилась Дроздова.

— Как там, кстати, Аркадий Семенович? — Лиза изобразила озабоченность.

— Ему тяжело, — коротко и трагично ответила Дроздова. И отвернулась

«Ох, ну и тупая же ты!» — подумала про нее Лиза, проходя к своему столу.

Привлеченные новым костюмчиком, к ней тут же кинулись практикантки. Завистливо щупали ткань, гладили кожу сумочки, просили показать каблук.

— У нас тут что — дом моделей? — снова, со всем возможным сарказмом, выступила Дроздова.

Практикантки покорно разбрелись по рабочим местам, а Лиза весело подумала: «Ну, Дроздица, дождешься ты у меня. В хрюшку превращу!»

И опасливо взглянула на временную начальницу — вдруг та и вправду превращаться начнет?

Но, видно, у Лизиных способностей имелся предел. По крайней мере с Дроздовой ничего не произошло. Сидит себе с важным видом, будто бы уже продала миллион пар обувок от Усачевой...

Лиза вдохнула и включила свой компьютер. Ох, как же не хочется ей заниматься этой концепцией! А ведь придется... «Сейчас, только почту проверю!»

Но личных писем, как назло, не было. Лиза совсем было собралась закрыть почтовую программу, как вдруг заметила: в уголке экрана мерцает рекламный баннер: зажженная свеча в старинном канделябре, а под ней надпись: «Сглазы и порча. Самые современные технологии».

«Горе-рекламщик! — фыркнула Лиза. — Хоть бы подумал, что слова «сглаз» и «технологии» — абсолютно не сочетаются! Да и кому из продвинутых молодых людей — основных пользователей Интернета — нужны порча и сглаз?!»

В общем, смешная реклама. Только почему-то никак не получается отвести от нее взгляд...

Свеча на картинке вдруг погасла, и выскочила новая надпись: «Магический ритуал на устранение конкурентов. Быстро, с гарантией». Еще смешнее... Неужели кто-то верит, что на конкурентов действуют магические ритуалы?

В общем, каких только дурачков не встретишь в глобальной сети. Лиза щелкнула по кнопочке «закрыть программу», но, прежде чем почтовый ящик отвалился, она успела заметить: на картинке со свечой высветился телефон. Обычный, московский, из семи цифр.

Этот номер показался ей странно знакомым... Лиза тут же сверилась с записной книжкой и удостоверилась: все правильно, память не подвела. Податель рекламы — ее знакомец.

Колдун Кирилл Мефодьевич.

ПОЕДИНОК

Кирилл Мефодьевич узнал ее мгновенно — Лиза даже не успела представиться. Колдун, казалось, нисколько не удивился — а, может, ждал ее звонка. Без всяких предисловий о делах-погоде он сказал:

— Приезжайте прямо сегодня. В девятнадцать пятнадцать.

— Да, я буду, — растерянно пробормотала Лиза, и в трубке тут же запищали короткие гудки.

«Не очень-то он вежлив, — обиделась Лиза. — Перезвонить, что ли, и в отместку сказать, что не приеду?.Нет, это будет по-страусиному... И потом, семь пятнадцать — для меня время идеальное. Заканчиваю я в шесть, до центра ехать минут сорок — как раз остается время, чтобы заскочить в «Макдоналдс» и перехватить пару биг-маков. Хорошо же Мефодьевич мой график рассчитал!.. С применением, что ли, колдовских технологий?»

Едва в голове прозвучало слово *технология*, как настроение тут же испортилось. Лиза с отвращением открыла файл «Концепция-2» и постаралась сосредоточиться на *обувке от Усачевой*.

...В этот раз квартира колдуна выглядела по-другому — более деловой, что ли... Тетенька, встречавшая Лизу у входной двери, была одета в плохонький, но все же бизнес-костюмчик, камин не горел, зажженная свеча исчезла.

Кирилл Мефодьевич встретил ее на пороге кабинета, взглянул на часы, проворковал:

— Похвально, Лиза. Вы пришли минута в минуту.

«Скупая похвала шефа, — внутренне усмехнулась Лиза. — Дроздова меня такими же словами сегодня хвалила, когда я с обеда тютелька в тютельку пришла. Не многовато ли начальников — для меня одной?»

Странно, но сегодня она совсем не ощущала ни робости, ни преклонения перед колдуном и его огромной квартирой. Наоборот: почему-то ей казалось, что это Кирилл Мефодьевич ее побаивается.

Лиза подняла бровь:

— Что за начальственный тон, ей-богу!

И колдун тут же пошел на попятный:

— И правда, чего это я... Проходите, Лизочка, усаживайтесь. Кофейку, чаю?

— Да нет, спасибо.

— А биг-маки запить? — проницательно зыркнул на нее Мефодьевич.

«Кажется, ждет, что я вздрогну и завоплю: «Откуда вы знаете?!»

— Какие такие биг-маки? — спокойно спросила она.

— Да я же вас, Лиза, насквозь вижу! — фамильярно хохотнул колдун. И крикнул своей горничной (или кто она ему там): — Марианна, кофейку нам организуй!

— Я не пью кофе после семи, — отрезала Лиза. — Мне, пожалуйста, чаю.

— Извините, ошибся, — усмехнулся Мефодьевич и снова закричал: — Отбой, Марианна! Один кофе и один чай! Зеленый?

— Нет. Черный.

«Вовсе он меня и не видит. Тем более — *насквозь*, — порадовалась Лиза. — А насчет того, что я в «Макдоналдсе» была...»

Она скосила глаза на свою сумочку, лежавшую на коленях. Элементарно, Ватсон! «Молния» закрыта не до конца, и из сумки выглядывает пестрая обложка вишневого пирожка, который Лиза купила для бабушки. После каждого посещения канадской котлетной она привозила для бабулечки пирожок с вишнями — старушка радовалась, как дитя.

— Дедукция, а не ясновидение, — пробормотала Лиза.

Колдун — молодец он все-таки, схватывает на лету — проницательно улыбнулся:

— Вы о пирожке?.. Поняли?

— Чего сложного-то? — усмехнулась Лиза, застегивая «молнию» на сумочке.

— Вот именно, — отчего-то обрадовался колдун. — На первый взгляд сложного — абсолютно ничего. А на многих клиентов — действует исключительно! Знали бы вы, Лиза, как легковерны и внушаемы люди... Особенно те, кто верит в магию и колдовство.

Кажется, Мефодьевич нацеливался на легкий, ни к чему не обязывающий треп, но Лиза тут же перевела разговор в деловую плоскость:

— Легковерны и внушаемы? А кого вы имеете в виду? Тех, кто заказывает у вас порчу и сглаз? По самым современным технологиям?

— А, уже видели! — осклабился колдун. — Ну, и как вам моя реклама в Интернете?

Обычно Лиза старалась никого не обижать, но сейчас не удержалась:

— Если честно — ужасная. Ни вкуса, ни, извините, стиля.

Она напряглась. Нелегко все-таки говорить человеку неприятное.

Но колдун только рассмеялся.

— Ужасная, говорите, реклама? Может быть. Но пипл, как говорится, хавает. Попер народ, попер!

Кирилл Мефодьевич довольно засмеялся, а Лиза взглянула на него удивленно. Странное дело! Когда она приходила в прошлый раз, он показался ей мэтром. И умным, и тонким, и интеллигентным. А сегодня — мужлан мужланом. Интересно, это у нее в прошлый раз шоры на глазах были — или колдун многолик? Но зачем ему сегодня исполнять роль эдакого простачка-панибрата?

— Я вижу, Лиза, у вас все хорошо, — вдруг посерьезнел Кирилл Мефодьевич.

— Да. Неплохо, — согласилась она. — Но мне хотелось бы знать...

Он не дал ей договорить:

— Почему это случилось с вами? И почему — именно сейчас?

— Угадали, — улыбнулась она. — Про наследственность — я у бабушки узнала, но почему двадцать четыре года я была обычной, а теперь вдруг все так переменилось?..

— Переменилось, говорите? Это очень хорошо. Что ж, Елизавета, значит, я не ошибся. Сразу же определил ваш огромный потенциал. И сумел раскрыть его. Моя технология раскрепощения паранормальных способностей, видите ли, уникальна...

Колдун примолк. Кажется, ждал, что Лиза рассыплется в благодарностях. Или хотя бы начнет расспрашивать его об особенностях технологии. Но Лизе они были неинтересны. А Кирилл Мефодьевич продолжал распространяться:

— Я занимаюсь изучением паранормальных способностей человека вот уже тридцать лет. Я не скажу, где работал, — просто не имею права...

Лиза, пораженная внезапной догадкой, прервала его:

— Может, вы и мою двоюродную бабушку знали?

— Бабушку? — осекся колдун. — Вашу? Нет, лично встречаться не довелось. — Кирилл Мефодьевич посмотрел Лизе в глаза. — Но слышать и читать о ней приходилось.

— Что? Где? — выпалила Лиза. — Пожалуйста, расскажите!

— Никак не могу, — покачал головой колдун. — Давал пожизненную подписку.

— А что вы тогда вообще можете рассказать? — насмешливо спросила Лиза.

Он пропустил ее иронию мимо ушей:

— О, на свете происходит много всего удивительного! Возьмем, к примеру, прогнозирование сложных хаотических процессов. Ну, скажем, — состояние погоды на длительный срок. Это вещь в принципе непредсказуемая. Даже при помощи самых современных компьютеров. Слишком сложный процесс. Слишком много факторов приходится учитывать. Однако! — Мефодьевич воздел палец, словно лектор на кафедре. — Неожиданно выяснилось: предсказывать хаотические процессы способны примерно два процента населения. То есть два человека из ста. Неизвестно почему, но, как правило, это молодые незамужние девушки — вроде вас, Лиза. У них чрезвычайно, запредельно — по сравнению со среднестатистическим человеком — развита интуиция. Они, эти девушки, молодые женщины успешно играют на бирже, обыгрывают в казино, никогда не попадают в авиакатастрофы и крупные автоаварии. Они просто не садятся в тот самолет, которому суждено разбиться. Временами эти дамочки выдают удивительные предсказания... Таких девушек можно — весьма условно и ненаучно — назвать ведьмочками. Откуда они берутся? Кто знает!.. Изучение их генезиса — предмет дорогостоящих и длительных исследований. Есть гипотеза, что именно таким образом человек совершенствуется в процессе эволюции.

— Был хомо сапиенс — будет хомо ведьмус, — усмехнулась Лиза.

— Скорее «хомо магикус», — мгновенно парировал Кирилл Мефодьевич. — А как еще прикажете человеку развиваться? Ведь третья нога у него не вырастет — она ему не нужна. Шестой палец — тоже...

Тон Кирилла Мефодьевича переменился. Сейчас

он уже совсем не выглядел простачком — скорее ученым, экспериментатором и философом. Лицо его стало вдохновленным и просветленным.

— Что-то я по жизни никаких ведьмочек не встречала, — скептически заметила Лиза.

— Посмотрите в зеркало.

— Но вы-то говорите, что их — или нас? — полным-полно. По два человека на сотню. Не так уж мало, между прочим.

— Естественный отбор, — моментально ответил колдун. — Точнее — настоящий геноцид.

— Геноцид?!

— Да, геноцид. Сейчас, в двадцать первом веке, цивилизованное общество вообще-то толерантно в отношении тех, кто выделяется из общей серой массы своими неординарными и непонятными, порой даже пугающими способностями. А раньше? Инквизиция в Средние века погубила миллионы человек — положим, сотни тысяч из них казнили тогда совершенно зря, безвинно. Но ведь и всех настоящих ведьмочек в ту пору на кострах посжигали. А паранормальные способности скорее всего передаются именно по наследству — но после успешной деятельности инквизиторов их просто *не от кого* оказалось наследовать.

— У нас в стране, положим, инквизиции не было, — заметила Лиза.

— Была, но в мягкой, бархатной форме, — возразил Кирилл Мефодьевич. — Возьмите тридцатые годы прошлого века. Разве мог тогда выжить человек, предсказывающий будущее? Тем более — отличное от планов партии? Или тот, кто лечил наложением рук? Но экстрасенсы, конечно, были и тогда — только их планомерно уничтожили по лагерям... А в шестидесятые и семидесятые годы, — продолжил колдун, — всех необычных, у кого хватило ума высунуться, сажали в психушки или устраивали травлю. Только единицы, примазавшиеся к партийной верхушке, выживали...

— Значит, по вашей терминологии, я — ведьмочка, — улыбнулась Лиза.

— Вы — лучше. Вы не просто ведьмочка. Вы — ведьма.

— Вот как? — подняла Лиза брови.

— Да. Среди так называемых ведьмочек, — продолжал он, — существует крошечный процент тех людей, которым доступен весь комплекс паранормальных способностей — в полном объеме. Они владеют телепатией, ясновидением, порой — телекинезом, а также умением воздействовать на тонкие биологические и психические процессы других людей — говоря обыденной терминологией, могут насылать сглаз и порчу. Словом — такие, как вы, Лиза. Этих людей меньше, много меньше, чем просто личностей с великолепной интуицией. По моим подсчетам, примерно один человек на миллион... И ведь такую единицу вроде вас еще нужно найти!

— Значит, вы меня целенаправленно *искали,* — задумчиво сказала Лиза. — Как?

— Это совершенно неважно, — строго сказал колдун. — Главное — что сейчас вы здесь, и вы осознаете всю безграничность ваших возможностей.

— Ничего безграничного не бывает, — покачала головой Лиза. — И мне хотелось бы выяснить: какой у моих возможностей предел?

— Этого не знает никто, — разочаровал ее колдун.

— И все-таки, — не отставала Лиза. — Могу я,

скажем... — Она едва не спросила: «Прийти в юве-
лирный и так же бесплатно, как костюм, получить
бриллиантовое ожерелье?» Но удержалась: ожерелье! Фу, как мелко! — ...Скажем, искать пропавших
людей? Исцелять неизлечимо больных?

— Думаю, да, — серьезно ответил Кирилл Мефодьевич.

— Кстати. Моя подруга попросила найти ее приятеля. Он исчез, и никто не знает, куда, — задумчиво сказала Лиза. — Она дала мне его фотографию,
снимок у меня с собой. Мне кажется — только кажется! — что с ее молодым человеком действительно
что-то случилось. Но я ума не приложу, что именно.
И тем более не знаю, где его искать.

— Фотографию, — коротко потребовал колдун.

Лиза послушалась. Достала карточку, перекину-
ла ее через стол. Кирилл Мефольевич всмотрелся в
фотографию и покачал головой.

— Будь вы моим *клиентом* — я бы наговорил
сорок бочек арестантов... Но вам, Лиза, отвечу честно: не знаю.

— А как узнать? — потребовала она.

— К вам это придет.

— Когда?

— Неожиданно. Вы сами не заметите и в первый
момент даже не поймете... Но гарантирую: об этом
молодом человеке вы все узнаете.

— Расплывчато... — кисло ухмыльнулась Лиза. —
У меня, кстати, еще вопрос: а как мне контролировать свои способности? Существуют ли способы их
целенаправленно... как это сказать... *вызывать*?

— Этому надо учиться, Лиза.

— Учиться?

— Я готов поделиться с вами теми знаниями, которыми обладаю.

— Спасибо, Кирилл Мефодьевич. Я подумаю над вашим предложением. Но... не опасно ли это?..

— Опасно? Для вас?

— Да. И для других людей. Знаете, я тут поругалась с кондукторшей. И вдруг увидела — всю ее жизнь. Что она приезжая и что муж ей изменяет, хочет из квартиры выписать... Ну, и выдала ей по полной программе. Знаете, как потом жалела, что не сдержалась? У нее были такие глаза...

— Грубейшая ошибка, — покачал головой Кирилл Мефодьевич.

— Ошибка? — не поняла Лиза.

— Даже более чем ошибка. Вопиющая некомпетентность. Полное непонимание.

— И в чем же я ошиблась? — кротко спросила Лиза.

— Никогда не говори людям то, чего они не хотят услышать, — провозгласил колдун.

— А я и не хотела говорить! Но остановиться — не получалось...

— Такое чувство, что говорит некто, находящийся внутри вас? — уточнил Мефодьевич.

— Да. Я называю его «карлик».

— Вы разбудили своего «карлика» в тот момент, когда начали говорить, — пояснил колдун. — А если бы удержались... И не сказали бы этой кондукторше ничего — вообще ничего! — то и «карлик» бы ваш промолчал.

— Но мне было так интересно узнать, права я или нет! — пробормотала Лиза. — Вот я и начала ей выдавать, чтобы посмотреть на реакцию...

— Никогда больше так не поступайте, — строго

сказал колдун. — Во-первых, это неэкономно. А во-вторых, просто глупо.

Лиза пропустила выпад насчет глупости мимо ушей.

— Неэкономно? Что вы имеете в виду?

— Ваши способности, Лиза, стоят огромных денег! — укоризненно сказал Кирилл Мефодьевич. — А вы их растрачиваете на такую ерунду!.. В общем, что мы с вами, Елизавета, ходим вокруг да около. Я хочу предложить вам работу.

— Какую работу? — живо отреагировала она. — Должность Геллы при Воланде? Так у вас уже есть служанка.

Он не успел ей ответить, потому что тут в дверь, легко на помине, просунулось личико помощницы, блеклой Марианны.

— Кирилл Мефодьевич, вас к телефону.

— Ответьте сами! — отмахнулся колдун. — Вы же видите, я занят!

— Требуют именно вас. Клиент.

Кирилл Мефодьевич поморщился, скороговоркой извинился перед Лизой и пошел в кабинет к телефону.

Двери между кабинетом и гостиной не было, и оттого Лиза получила возможность слышать разговор — точнее, реплики Кирилла Мефодьевича.

— Да-да, — важно проговорил он в трубку.

В ответ собеседник, видимо, разразился длиннейшим монологом, потому что в течение пары минут колдун не мог вставить ни слова. Наконец, подал реплику:

— Работа по вашему заказу ведется.

Снова — длинная и, кажется, раздраженная тирада по другую сторону трубки.

— Но мы не договаривались с вами ни о каких сроках, — слегка виновато произнес Кирилл Мефодьевич. И снова повторил: — Работа ведется, и я уверен, что она увенчается успехом. — А потом, после паузы, добавил: — Кто вам сказал, что она чувствует себя только лучше?!

Колдун метнул взгляд в сторону Лизы — она сделала вид, что рассеянно рассматривает дрова в незажженном камине. Однако ушки у нее при этом, конечно же, были на макушке.

— Это ваш субъективный взгляд, — проговорил в трубку хозяин. — Могу вас уверить, что процесс уже пошел.

Снова длинная, не слышная для Лизы тирада собеседника, а потом реплика Кирилла Мефодьевича:

— А вот этого я категорически не советую. Конечно, я могу вам вернуть предоплату, за вычетом моих расходов, и мы расстанемся. Однако если вы обратитесь к другому специалисту, нет никакой гарантии, что его воздействие не наложится на мое. В таком случае вы получите результат, обратный желаемому. Минус на минус обычно дают плюс.

Новая реплика в трубке — однако, как показалось Лизе, уже тише и спокойнее. А потом колдун миролюбиво произнес:

— Ждать осталось дня три, максимум четыре. Немного терпения. Да, я понимаю ваше беспокойство, но я заинтересован в результате — так же, как вы. Подождем. Всего вам доброго.

Хозяин повесил трубку и вернулся в гостиную. И тут Лиза, не дав ему опомниться, огорошила вопросом:

— Сглаз и порча? Самые современные технологии?

Кирилл Мефодьевич сделал непонимающее лицо, однако в его глазах мелькнул какой-то огонек: то ли изумления, то ли даже страха.

Лиза в ответ ехидненько процитировала еще одну строчку из колдуновской рекламы:

— «Магический ритуал на устранение конкурента»? Не получается у вас «быстро и с гарантией»?

— У женщины проблемы с приворотом мужа, — пробормотал Кирилл Мефодьевич. Выглядел он при этом непроницаемо и уверенно, однако Лиза могла поклясться: чистое вранье. — Так вот, возвращаясь к вашему, Елизавета, случаю, — проговорил колдун, усаживаясь напротив нее. — Сейчас вы со своими новыми способностями представляете собой, вы уж извините за сравнение, что-то вроде неуправляемой термоядерной реакции. Вы обладаете запредельными возможностями, но они вырываются самопроизвольно, порой без толку — а не тогда, когда это необходимо. Я могу помочь вам эти реакции приручить. Обуздать их. Научить вас их использовать — тогда и так, как это нужно вам. Более того. Я вам готов платить за обучение. Подчеркиваю: не вы — мне, а я — вам.

— А что взамен? — быстро спросила Лиза.

— Взамен? Взамен я иногда буду использовать ваши способности. В своих интересах. Точнее — в интересах моих клиентов.

Кирилл Мефодьевич выжидательно посмотрел на нее.

— А сколько вы мне будете платить? — сразу поинтересовалась Лиза.

— А сколько вам платят на вашей сегодняшней работе?.. Нет-нет, не говорите мне! Просто прибавьте к этой сумме нолик.

— Восемнадцать тысяч долларов? — вырвалось у Лизы. — В месяц?

— А что, неплохо даже для ведьмы, а? — улыбнулся колдун. — Для начинающей ведьмы?

— Я могла бы сделать вид, что мне надо подумать... — вздохнула Лиза. — Но, по-моему, думать тут нечего. Мой ответ... — Она выдержала паузу. Несмотря на непроницаемый вид хозяина, в его лице промелькнуло торжество. Он не сомневался в ее согласии.

— Мой ответ — «нет», — проговорила Лиза.

— Нет? — растерянно протянул колдун. — Но почему?

— Долго объяснять.

И в самом деле, как она сможет это объяснить? Что она не хочет работать на колдуна? *По заказу* читать мысли... Возвращать мужей к опостылевшим женам... И тем более насылать на людей сердечные приступы — как она *спонтанно* сделала с беднягой Ряхиным... А ведь именно этим, кажется, промышляет колдун...

— Советую вам хорошо подумать, — с трудом скрывая злобу, процедил Кирилл Мефодьевич. Губы его плотно сомкнулись, превратившись в тонкие щелки. Он внимательно посмотрел на Лизу пристальным взором.

— Я хорошо подумала. *Очень* хорошо.

Взгляд колдуна «пробивал», жег ее... Не мигая, он смотрел ей прямо в глаза. Его взгляд был настолько непроницаем и темен, что Лиза почувствовала, как у нее кружится голова. Ей хотелось отвести глаза — но она не смогла.

Она усмехнулась.

— Вы что, загипнотизировать меня хотите? — спросила Лиза.

Усмешки у нее не вышло. Да и вместо связного вопроса из горла донесся какой-то противный писк: «То... гипо... мя...хо...» Лиза чувствовала, что взор колдуна становится все тяжелее и тяжелее. Вот-вот, еще секунда, и она потеряет сознание. «Нет!!!» — мысленно прокричала Лиза.

Последним, отчаянным усилием она постаралась мобилизовать всю свою волю. (А взгляд колдуна все тяжелел, давил на виски, сжимал обручем голову.) Лиза постаралась ответить на этот взгляд, выдержать. Отразить его — чтобы он, ударившись о ее непреклонность и волю, полетел назад, к хозяину. Чтобы поразил его самого.

И что-то произошло. Она словно налилась уверенностью и молча, уже не боясь и чувствуя в себе прилив сил, смотрела прямо в глаза Кириллу Мефодьевичу. И вдруг ощутила, что тот — дрогнул. Ей показалось, что из ее собственных глаз словно выходит невидимый мощный луч. Луч, не знающий преград и жалости. Он ударяется о защиту хозяина, рвет ее в клочья, проникает ему в глаза, забирается в мозг — в самые потаенные уголки.

Лиза не знала, сколько продолжался этот поединок взглядов — десять секунд? Минуту? Две? Только внутри ее с каждым мгновением крепла уверенность в том, что она — сильнее. Что она — победитель.

Взгляд Кирилла Мефодьевича становился все менее и менее острым. Еще миг — и он будет посрамлен, отведет глаза и никогда больше не посмеет состязаться с ней.

Но тут произошло неожиданное. Глаза колдуна закатились. Веки смежились. Все его тело обмякло. А в следующее мгновение он безвольно накренился на стуле — и бочком брякнулся наземь. Тело при ударе о ковер издало глухой стук, словно упала тряпичная кукла.

Все это случилось так быстро, что первых пару секунд Лиза сидела неподвижно, не понимая, что происходит. Затем бросилась к распростертому на ковре хозяину.

— Кирилл Мефодьевич! — прокричала она. Тот не отзывался.

Она схватила его безвольную руку — та оказалась живой и теплой. Лиза нашла пульс — сердце билось спокойно и ровно. Она наклонилась ко рту колдуна — тот дышал мерно и чисто.

«Слава богу, он жив! Просто спит. Нет, но как его я, а?» — вихрь мыслей и эмоций пронесся в ее голове. То была и радость от неожиданной победы, и облегчение оттого, что с хозяином ничего страшного не случилось, и растерянность. «Что же мне теперь делать? Убегать? Но в квартире есть еще помощница Марианна, она выйдет провожать, заглянет в гостиную и увидит валяющегося хозяина. Потом расспросов не оберешься, еще и милицию вызовет... Удрать через окно? Второй — и очень высокий! — этаж. А я же не Человек-паук. И не Женщина-кошка... Да и новый костюм жалко, порвешь и испачкаешь, если будешь прыгать...»

Решение пришло само собой. Лиза еще из институтских спецкурсов по менеджменту вспомнила завет: «Если не знаешь, что делать, — не надо делать ничего». И точно: почему бы ей не посидеть тихо-спокойно, не подождать, пока хозяин очнется? Судя по всем признакам, он просто спит. А когда он проснется (Лиза почему-то была в этом уверена), то не станет поднимать бучу или снова состязаться с ней — выпустит ее без лишнего шума из квартиры.

Она вполголоса кашлянула. Хозяин, распростертый на ковре, не пошевелился, — так и лежал, как упал, на боку. Тогда Лиза встала. Прошлась по комнате, осматриваясь. Все солидно и внушительно: камин, портьеры, медицинская аппаратура возле кушетки.

Лиза заглянула в кабинет. Стол. Компьютер. Полки, уставленные научной литературой. Она вздрогнула: ей показалось, что Кирилл Мефодьевич пошевелился. Она оглянулась: нет, по-прежнему лежит на боку.

Она подошла к письменному столу красного дерева. На столешнице — ни пылинки, ни бумажонки. Лежит только могучий том с закладками. Она обогнула стол, чтобы посмотреть название. Внушительная книга называлась «Оккультная магия». Из-под фолианта выглядывал лежащий на столе одинокий бумажный листок.

Лиза сдвинула книгу в сторону. Какой-то список, отпечатанный на принтере.

Тринадцать фамилий. Есть и мужские, и женские. Просто фамилии, имена и отчества — ни адресов, ни телефонов.

Что-то заставило Лизу вглядеться в список.

1. *Чернобривец Роман Игоревич*

2. *Колыхалов Аркадий Феоктистович*

3. *Макеев Владимир Николаевич*

...

и так далее, вплоть до:

13. *Иванова Марина Леонидовна*

Первая фамилия — единственная в списке — была обведена кружком. И сама эта фамилия — Чернобривец — показалась Лизе смутно знакомой. Где-то она ее встречала. Где-то слышала. Но где? И в связи с чем? Нет, вспомнить никак невозможно.

Тут Лизе почему-то показалось, что ей НАДО запомнить список. Именно так: **надо**.

Она прочитала его раз, затем другой. На память Лиза никогда не жаловалась и поэтому была уверена, что список теперь навсегда отпечатался в ее мозгу.

Но что же он все-таки означает? Наверное, это клиенты колдуна? Но зачем записывать их фамилии — тем более все подряд?

В этот момент из гостиной раздался шорох. Лиза опрометью бросилась вон из кабинета. И вовремя. Кирилл Мефодьевич пошевелился и со стоном уселся на полу. Слегка потряс головой, словно отгоняя тяжелый сон. Лиза подошла к нему.

— Извините, мне стало нехорошо, — пробормотал колдун, предваряя вопросы и объяснения.

— Может быть, вызвать «Скорую»? Или дать вам какое-нибудь лекарство? Нитроглицерин?

— Нет-нет, все в порядке.

Не глядя на нее, Кирилл Мефодьевич резво подскочил на ноги.

— Я ухожу, проводите меня, — бросила Лиза.

— Да-да, конечно, — поспешно проговорил колдун.

После своего обморока он был кротким, как овечка.

— Марианна, пожалуйста, проводи! — слабым голосом попросил колдун.

Глава 9

ЛИЗА. ПРЕДЕЛЫ ВЕЗЕНИЯ

Лиза ждала: после поединка с колдуном ей будет плохо. Не сомневалась — или голова заболит, или сердце начнет колоть, или... В общем, мало ли у организма слабых мест? Шла от Патриарших в сторону метро и к себе прислушивалась: ну, вот сейчас... кольнет, засвербит, заноет... И по сторонам озиралась. Боялась, что на тротуар вот-вот вылетит пьяный водитель или с крыши на нее кирпич свалится. Но — нет. Ничего плохого не происходило. Машины степенно тащились по переулкам. Да и организм, против ожиданий, вел себя безупречно. Наоборот: во всем теле возникли легкость и бесшабашность, и даже захотелось творить всякие глупости. Например, купить биг-мак и скормить его веселым весенним воробьям... Или улыбнуться вот этому симпатичному подростку — хоть и лужи кругом, а он беспечно рассекает их на роликах. Наверняка парень улыбнется в ответ, лихо подкатит к ней... и можно будет попросить, чтобы дал прокатиться! А что, разве у нее нет права немножко покадрить молодежь?!

Однако от глупостей Лиза все же удержалась. Отвернулась от подростка и спустилась в подземку. Но, что забавно, сегодня ей везло и здесь: двери открылись прямо перед ней, в вагон она вошла первой, юноша с чертежным тубусом вышел на «Кузнецком мосту» и освободил ей место, и даже вонючих или пьяных пассажиров по соседству не локализовалось... А когда Лиза добралась до «Выхина» — и вовсе случилось чудо. На остановке не оказалось ни единого человека, а маршрутка ждала, гостеприимно распахнув дверь, и тут же тронулась, как только Лиза устроилась на самом удобном местечке у окошка...

А дома ее встречали одуряющий запах свежей выпечки и бабушкина улыбка, и даже кот терся о ноги так аккуратно, что не оставил на новых колготках ни единой затяжки.

— «Муравьиную кучу» испекла! — гордо сообщила старушка. — Пойдем чай пить, пока она тепленькая!

— Ну, ты и чудо в перьях! — ласково попеняла бабушке Лиза. — С утра жаловалась, что голова болит, а сама кулинарные подвиги совершаешь!

Бабушка жестом фокусника сдернула с торта чистое полотенце, похвасталась:

— Смотри, какая красивая!.. А голова у меня прошла. Весь день раскалывалась, а вечером — как рукой сняло. Вот я и решила тебя побаловать!

— А я думала, что это я тебя побалую, — Лиза достала из сумочки макдоналдсовский пирожок.

— Он тоже не пропадет, — заверила старушка. — Спасибо тебе, Лизочка... А, пока не забыла. Тебе звонила твоя подруга Серебрякова.

— Чего хотела? — Лиза сосредоточенно вырезала из «кучи» аппетитный, граммов на триста, кусок.

— Узнать, какие новости по ее делу.

Лиза фыркнула.

— Да, так и сказала: «По моему делу», — уточнила старушка. — Просила тебя перезвонить ей в любое время. Серебрякова — это твоя подружка по институту? Такая полненькая, коренастая?

— Ага. — Лиза с наслаждением бросила в рот кусочек «кучки». — Обалденный торт, просто супер.

Но бабушку так просто не собьешь.

— А какие у тебя с Серебряковой дела?

Лиза поморщилась.

— У меня с ней — никаких.

— А у нее — с тобой? — не отставала бабушка.

Лиза внимательно посмотрела на старушку. Что это с ней сегодня? Обычно бабуля никогда на нее не давила. Если видит, что внучка не хочет чего-то рассказывать, — только плечами пожмет и оставит ее в покое. Неужели Серебрякова посвятила старушку в *характер дела*?

— Да ну ее! Эта Серебрякова — вечно канючит, ноет... и свои проблемы на других перевешивает, — туманно ответила Лиза. — Но у меня до ее дела пока руки не дошли. Все некогда.

— А она, похоже, ждет, — с легким укором сказала бабушка. — Два раза повторила, что ей можно перезвонить хоть ночью.

— Господи, бабуль! Ну, что ты мне этой Серебряковой аппетит портишь? — возмутилась Лиза. — Чем болтать, лучше на «кучу» налетай. А то ведь с меня станется: сама все съем.

Бабуля послушалась, и о Серебряковой они больше не говорили. Перезванивать однокурснице Лиза тоже не стала — поздно, не хочется, да и сказать нечего. Но перед сном, пока бабушка плескалась-умывалась в ванной, Лиза все-таки достала из сумочки фотографию серебряковского молодого человека. Долго вглядывалась в беззаботное лицо с грустными глазами и даже ласково водила пальчиком по густым бровям... Может, раз сегодня такой везучий день, она почувствует что-то? Поймает хотя бы *краешек* волны, на которой живет серебряковский прекрасный принц?

Но фотография молчала. А в голове вертелись

незваные и совсем не дружеские мысли: «Интересно, он хорошо танцует? А анекдоты — умеет рассказывать? А машина у него есть?»

М-да, несерьезный какой-то у нее сегодня настрой. И зачем только взялась за поиски, дала Серебряковой надежду?

Лиза вздохнула, убрала фотографию и выключила свет.

ЛИЗА. НОВЫЙ ПОВОРОТ

Транспортное везение продолжилось и назавтра.

Маршрутка и автобус мчались, будто на пожар, и Лиза в кои-то веки прибыла на работу вовремя. В восемь пятьдесят девять она уже распахнула дверь в отдел и весело выкрикнула с порога:

— Всем привет!

Мишка Берг в ответ улыбнулся, менеджер Светка шутливо откозыряла, девчонки-стажерки приветственно закивали. Одна Дроздова сидит, будто шомполом позавтракала.

— Здравствуйте, Антонина Кирилловна! — Лиза обратилась к ней персонально.

— Др...де, — продребезжала Дроздова и отвернулась.

— Вы имеете в виду «добрый день»? — уточнила Лиза, скидывая пальто и проходя к своему столу.

Дроздова разговор не поддержала. Демонстративно склонилась над клавиатурой. Лупит по клавишам с такой скоростью, что легко догадаться: печатает не свои мысли (их у нее максимум полторы в день, и те — глупые), а ряхинские ценные указания.

Лиза стрельнула глазом в рукописный документ, лежащий на столе у Дроздовой: разумеется, рука Аркадия Семеновича. Выведено слабеющим почерком: «МЕМО: всему персоналу».

— Я почему-то думала, что мы — специалисты, — произнесла Лиза в пространство. — А «персонал» — это только в «Макдоналдсе» или в супермаркете.

Она вопросительно глянула на Дроздову. Ну, сейчас уж точно заверещит: «Кузьмина! Имейте, наконец, почтение!» («Почтение» — любимое словечко Кирилловны. «Ее несбыточная мечта», — как говорит Мишка Берг).

Но Дроздова, вот удивительно, снова смолчала. Нет, так дело не пойдет! Уже ведь традиция выработалась, что каждый день они начинают с легкой перепалки. Вон, весь отдел прислушивается — ждет, когда же Кузьмина с Дроздовой, наконец, поцапаются.

— Антонина Кирилловна, а что значит «мемо»? — простодушно спросила Лиза. — Аркадий Семенович мемуары написал?

— Кузьмина, — устало откликнулась Дроздова. — Прекратите паясничать.

— Она не паясничает, она уточняет! — тут же вступился за Лизу Мишка Берг.

Но Лизе продолжать перепалку уже расхотелось. Зачем смеяться над убогими!

— Простите меня, Антонина Кирилловна, — кротко сказала Лиза, усаживаясь за свой стол.

Мишка разочарованно присвистнул, а Дроздова вдруг приказала:

— Кузьмина! У вас на столе документ, ознакомьтесь.

— Слушаюсь, Антонина Кирилловна, — пробормотала Лиза и взяла бумажку, лежащую текстом вниз. Документ оказался коротким — всего три строчки. Лиза прочитала: «*загранпаспорт действующий, ксерокопия загранпаспорта истекшего (если был), справка о покупке 500 евро*». Что за ерунда? И она недоуменно произнесла:

— Я ознакомилась, Антонина Кирилловна. Только ничего не поняла. Будьте добры, объясните...

— У вас нет загранпаспорта? — с надеждой спросила Дроздова.

— Есть, но зачем? Я вроде никуда ехать не собираюсь...

Дроздова метнула в нее трагический взгляд и провозгласила:

— Нет, собираетесь. Вы едете в Вену. В составе делегации нашей фирмы.

— Я?! В Вену?!! — опешила Лиза.

— Вы что, не в курсе, что наш концерн поддерживает тесные деловые контакты с австрийскими бизнесменами? — едко спросила Дроздова.

Лиза, конечно, слышала, что их «Оникс» вел переговоры о закупке оптовой партии австрийской обуви. Она знала, что шеф пару раз летал в Вену и изучал ассортимент, и даже здоровалась с симпатичными австрияками, которые приезжали на встречу с генеральным и снизошли до кофепития в местном буфете. Но все это было так далеко, в начальственных высях...

— Поставки австрийской обуви начнутся через месяц, — горестно сказала Дроздова. И пояснила, заглядывая в бумажку: — А пока нужно уточнить ассортимент. Определиться с сезонной обувью и ценовыми приоритетами. А также изучить образцы их оригинальной рекламы и подумать о ее экстраполяции на Россию.

— И это все... поручают мне?.. — Лиза не верила своим ушам.

— Не лично вам, Кузьмина, — отрезала Дроздова. — Просто вас *почему-то* — слова «почему-то» она недоуменно выделила — включили в состав делегации.

— Ура... — выдохнула Лиза. И спросила, без всякой задней мысли: — А кто еще едет?

И Дроздова скорбно перечислила:

— Генеральный директор. Оба его зама. Финансовый директор. Начальник отдела продаж. И, конечно, планировалось, что начальник отдела маркетинга... Но, ввиду отсутствия Аркадия Семеновича, директор выбрал вас.

— Хорошенькая компания!.. — восхитился от своего стола Берг.

— И когда поездка? — до сих пор не веря, спросила Лиза.

— Документы в посольство нужно сдать сегодня же, — вздохнула Дроздова. — Визы обещали поставить за один день, по ходатайству наших партнеров из Австрии. А вылет — в понедельник.

— Крутяк! — не удержалась от жаргонного словечка Лиза.

— Поздравляю вас, Кузьмина, — кисло улыбнулась Дроздова. И добавила, вдруг перейдя на «ты»: — Смотри, не оскандалься там, в Вене.

КОФЕ НА ТРОИХ

«Вот это мне повезло!» — думала Лиза, радостно вышагивая по коридору.

Она только что посетила секретаршу генерального. Презентовала ей коробку конфет из буфета и убедилась, что Дроздова не издевается и ничего не путает. Лизу действительно включили в состав делегации — по личному распоряжению директора «Стил-Оникса». «Конечно, планировали, что Ряхин поедет. А он заболел... И тогда шеф сказал: «Раз так, пусть Кузьмина едет. Она, конечно, еще молодая. Но толковая и цепкая».

— Ну и ну! — восхитилась Лиза. И не без кокетства спросила: — А я разве толковая?

— Нет, Кузьмина. Ты — цепкая, — парировала секретарша и велела: — Ну-ка, напомни свой домашний адрес. Мы курьера пошлем, пусть твой загранпаспорт прямо сейчас привезет. Так что предупреди свою бабулю, чтоб дверь открыла.

Лиза с нескрываемым удовольствием позвонила бабушке:

— Бабуль, я тут в Вену улетаю, через три дня... Ага, в командировку... К тебе сейчас курьер приедет, мой загранпаспорт заберет. Так что нихт шлафен, яволь?

— Яволь, яволь! — весело ответила старушка. (Кажется, единственный человек, кто за Лизину командировку искренне порадовался.)

И теперь Лиза танцующей походкой возвращалась в отдел. Вот повезло ей! В Вену, на целую неделю, да с начальством! «Наверное, первым классом полетим. И жить будем в пяти звездах! — предвкушала Лиза. — А с работой я, конечно, справлюсь. Подумаешь, делов: утвердить ассортимент. Для этого ничего, кроме здравого смысла, не нужно».

Плохо, конечно, что Дроздова на нее мегерой смотрит, — а уж Ряхин, когда из больницы выйдет, и вовсе вместо полдника сжует. Но, с другой стороны, если тебе никто не завидует — значит, ты ничего собой не представляешь. Несостоявшийся человек.

В коридоре она натолкнулась на Красавчика. Ник хмуро и торопливо шагал, на ходу просматривая какие-то бумаги. Но, увидев Лизу, сразу просветлел, остановился, спросил:

— Привет, Лизочка. Ты чего сияешь?

— В Вену меня берут! — похвасталась она.

— В Вену?.. Тебя? — не поверил Ник.

— Уже курьера домой послали. За моим загранпаспортом.

— Вот это здорово! — восхитился Красавчик. — А за какие такие... — он не договорил, смолк, смутился.

— За какие такие заслуги? — уточнила она. — Не знаю. Шеф сказал, что я толковая и цепкая.

— Он прав, наш шеф, — согласился Ник и предложил: — Слушай, давай это дело отметим. Немедленно. Чашечкой доброго кофе. — Он взглянул на часы. — Минут двадцать у меня есть, а у тебя?

— А у меня — только девятнадцать, — усмехнулась Лиза.

— Значит, объявляется перерыв на девятнадцать минут, — постановил Ник.

И по дороге в буфет рассказал очередной анекдот:

— Приходит Вовочка домой и рыдает: «Мама, училка опять наорала, что я не знаю математики! И поставила мне в дневник какую-то цифру...»

А Лиза, идя рядом с Красавчиком и смеясь над анекдотом, ловила на себе заинтересованные взгляды коллег. О том, что она едет в Вену, в «Стил-Ониксе», кажется, уже многие знали, и сотрудники мужского пола поглядывали на нее с уважением, а в лицах встречных девушек читалась нескрываемая обида: «Ну, за что все ей? И Вена, да еще и красавчик?!.»

«Считайте, девоньки, что я это все наколдовала!» — весело подумала Лиза.

ЛИЗА. ДНЕВНИК

20 апреля 20** года.

Опять как-то нехорошо на душе. Хотя внешне — все просто супер, и бабуля говорит, что она мною гордится... Да я и сама хотела бы гордиться: ведь у меня еще сроду не было никаких командировок. А тут сразу бац — и в Австрию, да еще и с начальством. Наташка, секретарша генерального, уже разболтала, что ей поручили заказать билеты в Венскую оперу... В общем, новый жизненный уровень.

Но что же тогда меня беспокоит? То, что коллеги завидуют, а Дроздова так просто ядом изошла? Или, может быть, я волнуюсь, что ко мне в Вене генеральный *пристанет*? Или страшно, что с работой не справлюсь?.. Нет, нет и еще раз — нет. Я ЗНАЮ: все у меня будет хорошо. А откуда взялась эта уверенность — сама не пойму... Но в последнее время я уже привыкла: интуиция меня теперь никогда не обманывает.

Ладно, хватит заниматься *страусианством*: прятать голову в песок. На самом деле я, конечно, знаю, ЧТО — НЕ ТАК.

Меня очень беспокоят наши отношения с Ником. Когда мы сегодня пили кофе, произошло целых две странности. Две странности — всего за девятнадцать минут, совсем немало!

Сначала мой Красавчик был чертовски мил, он попросил буфетчицу сварить нам «улучшенный кофе», и купил самых дорогих пирожных, и завалил меня своими неизменными анекдотами. А я его слушала, смотрела ему в глаза, читала в них искреннее восхищение и думала: «До чего же мне повезло!»

Но потом он на минуту замолк, склонился над чашкой, и я вдруг услышала фразу: *«Ясное дело, каким местом она себе поездку заработала».*

Голос был не такой, как у моего «карлика», а вообще непонятно чей: какой-то бесплотный. Но Ник этого не говорил, абсолютно точно, он в это время ел пирожное, и у него как раз растекся по пальцам крем. Но я все-таки спросила:

— Ты что-то сказал?

— Я? Сказал? — удивился Ник. — Нет, я нем, как рыба. А что?

— Мне показалось, что ты спросил, когда мы вылетаем в Вену, — соврала я.

— А, нет... Значит, точно послышалось. Этого я не спрашивал, — ответил он.

И я уловила в его голосе явное облегчение.

Ну, и как это понимать?

Неужели он действительно подумал, что я заработала Вену «одним местом»? И испугался, что вдруг произнес свою мысль вслух? (Ник ведь не знает, что говорить вслух ему совсем необязательно — когда на меня *находит*, я и так *слышу*...)

— Так когда ты летишь в Вену? — спросил Ник.

— Говорят, в понедельник, — ответила я.

В общем, неловкость была заглажена. И мы снова начали болтать как ни в чем не бывало. Ник рассказал, что на него уже повесили селекцию магазинов, в которых будет продаваться обувь из Австрии, и попросил:

— Ты уж, пожалуйста, меня не подведи. Я магазинам обещаю, что ассортимент будет — зашибись, очереди выстроятся, как во времена застоя.

И я пообещала, что буду выбирать каждую пару обуви, как для себя, а он галантно заявил, что не сомневается в моем безупречном вкусе. А потом мы решили, что до моего отъезда еще обязательно встретимся — не на девятнадцать минут, а нормально — и все-таки сходим в цирк или какой-нибудь классный ресторанчик. И мы уже стали договариваться, куда пойдем, как вдруг у него зазвонил мобильник. Он взглянул на определитель, нахмурился, извинился и ответил. Я, от нечего делать, конечно, прислушивалась к тому, что он говорил в трубку, но ничего интересного не услышала. Только: «Да, я понял. Да, разумеется». Я уже совершенно не сомневалась, что ему звонят по делу, и только жалела, что наши «девятнадцать минут» неумолимо истекают. И вдруг у меня в голове что-то будто щелкнуло, и я стала слышать не только Ника, но и того, с кем он говорил. Голосишко оказался девчачий. Пищучий, жалобный.

«Ник, миленький, ну ты ведь обещал!» — явственно расслышала я.

И — уже «в реале» — холодный ответ Ника:

— Возможно. И что дальше?

Трубка в ответ чуть не разрыдалась:

— Коленька, меня ведь мать теперь домой не пустит!

А Ник спокойно говорит:

— Боюсь, что эта проблема меня не касается. Ну, у тебя все? Тогда до связи.

И кладет трубку. А я опять не понимаю, что происходит — с ним или со мной, — и совсем нетактично выпаливаю:

— Кто это был?

И Ник спокойно отвечает:

— Да один деятель с оптового склада. Семь коробок с нашей обувью куда-то задевал и теперь на жизнь жалуется.

А я не отстаю:

— Это мужчина был?

— Конечно, мужчина, — удивляется Ник и смотрит на меня с укоризной. Кажется, он не ожидал такой въедливости и ревнивости, и голос его звучит абсолютно спокойно, а я снова теряюсь в догадках: что это было? Меня снова преследуют глюки — или же Ник так изощренно и нагло врет?

Я уже хочу пойти ва-банк и спросить напрямую: «Зачем ты врешь? Что это за девчушка и чем ты ее обидел?!» Но в последний момент вдруг понимаю: полная глупость получится, если я его об этом спрошу. Во-первых, есть шансы, что мне ПОСЛЫШАЛОСЬ и он действительно разговаривал с оптовиком. А во-вторых, даже если не послышалось... Кто я такая, чтобы лезть в его жизнь? В общем, как ни крути: если мне *показалось*, то Ник решит, что я просто психическая дура, которой, понимаешь ли, слышатся голоса. А если *не показалось* — то он тем более испугается. И я его понимаю: по-моему, это самая ужасная вещь в мире — общаться с человеком, который видит тебя насквозь...

В общем, конец нашего кофепития вышел скомканным. И мы так и не договорились, когда пойдем в цирк. Ник пообещал, что зайдет ко мне завтра и тогда мы решим. Я, конечно, проворковала, что буду ждать... А сейчас пишу дневник и понимаю: не хочу я с ним никуда идти. И даже самой себе не могу объяснить почему... Больше того: сегодня, после того как мы с бабулей поужинали, я заперлась в туалете и целых десять минут разглядывала фотографию серебряковского сердечного друга. В голове при этом вертелась целая куча неправильных мыслей. Совсем неправильных. Про то, что мужики делятся на порядочных и козлов. Про то, что порядочные достаются всяким овцам типа Серебряковой. И про то, что обаяние и смешной носик картошкой — ничуть не хуже, чем красота и мускулы, которыми так гордится звезда нашего «Стил-Оникса» Ник...

Нет, я ни в коей мере не претендовала на парнишку с фотографии. Он — серебряковский, а мне чужого не надо. Я просто смотрела в его милое, открытое лицо и жалела себя. Потому что, похоже, жизнь моя проходит зря. Зря я решила, что Ник — это тот человек, который мне нужен. Незачем по нему было сохнуть и незачем привораживать... И при всем моем колдовском таланте я по-прежнему на этом свете одна. Сама по себе.

ТОТ ЖЕ ДЕНЬ. ТОЧНЕЕ, НОЧЬ.

Впервые за долгое время я пишу в дневнике второй раз за один и тот же день. Точнее, сейчас уже далеко не день, а глубокая ночь. Часы показывают четверть четвертого. Даже бабушка, известная полуночница, уже спит, а я ворочалась, ворочалась, все бока себе оттоптала — а сна ни в одном глазу. Хороша я буду завтра на работе!

Как всегда во время бессонницы, я предавалась своим мыслям. Сначала они текли у меня по самым разным направлениям: куда я, например, поеду отдыхать летом и с кем... Как вести себя с Ряхиным, когда он выйдет из больницы, и не надо ли мне в самом деле подыскивать другую работу... Что взять с собой в Вену — сумку или чемодан, и не подкупить ли мне перед поездкой строгую белую блузку... Но потом все мои мысли свернулись в одно-единственное русло. Я стала думать о Красавчике, о наших с ним взаимоотношениях и о том, что с нами будет дальше. И странная вещь получалась: вроде наш с ним роман разворачивался как положено, словно по-писаному, — однако никакой радости по этому поводу у меня не было. И в ресторан он меня водил, и кофе угощает, и при встрече со мной расплывается в улыбке — однако остается в итоге от наших встреч какое-то горьковатое послевкусие, будто по ошибке вместо меда чайную ложку уксуса хватанула. И вроде ничего плохого по отношению лично ко мне он не сделал, никак не обидел, ничем себя передо мной не скомпрометировал — однако относиться я к нему стала как-то настороженно. Даже с опаской, что ли. Когда я теперь рядом с Ником нахожусь, в голове раздается что-то вроде тревожного звоночка. И какой-то голос будто шепчет: «Осторожней... Не сближайся с ним... Не болтай лишнего... Не влюбляйся в него...» И вот сейчас, когда мне не спится, я стала анализировать: а что случилось? Почему такое происходит? (Все равно бока без дела пролеживаются!) Ворочалась я, ворочалась, на разные лады прокручивая в голове все наши встречи со всеми подробностями. Вспоминала и то, что слышала во время них от своего «карлика» — и вдруг поняла. *Слово* было произнесено — и меня будто холодной водой окатили. Все стало на свои места. Все объясняется: и девушка с порезанными запястьями, что чудилась мне, когда мы с Красавчиком ходили в «Шафран», и тот скупой и осторожный разговор, что он вел сегодня по мобильнику!..

А *слово* мое было такое: он, Красавчик — просто *бабник*. Да, бабник — элементарный, вульгарный, безвкусный. Он — один из тех отвратных мужиков, что любят трофеи: образно говоря, скальпы побежденных им женщин. И обожают хвастаться перед друзьями: «А я и ту... и эту... и вот эту тоже». Фу, ненавижу!

А когда я это поняла (а теперь вот и записала), мне сразу стало и как-то горько (опять жизнь поманила по губам вкусненьким — да мимо рта и пронесла!), но, одновременно, и очень легко. Легко оттого, что я поняла, что у Красавчика со мной этот номер не пройдет. Когда мы были с ним в «Шафране» — мог бы пройти. А теперь вот дудки. Я вижу его, вижу как облупленного. Пусть ищет дурочек в другом месте!

Но почему всегда так бывает? Что за несправедливость! Если красавец — так сразу сволочь? Если на меня обратит внимание — так обязательно из подленьких своих соображений?

Впрочем, не буду прибедняться. Ведь это я сама первая на Красавчика глаз положила. И даже к колдуну из-за него пошла. Так что некого из-за него винить, кроме как собственную неразборчивость и недальновидность. Впредь буду умнее. Не все то золото, что блестит. А он, Красавчик, пусть катится колбаской по Малой Спасской. С ним — все, решено и подписано. Урод он недоделанный!

...Но когда я без сна сегодня лежала, я не только о Нике этом злополучном думала. Еще мне не давал покоя тот список, что я видела на столе у колдуна. Его я запомнила хорошо, до буковки, а, придя домой, для верности еще и переписала. Все мне казалось, что я уже где-то одну из этих фамилий видела. Самую первую: Чернобривец. Но где? И когда? И по какому поводу? Никак не могла вспомнить. А сейчас решила: чего я зря мучаюсь? Включила домашний компьютер, вышла в Интернет и забила имя *«Чернобривец»* в поисковый сервер. На фамилию оказалось семь ссылок — все датированы одним числом, примерно двухнедельной давности. Я открыла одну из них, вторую, третью... Все сообщения были с информационных лент разных газет, телеграфных агентств и телекомпаний. И все — об одном и том же. Вот одно из этих сообщений, я его распечатала. (Остальные были на него похожи и различались только степенью подробностей.)

Вчера было совершено разбойное нападение на зам. генерального директора НИИ «Гальванопластика» Романа Чернобривца. Около девяти часов вечера г-н **Чернобривец**, *возвращавшийся с работы, вошел в подъезд своего дома по улице Удальцова. Здесь на него напал неизвестный в маске, нанесший г-ну Чернобривцу тяжкие телесные повреждения. В тяжелом состоянии* **Чернобривец** *был доставлен в больницу. Интересно, что ни денег, ни других ценностей у г-на Чернобривца не пропало. Его коллеги по работе категорически исключают также версию разборки, имеющей отношение к профессиональной деятельности пострадавшего. Никакой коммерцией г-н* **Чернобривец** *не занимался и курировал в своем НИИ вопросы науки».*

Так вот оно что! Понятно, откуда я слышала фамилию несчастного Чернобривца. Радио и телевидение две недели назад сообщали о происшествии — вот и отложилась в моей памяти необычная фамилия. Но возникает другой вопрос: есть ли связь данного происшествия с моим колдуном и его списком? И если да, то какая? В списке колдуна, кстати, фамилия Чернобривца единственная была отмечена кружком...

Нет, все! Спать! Голова уже совсем не варит! Да и мудрено ли — уже без пяти четыре утра! Сейчас утащу у бабулечки четвертушку снотворной таблетки — и спать, спать! Как бы мне завтра будильник-то не проспать, а? Поставлю-ка я себе еще один — тот, что в сотовом телефоне. Вот завтра утром трезвону будет! Кот с бабушкой с ума сойдут!

Глава 10

ЛИЗА. ЕВРОПА

Последняя, самая страшная, воздушная яма осталась в весеннем небе. Шасси самолета тяжело стукнули по бетонке.

— Слава богу, сели. — Пожилой зам генерального с облегчением отстегнул ремень безопасности.

Лиза открыла глаза: всю посадку она притворялось, что спит. Не хотела показывать, как волнуется, пока самолет снижается, кренится и надсадно ревет.

— Гутен таг, Елизавета! — улыбнулся финансовый директор. — Мы уже за границей!

Лиза взглянула на часы: половина первого по московскому. А по местному — совсем рань, половина одиннадцатого.

— Пока еще гутен морген.

— А мне уже хорошо! — живо откликнулся финансовый. И тут же предложил: — Ну, что — по глоточку, за успешное приземление?

С этим «по глоточку» финансовый директор ее просто извел. Весь полет пытался напоить. Похоже, он считал, что самолеты созданы для того, чтобы лакать в них виски из «дьюти-фри». Но пить по утрам, да еще и с начальством, — благодарю покорно.

— Спасибо, для меня все равно слишком рано, — твердо отказалась она.

— Не хочешь — как хочешь, да тут и осталось полглотка, — проворчал финансовый директор.

«Ну, ты и пьянь! — беззлобно подумала Лиза. — А впрочем, один он, что ли, такой? Полсамолета, кажется, уже под газом. Традиция у нас, у русских, такая...»

К их креслам подошел генеральный. Тоже не очень трезвый, но держится молодцом, по-деловому.

— Сейчас быстро едем в гостиницу. Переговоры с австрийцами — в пятнадцать ноль-ноль.

— Сегодня?! — не поверил финансовый. — А отдохнуть с дороги?

— Ты что, отдыхать сюда приехал? — пожал плечами шеф.

Когда начальник отошел, финансовый простонал:

— Ну, все. День пропал.

И единым глотком прикончил виски.

Лиза тоже расстроилась: погулять по Вене сегодня, похоже, не удастся. Хотя... не продлятся же переговоры до утра? А бродить по Вене ночью — наверное, еще романтичней, чем днем.

Лиза нисколько не сомневалась: ей тут понравится. Уверенность в этом возникла еще в Москве — а сейчас, когда они вошли в здание аэропорта, она почувствовала себя просто восхитительно. Будто не за границу приехала, а домой. В город, где родилась, ходила в школу и первый раз целовалась. В место, которое любишь и частью которого являешься...

Так странно! Ее совершенно не удивил аэропорт: возникло ощущение, что она уже сто раз здесь бывала. Потом за окном микроавтобуса понеслись знакомые улицы, знакомые дома... и гостиницу, в которой поселилась делегация из «Оникса», Лиза тоже где-то видела...

— Нравится в Вене? — светски спросил ее генеральный, когда они ехали на переговоры.

И Лиза искренне ответила:

— Мне не просто нравится. Такое ощущение, что я здесь живу...

Ее не расстроили даже долгие переговоры — хотя, как и предсказывал финансовый директор, они затянулись до поздней ночи.

Сначала обсуждали детали контракта, а потом засели в просторном конференц-зале с проектором и утверждали ассортимент.

— Видеть эти калоши уже не могу. — Финансовый директор украдкой взглядывал на часы и вздыхал.

Но огромный экран безжалостно мигал и выплевывал очередную картинку: еще одну пару вечерних туфель. Острый каблучок, тоненькие перепоночки...

«Ох, красота!» — в который раз восхитилась Лиза.

Пожилой зам. генерального смерил изображение презрительным взглядом, проворчал:

— Изящны до эфемерности...

«Кожаная подошва, верх — из бархата, изумительное переплетение тесьмы, актуальный каблук!» — представитель австрийцев разливался таким соловьем, что переводчик за ним едва поспевал.

— Минуточку, — остановил его генеральный.

Переводчик тут же замолк и облегченно потянулся к стакану с водой. Австриец нервно облизнул губы.

Генеральный с сомнением разглядывал изображенную на экране туфельку.

— Лиза, у меня вопрос к вам. Каблук у модели — пятнадцать сантиметров. Для вас, девушек, это действительно актуально? Или сказать немчуре, чтоб не врал?

— Он не врет. Туфли, правда, очень красивые, — пожала плечами Лиза. — Но непрактичные.

— Вот и я о том же! — подхватил генеральный. — Никто их сроду не купит!

— Купят, — спокойно сказала Лиза. — На свадьбу к лучшей подруге. Или на прием в посольство.

— Ваши рекомендации по поводу этой пары? — Генеральный смерил ее пристальным взглядом.

— Я бы посоветовала взять, но в ограниченном количестве, — не смутилась Лиза. — Для каждого магазина — максимум две-три пары. Ведь свадьбы и приемы бывают нечасто...

— Уговорили, — кивнул директор. Сделал пометку в блокноте и махнул австрийцу: продолжай, мол.

Австриец с удивлением посмотрел на Лизу: кажется, он не ожидал, что к мнению какой-то девчонки прислушиваются. А она откинулась в кресле и с трудом удержалась от торжествующей улыбки. До чего же приятно, когда мужчины — успешные, самодовольные, умные — признают, что женщина тоже способна на дельные решения! И как здорово, что она — за границей, в обществе крутых бизнесменов, в шикарном костюме! Как же ее венская жизнь отличается от московской — от окраинной квартирки, переполненных автобусов, бесконечных придирок Ряхина с Дроздовой...

И Лиза мимолетно подумала: «Как добиться того, чтобы все это — плотный график, красивый конференц-зал, дорого одетые мужчины — и стало моей настоящей жизнью?»

ХУДОЖНИК. НА СВЕЖЕМ ВОЗДУХЕ

Вилла располагалась на горе. Внизу, в хрустальном воздухе, расстилался Баден.

По российским стандартам вилла была крошечной. Любой обитатель Рублевского, Новорижского или Осташковского шоссе смотрел бы на нее свысока: сверху вниз из окон своего замка. Однако на фоне здешних, совсем не новорусских жилищ особняк, наоборот, выделялся своими размерами и статью. Все, что требовалось для жизни, в нем имелось, и даже с избытком.

Три спальни, каждая с ванной комнатой, гостиная с камином, сауна с душем, телевизор со спутниковой тарелкой. В кухне — полный набор бытовой техники, вплоть до измельчителя мусора. Холодильник, вышиною до потолка, забит пивом «Гессер», минеральной водой, манговым и апельсиновым соком и всяческими сырами, сосисками и замороженными шницелями.

В гостиной от высоких венецианских окон много света, ухоженный палисадник скрыт от дороги домом, и ничто не мешает работать. Тем более что особняк был в полном моем распоряжении, и в ближайших четыре месяца никто не собирался нарушить моего уединения.

Я запер дом и спустился во двор. Вышел из калитки. Извилистая Моцартштрассе круто уходила вниз. И справа, и слева стояли чистенькие, прилизаненькие особнячки. Рядом с каждым — аккуратно припаркована машина. Австрийцы ленились и не загоняли их во дворы и гаражи. Никто здесь, похоже, не боялся хулиганов или угонщиков.

Я пошел по улочке вниз, к центру городка. Воздух был прозрачен, и дышалось мне необыкновенно легко. Подо мной расстилались крыши Бадена, среди них возвышалась колокольня кирхи Святого Стефана, а вдали, в весеннем воздухе, виднелась автострада, ведущая к столице, и виноградники.

В гору, навстречу мне, шел мальчик. Он катил рядом с собой велосипед. Мальчик поздоровался со мной. Я машинально ответил: «Гутен таг».

Здесь, в Бадене, все здоровались со всеми, даже незнакомые, — как в старой русской деревне.

Старик в пиджаке с галстуком, с трудом сгибаясь, влезал внутрь своего старенького «Пежо-605». Сел на водительское сиденье и постучал друг о друга высунутыми наружу идеально начищенными башмаками, сбивая с них невидимые миру соринки. Он приветливо поздоровался со мной, а я — с ним, хотя видел его первый раз в жизни.

Я спустился с горы и вступил в равнинную часть городка. Тут, на едва ли не самых старинных в Европе водах, ничего, похоже, не изменилось за последних пятьсот лет. Узкие улочки, казалось, помнили сосредоточенные прогулки Бетховена, писавшего здесь «Героическую симфонию», и веселые беспутства нашего царя Петра Великого.

В Ратушном переулке, где стоял дом Бетховена, из окон можно было, высунувшись, дотянуться до дома напротив. Но никто из окон не высовывался, они были наглухо зашторены от нескромных взглядов, а в одном из них между рам стояла, на виду у прохожих, коллекция кошек: разнопородных, разномастных, разножанровых.

В парикмахерской, окна которой кругом выходили на площадь, все кресла были заняты. В каждом — млела под руками мастерицы старушка с седыми буклями. Пять кресел — пять мастериц — пять старушек.

Именно таким я всегда представлял себе *Покой*: средневековый ленивый город в окружении виноградников.

Не зная зачем, я оказался на главной торговой площади. Отсюда в столицу следовал скоростной трамвай. Трамвай отходил строго по расписанию, каждые полчаса. Я поглядел на часы: одиннадцать двадцать пять. Я подумал, что еще ни разу толком не был в столице. Спокойствие, конечно, состояние хорошее, но мне стало не хватать суеты, круговерченья людей и трафика. И неожиданно даже для самого себя купил за девять евро билет на трамвай и вошел внутрь ультрасовременного вагона.

Я сел в кресло у окна. Кресло было мягкое и с подголовником. В этот полдневный час пассажиров оказалось мало: два-три на вагон. В моем вагоне сидела парочка: молодой негр и белая девчонка с клипсой в носу. Девчонка что-то принялась выговаривать негру. Тот молчал и хмурился, отвернувшись к окну.

От нечего делать я стал рассматривать билет на трамвай.

Разглядел число и вздрогнул. Я совсем и забыл об этом. Завтра наступал тот самый день, что был отмерен мне для смерти моим неведомым недоброжелателем.

ЛИЗА. ВОПРЕКИ ЖЕЛАНИЮ

За два дня Лиза настолько срослась с Веной, что ей не хотелось верить: послезавтра уже домой. Как она уедет, если тут ей нравится все? Улицы, дома, соборы, фиакры, магазины, памятники... Кондитерские с мраморными столиками. Старушки с идеальным маникюром и аккуратными букольками. Мужчины в прекрасно сидящих костюмах и дорогих галстуках...

Честно отучаствовав во всех переговорах, с официальных экскурсий Лиза улизнула. Ее совсем не интересовали туристические достопримечательности из окна автобуса. Куда милее простая, будничная венская жизнь. Вот у подъезда останавливается такси. С переднего сиденья выпрыгивает мужчина, он бросается распахивать заднюю дверцу и помогает выйти красивой женщине с младенцем на руках. Она улыбается ему, протягивает ребенка, мужчина неуверенно умещает на груди крошечный сверток... И оба, нежно поглядывая друг на друга, входят в подъезд, а прохожие растроганно улыбаются. Лиза тоже улыбается и думает: «Почему я смотрю на них со стороны? Почему я — не часть этой жизни?!»

Московские проблемы откатились далеко-далеко, за Дунай. Грозный Кирилл Мефодьевич, неутомимая в своей глупости Дроздова, двуличный Красавчик Ник, Серебрякова со своей несчастной любовью — все они потеряли свои роли, из главных героев превратились в статистов с сакраментальным «Кушать подано». Лиза вспоминала только про бабушку, про кота и про подругу Сашку — да и то изредка, перед сном, мимоходом. А днем она упивалась Веной, впитывала в себя ее запахи, звуки, ритм, стиль... Она сидела в кондитерских, бродила по магазинам, отвечала на дежурные улыбки прохожих и никак не могла поверить в то, что уже через день это все кончится. Навсегда. Навеки. Вопреки ее желанию.

ХУДОЖНИК. ГРАНИТНАЯ СКАМЬЯ

Ровно через шестьдесят две минуты, как и положено по расписанию, бесшумный вагон перенес меня в центр Вены. По Рингу катили свежеумытые автомобили, через дорогу возвышалось здание знаменитой Оперы.

Пройдя длинным подземным переходом, я оказался в устье пешеходной Кертнерштрассе. Здесь было все, что я любил в городах: толпа, витрины, шум голосов, обрывки смеха. Хотя вовсю припекало весеннее солнце, публика еще не определилась со своим отношением к погоде: шли люди в пальто, но кое-кто щеголял в шортиках. Клином двигались неутомимые туристы-японцы. У магазина «Саламандер» двое толстых нищих пели что-то жалобное по-польски. Витрины манили покупателей, и я подумал, что скоро мне понадобится летняя одежда: майки, шорты и плавки.

Время было обеденное. Народ нырял в кондитерские и ресторанчики и выныривал из них, жевал на ходу франкфуртеры и пиццы. Наслаждаясь человечьей суетой, я дошел до Штефанплац. Здесь, в самой сердцевине города, я уселся на гранитную скамью и принялся рассматривать готический фасад собора Святого Стефана.

Люди шли по площади в разных направлениях и с разными целями. От стоянки фиакров разносился деревенский запах навоза. Живая скульптура изображала даму в серебристом платье восемнадцатого века. Ее лицо было покрыто серебряной краской. В консервную банку брякались монетки, и в ответ на каждый звяк дама оживала и присаживалась в реверансе. Гиды в нелепых пелеринках приставали к туристам. Слышались щелчки затворов фотоаппаратов и жужжание видеокамер.

Я подумал, что я здесь, в сущности, очень одинок. В Бадене это почему-то не так чувствовалось, но ритм большого города как-то особо подчеркивал мою обособленность.

И тут, словно по заказу, словно услышав мои мысли, рядом со мной на скамейку опустилась девушка.

С первого же взгляда я понял, что она — моя соотечественница. Во-первых, в руках у нее были два бумажных пакета: один с лейблом «Гуччи», а другой — «Бенеттона». Слишком странное для местных обитательниц сочетание роскоши и демократизма. Но, во-вторых, и это главное, девушка оказалась такой красоты и милоты, каких просто не бывает среди мужиковатых австриячек.

Девушка окинула меня рассеянным взглядом. Затем ее брови нахмурились. Она захлопала глазами, а потом уставилась на меня с таким выражением, словно увидела привидение.

— Что с вами? — спросил я ее по-русски.

Она нервно усмехнулась, а потом утвердительно сказала:

— Вы — Евгений Боголюбов.

Вряд ли моя художническая слава распространилась по Европе столь широко, что меня стали узнавать в лицо — да еще очаровательные соотечественницы. Я спросил:

— Откуда вы меня знаете?

— Вы — бойфренд Серебряковой.

В первый момент я даже не понял, о какой еще Серебряковой идет речь, а потом сообразил: имеется в виду моя московская знакомая, толстуха Валька. Значит, Валька называет меня своим бойфрендом? Ну-ну. Я бы не рискнул, честно говоря, назвать Серебрякову своей подругой. Никакая она мне была не подруга. Как ни пошло это звучит, она служила моим вполне низменным целям: с ее помощью я удовлетворял собственный половой инстинкт.

— И вы — вы сбежали от Серебряковой, — добавила девушка. В ее словах прозвучала обличительная нотка.

— А вы что, из лиги защиты брошенных женщин? — Я постарался проинтонировать свой вопрос так, чтобы он прозвучал не обидно, а юмористически.

— Я — подруга Серебряковой. Ну, точнее, не совсем подруга, а знакомая. Но все равно! Серебрякова вас искала. Все больницы, все морги обзвонила — а вы!..

— Действительно, нехорошо получилось, — пробормотал я, не чувствуя, однако, ни тени раскаяния.

Странный у нас получался разговор. В самом сердце Вены, у собора Святого Стефана, сидят на каменной скамье двое русских. Они только что познакомились — здесь, в центре Европы, как будто собственной страны им мало. Кругом снуют по разным направлениям сотни венцев. Туристы любуются готическим фасадом собора, фотографируют — а эти двое уже выясняют отношения. Действительно, загадочные русские души.

— Куда же вы исчезли? — спросила девушка, и в тот момент я отчетливо понял: она нравится мне. Нравится — до какой-то сердечной судороги. Настолько, что хочется смотреть в ее лицо бесконечно. И еще почему-то мне с ней было легко — кажется, можно болтать о чем угодно, и она все поймет.

— Куда я исчез — долгая история, — ответил я, не сводя с нее глаз.

— Расскажите, — настойчиво проговорила она, будто имела право требовать объяснений.

— Хорошо — но давайте не здесь. Может, выпьем вместе по чашечке кофе? — Я произнес это довольно безразличным тоном, но мне вдруг стало страшно, что она отрежет безразлично «нет» и уйдет, и больше я ее никогда не увижу. Я не мог ей этого позволить! И еще я страшился, что она начнет выкаблучиваться: «Да я спешу... да в другой раз... мол, я с незнакомыми в кафе не хожу...» — и тогда все ее очарование разрушилось бы: терпеть не могу жеманниц. Но она тряхнула головой и безо всякого кокетства сказала:

— Давайте. — Она указала на кафе «Аида» справа от собора. — Там?

— Нет. Это ширпотреб. Я знаю другое место. Здесь неподалеку. Там пирожные — еще вкуснее петербуржских.

Я встал со скамейки. Она тоже поднялась. Я понял, что она принимает приглашение, и от мысли, что она проведет со мной хотя бы ближайших полчаса, радостная и теплая волна разлилась по моему телу.

— Пирожные вкуснее петербуржских? — рассмеялась она. — Так не бывает.

Она доверчиво взяла меня под руку, и мне очень понравился этот жест.

— Бывает, — убежденно сказал я. — Есть же в

русском языке устойчивое сочетание «венские пирожные». А вот «петербуржских пирожных» — нет.

Мы пошли в сторону Хофбурга, бывшей императорской резиденции. Здесь, в центре Вены, до всего было рукой подать, как в каком-нибудь Воронеже, — правда, красивее, чем в Воронеже. И гораздо буржуазней.

— Вы первый раз в Вене? — спросил я.

— Первый, — кивнула она. — И всего третий день. А вы?

— А я — во второй раз. Правда, я живу неподалеку.

Залог успешных отношений с девушками — даже теми, которые очень нравятся, — навести побольше тени на плетень. Девушки обожают загадочность.

— А где вы живете? — конечно же, поинтересовалась она.

— Здесь, в пригороде.

Она кивнула, будто все поняла, и воздержалась от дальнейших расспросов.

— Мы, кстати, с вами, — заметил я, — в совершенно не равных условиях.

Она вопросительно посмотрела на меня — на ходу, снизу вверх.

— Моя так называемая подруга Серебрякова, — пояснил я, — все вам, наверное, про меня рассказала. Что-то приукрасила, что-то наврала...

— Ничего такого мне про вас Серебрякова не рассказывала, — прервала она меня. — Только жаловалась, что вы исчезли. И не думайте, пожалуйста, что девушки только и делают, что парней обсуждают.

— А о чем же вы тогда говорите? — усмехнулся я.

— Есть много других, гораздо более интересных тем.

— Например? Фасоны кофточек?

— И это тоже, — улыбаясь, кивнула она.

Мне казалось, что разговор доставляет моей спутнице удовольствие. Время ланча закончилось, и на улице стало ощутимо меньше народа, только разрозненные группки туристов поспешали туда-сюда, да брели одетые с иголочки пенсионеры. По улице Кольмаркт, полной магазинов — от фешенебельных до простецких — мы подходили к Хофбургу.

— Но, — сказал я, придерживая спутницу за руку, — я хотел спросить вас о другом. О самом важном. — Она недоуменно посмотрела на меня. — Как вас зовут?

— Ну, это просто, — улыбнулась она. — Зовут меня Лиза.

— Очень приятно. А вы — бедная Лиза или богатая Лиза? — спросил я, ерничая.

— Я — обеспеченная Лиза, — отбрила она.

ХУДОЖНИК. МОМЕНТ ИСТИНЫ

Мы дошли до кондитерской «Демель», где в витрине была выставлена шоколадная голова императора Франца-Иосифа.

— Эта кондитерская была поставщиком двора его императорского величества, — сказал я. — В начале двадцатого века светские львы, включая принцев крови, хаживали сюда с актрисками.

— Откуда вы знаете?

— Читаю на ночь путеводитель по Вене, — усмехнулся я (что было чистой правдой).

Мы вошли внутрь. За старинными прилавками в несколько этажей громоздились горы вкусностей. Глаза у меня разбежались. У Лизы, по-моему, тоже. Наконец я остановил свой выбор на пирожном

«Шварцвальд» (или, в отечественной трактовке, «Черный лес»). Она предпочла знаменитый торт «Захер» со взбитыми сливками. Пить она захотела эспрессо, а я, словно истинный австрияк, меланж[1]. Я сделал заказ метрдотелю в черной бабочке, дежурившему у прилавка. Тот спросил, в каком зале мы предпочитаем сидеть: для курящих или нет. Лиза, слава богу, не курила.

Мы заняли позиции за мраморным столиком. Сквозь прозрачную стену посетители кафе могли рассматривать, что творится на кухне. Там две раскосые кондитерши (кажется, китаянки) месили тесто. Женщина европейской наружности в стерильно белом халате и золоченых очках вылепляла пирожные. Движения кондитеров были точными, спорыми и экономными. Лиза засмотрелась на реалити-шоу за стеклом — да и было на что посмотреть. Официантка принесла нам кофе и пирожные. «Битте шен!» — пропела она. «Данке!» — откликнулся я машинально.

— Ну, может, все-таки расскажете, что с вами случилось? — сказала Лиза, строго глянув на меня. — Мы ведь за этим сюда пришли.

— Сказать честно, почему мы сюда пришли? — Я посмотрел Лизе прямо в глаза.

— Почему?

— Потому что вы мне очень нравитесь.

Она слегка смутилась и искоса бросила взгляд по сторонам: слушает ли кто наш разговор. Хотя все столики в кафе были заняты лощеными, красивыми людьми, не было ощущения, что кто-то из них по-

---

[1] Кофе с молоком наподобие капуччино.

нимает по-русски. Лиза ковырнула пирожное и сделала глоток эспрессо.

— Но все-таки хотелось бы услышать ваше объяснение, — проговорила она.

— Объяснение чего? Или — в чем?

— Почему вы скрылись из Москвы, никого не поставив в известность?

— А кого я должен был ставить в эту самую известность?

— Хотя бы Серебрякову.

— Валюху? А зачем?.. Лизочка, миленькая, послушайте! Как бы это объяснить? Неужели вам никогда не хотелось убежать из своей собственной жизни? Развязаться с нею — и удрать? И начать все на новом месте — с нуля, с чистого листа?

— Но ведь должны же быть у человека какие-то обязательства!

— Обязательства? Перед кем — конкретно? Я не женат. Детей у меня, к счастью, нет, родителей, увы, — тоже. Друзья? Таких друзей, чтобы по мне тосковали, не имеется. Правда, у меня был кот. Его я сдал в надежные руки. Скучаю по нему, конечно.

— А как вашего кота зовут? — неожиданно спросила она.

— Дуся. Но он — мальчик. Это очень грустная история.

— А моего кота зовут Пират, — сказала она, улыбнувшись.

— Он не девочка? — усмехнулся я.

— Нет.

— Значит, ему с именем повезло больше.

— А вы не совсем пропащий, — вдруг заявила она.

— Что вы имеете в виду?

— О коте вы все-таки позаботились. Но почему ничего даже не сказали Серебряковой?

— Да что вы ко мне цепляетесь с этой Серебряковой?! Кто она мне? Жена? Невеста?

— Я так поняла, что вы с ней собирались пожениться.

Я был поражен до самой глубины души.

— Я?! Пожениться?! Да с чего вы взяли?!

Она дернула плечиком.

— Она сама мне так сказала.

— Мы — жениться?! — Я действительно был удивлен. — Да не смешите мои тапочки. Мы просто так встречались, проводили время.

— Она мне говорила совсем по-другому.

— Ну, не знаю, чего там Серебрякова себе нафантазировала, и вам, милая Лиза, понарассказывала, да только у меня по отношению к ней никаких обязательств нет. Честно. Я ей ничего не обещал. И уж чего-чего, а жениться на ней никак не собирался.

Я не большой физиономист, но, по-моему, Лизе понравились мои последние слова — хотя она попыталась скрыть это под маской осуждения и женской солидарности: ай-яй-яй, и не стыдно ли вам морочить голову девушкам, обманывать их в самых лучших чувствах!

— А как это вам удалось, — вдруг спросила она, — взять и сбежать?

— Только между нами, хорошо?

Она улыбнулась:

— Постараюсь.

— Знаете, по-моему, случилось чудо. Прямо-таки какое-то колдовство...

Мне показалось, что при последних словах девушка вздрогнула и слегка покраснела. Я подумал: «Что это с ней?» — но все равно продолжил рассказ.

— Не знаю, слышали вы или нет, но я художник.

Она утвердительно кивнула.

— И вот в один прекрасный день, — продолжил я, — мой маршан Андрюха — человек, занимающийся продажей моих картин — привел ко мне в мастерскую покупателя. Это был русский, нефтяной и газовый король. Его фамилия Шевченко. Он уже нахапал достаточно денег, поэтому совершенно отошел от дел. Живет Шевченко постоянно за границей. У него тут, кажется, три дома: во Франции, в Голландии и здесь, в Австрии. А чтобы заполнить свой досуг, занимается коллекционированием. Собирает современное российское искусство. Ему мои картины понравились, и он купил их все, что были, — разом, оптом. Потом мы с ним обмыли сделку, и он мне предложил: не хочу ли я пожить у него на вилле — здесь, в Австрии? Все равно она пустует, а он проживает в другом месте. Он обещал обеспечивать меня всем необходимым, платить мне что-то вроде стипендии — довольно, замечу, высокой, — а вдобавок заверил, что станет скупать все картины, которые будут выходить, так сказать, из-под моей кисти. Ну не чудесно ли?

Лиза слушала с интересом и спросила:

— А зачем ему это все надо?

— Видите ли, если он вывозит готовые картины из России, это для него — морока. Целая головная боль. Надо отправить их на экспертизу в Министерство культуры и ждать неизвестно сколько результатов. А вдруг мои полотна признают художественным достоянием и вывозить из страны запретят? А так он просто и без хлопот скупит все, что я напишу здесь.

— Он построил для вас золотую клетку, — прокомментировала Лиза, отправляя в рот очередной
кусочек «Захера» со взбитыми сливками.

— Нет! — воскликнул я. — Он создал для меня
Покой. Тот самый, с большой буквы, о котором меч-
тают все художники. Неизвестно, чем я его заслу-
жил.

— Значит, пришел человек, предложил вам смыть-
ся, и вы сразу же согласились?.. — прищурилась девушка.

Я пожал плечами.

— А почему нет? Дальше все произошло настолько быстро — я даже не ожидал. Мой меценат взял на
себя все формальности. Мне очень быстро сделали
визу, страховку, билеты. Через два дня я уже сидел в
самолете, улетающем сюда, в Вену.

Лиза покачала головой — то ли восхищаясь, то
ли, наоборот, не одобряя. А я спросил себя: «Какого
дьявола я так разоткровенничался? Выложил первой
же встречной, случайно попавшейся на пути девчонке всю свою подноготную!» А потом сам же себе
ответил: «Она, может, и случайная встречная, но не
первая попавшаяся. Это не Серебрякова. Совсем не
Серебрякова. Лиза мне нравится. Очень нравится».

— И это все? — Она проницательно глянула мне
в глаза.

— В каком смысле? — опешил я.

— В смысле — вы все мне рассказали, почему уехали из Москвы? Может, было еще что-то?

Тут я почувствовал, что теряюсь. Почему она
вдруг спросила? Что она может знать о той странной
цепи неприятных инцидентов, которые преследовали меня вплоть до отъезда? О «Кукушечке-два», за-
блокированной кредитке, загадочном письме, напи-

санном моим почерком? Да нет, откуда! Об этом никто не знает, кроме меня! Я никому ни слова не рассказывал! Или она просто, в излюбленном женском стиле, берет, что называется, на понт? Может, хочет знать, не бегаю ли я от алиментов? Или от какой-нибудь обрюхаченной мною девчонки?

— Что вы, Лиза, имеете в виду? — переспросил я, переборов смущение и строго глянув на нее.

— Ничего, — невинно ответила она. — Я просто спросила.

И она, в свою очередь, тоже, кажется, смешалась.

Дальнейшее наше пребывание в кафе «Демель» ограничилось обменом дежурными репликами. Будто мы в нашем разговоре подошли к какой-то пропасти, заглянули в нее, испугались (причем — оба!) и отступили назад, на надежное, ровное пространство обычного трепа. Я спросил, надолго ли она в Вене и когда собирается назад, в Москву. Она сказала, что приехала позавчера, а послезавтра у нее уже самолет домой, — и сердце у меня сжалось. «Господи, — мысленно воскликнул я, — если уж ты сделал так, что мы встретились, то почему же разлучаешь нас так быстро?!»

Потом мы доели пирожные, допили кофе, она сделала робкую попытку заплатить сама за себя (попытка была пресечена на корню). Я расплатился, оставив щедрые, по местным меркам, чаевые. Она спросила:

— Очень дорого?

— Не дороже, чем в московском дурацком «Кофе-Хаусе», — ответил я, и это было почти правдой (я заплатил восемнадцать евро).

— А вкуснее в пятьсот раз, — непосредственно воскликнула она.

И мы вдвоем вышли из кафе на Кольмаркт.

ХУДОЖНИК. ЭТО ЛЮБОВЬ?

Я спросил ее о планах на вечер. Она сказала, что у нее намечен поход, вместе с делегацией, в Оперу. Увидев, что я огорчен, она не без умысла сказала:

— Зато завтра я целый день свободна.

— Отлично. Тогда я похищаю тебя на весь день. — Я сам не заметил, как перешел на «ты».

— Похищаешь? — кокетничая, она тоже, естественным образом, соскочила на «ты». — С какими целями?

— С самыми далеко идущими.

Она расхохоталась.

Потом я проводил ее до гостиницы. Ей надо было перед Оперой оставить в номере покупки и переодеться. Шли мы в отель не спеша, и я показывал Лизе те достопримечательности, которые уже знал сам: дом, где жил Моцарт (дворик, как петербургский, только сжатый раз в пятнадцать; этажи по-одесски опоясывала лестница). Завел в крошечный «Американский бар» с зеркалами — творение знаменитого современного архитектора Лооса. Потом мы пошли дальше: мимо «Сецессиона» — здания в стиле модерн с золотым ажурным шаром на крыше. Я рассказывал ей, что помнил, о Шиле, Климте, Кокошке[1] и увидел, что эти имена Лиза слышит едва ли не впервые, — но мог поклясться, что ей было интересно.

Вскоре мы пришли — ее гостиница «Моцарт» находилась неподалеку от Ринга. Часы показывали половину пятого вечера. Я сказал, что буду ждать ее на этом самом месте завтра в одиннадцать утра. Она

---

[1] Австрийские живописцы, прославившиеся в начале XX века.

сказала «хорошо» — и осторожно, приподнявшись на носки, поцеловала меня в щеку.

Она исчезла за вращающимися дверями гостиницы, напоследок помахав мне рукой. И в тот момент, когда Лиза скрылась из вида, мне показалось, что солнце, освещавшее весеннюю Вену, будто бы стало тусклее. Я даже удивленно глянул в небеса: не набежало ли облачко. Нет, небо было таким же, как прежде: синим, по-весеннему далеким. «Неужели, — подумал я, — на меня оказывает такое воздействие девушка: своими блещущими глазами, своей солнечной улыбкой?! Неужели, черт возьми, я опять не удержался — и втюрился?! Ох, как не своевременно, как глупо!.. Завтра у нас с ней — один день. Единственный. Первый, он же последний. А потом она вернется в Москву, я останусь здесь, и... И все. И зачем я только уехал в эту дурацкую Австрию! Хотя — если б я не уехал, как бы мы, спрашивается, познакомились?»

Не разбирая дороги, я шел по умытым улицам австрийской столицы, а потом спохватился: раз уж я в Вене, надо сделать одно дельце, которое давно задумывал. Опять же к завтрашнему свиданию с Лизой наверняка пригодится.

ЛИЗА. ДНЕВНИК

*28 апреля 20** года.*

Самым странным было то, что Я — НЕ УДИВИЛАСЬ.

Не удивилась ничему.

Я вовсе НЕ СОБИРАЛАСЬ сегодня к Святому Стефану, я там уже была вчера.

Когда я утром выходила из гостиницы, план был совсем другой: наконец посетить резиденцию Хофбургов. Наша делегация еще вчера ездила туда на экскурсию, и коммерческий директор мне все уши прожужжал: «Ах, интерьеры! Ох, коллекция оружия! Ух, парадный подъезд!»

Интерьеры и оружие меня интересовали мало, но тут в наш разговор вклинился генеральный директор. Он сказал так:

— Зря вы упрямитесь, Лиза. Обязательно побывайте во дворце Хофбургов! Хотя бы мимо пройдите. Это ведь что-то вроде нашего Кремля, главная достопримечательность Вены!

Совет директора — как известно, почти приказ, и потому я честно запланировала: с помощью путеводителя найду эту несчастную резиденцию. Осмотрю снаружи и, может быть, даже схожу на экскурсию. А вечером, в Опере, подойду к генеральному и скажу:

— Спасибо вам! Вы правы: без Хофбурга и Вена — не Вена!

Я бы и посетила этот Хофбург — если б не идиоты, которые составляли путеводитель. Настоящие Штирлицы, нарисовали не карту, а какую-то шифровку! Я петляла так и эдак, забредала на какие-то задворки — они мне, кстати, нравились не меньше, чем центральные улицы, — и, наконец, плюнула. Императорская резиденция как сквозь землю провалилась! И, наконец, я отчаялась ее найти и решила, что вечером генеральному совру теми же словами: «Вы действительно правы: без резиденции Хофбургов и Вена — не Вена!» А вместо дальнейших безуспешных поисков дворца я просто погуляю по городу. С посещением магазинов.

Я с облегчением забросила путеводитель в сумочку и часам к двенадцати безо всяких карт оказалась в самом центре города, у Святого Стефана. Здесь меня вдруг охватило странное беспокойство — без причины, без повода. Непонятное чувство: когда так и хочется поглубже вздохнуть и беспокойно оглядеться по сторонам.

Я и вздохнула, и осмотрелась — ничего страшного. Вокруг — моя, уже ставшая любимой, Вена: потоки туристов, блеск магазинных витрин, из динамиков сувенирного магазинчика рвется «Радецкий марш» Штрауса. Почему же я волнуюсь? Может быть, что-то случилось с бабушкой?

Не пожалела двух долларов: достала из сумочки мобильник и позвонила в Москву. Нет, с бабушкой все хорошо. А еще — у бабули удивительная способность выдать за жалкую минуту максимум информации — погода в столице шикарная, мне снова звонила Серебрякова, и Пират опять умудрился украсть куриную ножку прямо из кастрюли...

«Раз все хорошо — значит, нужно взять себя в руки», — приказала я себе. И, чтобы успокоиться, решила посидеть на гранитной скамейке, полюбоваться, как в витражах Святого Стефана играют лучи апрельского солнца. Потом, кстати, задавала себе вопрос: почему я подошла именно к ЭТОЙ скамейке? Ответ такой: НЕ ЗНАЮ. Ноги подвели. И предчувствий никаких не было.

И когда я вдруг увидела, что рядом со мной сидит Евгений Боголюбов — тот самый человек, которого Серебрякова попросила меня найти, — я ни капельки НЕ УДИВИЛАСЬ. Будто так и надо: мы случайно встречаемся — и даже не в многомиллионной Москве, а на чужой улице чужой страны.

И еще я НЕ УДИВИЛАСЬ тому, что лицо этого Боголюбова — совсем неправильное лицо, с носом-картошечкой и свежим порезом от бритвы — вдруг показалось мне таким родным, что захотелось ласково дотронуться до его царапины (чтобы она поскорее заживала!) и попросить:

— Женя! Пожалуйста! Останься со мной. На час, на день, на сколько сможешь!

Но, конечно, ничего подобного я не сказала. И тут же напустилась на Боголюбова: как, мол, ты посмел покинуть Серебрякову?! (Можно подумать, я сама не рада, что он ее бросил!) Нападала на него, смотрела в глаза — и радовалась, потому что читала в его взгляде, что плевать он хотел на Валькины притязания...

А потом он позвал меня в кондитерскую, и все вроде бы было так, как еще недавно происходило между мной и Красавчиком: я старалась его очаровать, он — меня покорить: напускал туману, слегка важничал и оставил огромные чаевые. Но только... только... я даже не знаю, как это описать. В общем, когда я встречалась с мужчинами — и особенно с таким, как Ник, — мне всегда приходилось *следить за ролью*. Не отступать от нее ни на слово, ни на интонацию. О себе говорить скупо, расспрашивать о нем — щедро. Краснеть от комплиментов — и рассыпать комплименты самой. Не сутулиться, не класть локти на стол, не разваливаться на стуле... В общем, целый свод правил — и если все их выполнять, то после свидания чувствуешь себя такой усталой, будто целую смену у станка отстояла...

Я никогда не верила в бредовую теорию о том, что у каждого человека есть «вторая половинка», которая тоже бродит по свету и ждет встречи. А после истории с Красавчиком в вещие сны я тоже перестала верить. Благодарю покорно. Мне уже снился

Ник — в образе прекрасного принца. Только реально — он оказался совсем не принц. Самовлюбленный бабник, и больше ничего.

И вот, получи, Лиза Кузьмина: все твои красивые теории и убеждения полетели в тартарары. Ты вспоминаешь лицо художника и глупо хихикаешь. Ты закрываешь глаза — и видишь его улыбку...

И, главное, ты совсем НЕ УДИВЛЯЕШЬСЯ, что нашла его. Как будто так и надо...

ХУДОЖНИК. САМОЕ НАСТОЯЩЕЕ СВИДАНИЕ

Весь вечер, и ночь, и утро я пребывал в радостном настроении. А все потому, что мне предстояло свидание с Лизой. Очень давно я не испытывал подобных чувств... Может быть, это называется любовью?

Назавтра без пяти одиннадцать я занял позицию возле ее гостиницы. Сердце билось гораздо чаще, чем обычно. Лиза вышла из вертящихся дверей отеля с приличествующим моменту семиминутным опозданием. Улыбнулась, увидев меня. Подошла. Было видно, что над макияжем она сегодня утром потрудилась с особенной тщательностью, и мне было приятно, что это для меня. Я протянул ей букет коротеньких алых тюльпанов, купленных в цветочной лавке на Карлсплац: «Это тебе». Ее глаза зажглись радостью: «Спасибо».

Странные все-таки существа женщины! Никакого практического смысла этот дар не имел — больше того, от него сплошные неудобства. Ей придется таскать этот букет сегодня целый день, а завтра или везти самолетом в Москву (что страшно неудобно), или бросать в гостинице — что жалко. А ведь поди ж ты! Все равно радуется.

Я подвел Лизу к красному «Фольксвагену» четвертой модели, стоявшему рядом у тротуара. Щелкнул центральным замком, распахнул перед ней переднюю дверцу. «Это твой?» — восхитилась она. — «Мой». На самом деле «фолькс» был моим лишь наполовину. Вчера, проводив Лизу в гостиницу, я заглянул в прокатную контору «Хертц» на Ринге и взял машину напрокат на три месяца. «Фольксваген» я выбрал в память об оставшемся в Москве «жуке». Да и вообще мне эта модель приглянулась: с турбированным движком объемом два литра, на низкопрофильной резине. Крошка «фолькс» носился, как дикая кошка. Вчера я опробовал его на автобане от Вены до Бадена, за полминуты разогнав до двухсот километров.

Лиза устроилась на переднем сиденье. Понюхала тюльпанчики и положила их на «торпедо». Я сел за руль.

— Есть ли какие-нибудь особенные пожелания, — спросил я, — что посмотреть в Вене?

Она помотала головой.

— Нет. Все на твой вкус.

— Тогда я покажу тебе то, что никогда не видят туристы.

Я задал шпор своему железному коню. Мой «фолькс» взревел и полетел вдоль да по Фаворитенштрассе, удаляясь от центра города.

— Как опера? — светски поинтересовался я.

— Блестяще! — восторженно откликнулась она. — Я вообще-то оперу не люблю, но эта!.. Солисты тоненькие, худенькие, а голоса молодые, хрустальные, как у ангелов!

...Впоследствии я не мог восстановить в точности, о чем мы с ней говорили. Все, происходившее в тот день — теплый, искрящийся — слилось для меня в какой-то радостный весенний поток, сверкающий солнечными красками.

Я узнал, что Лиза в Вене в командировке, что работает она менеджером по маркетингу в крупном концерне и здесь договаривается о поставке австрийской обуви в Россию. Переговоры были успешными, босс доволен, обещал выписать Лизе по возвращении премию и назначить ее врио[1] начальника отдела — от чего она, впрочем, зачем-то отказалась. Выяснилось, что живет Лиза с бабушкой и котом, отец бросил ее, когда она была еще совсем крошкой, а мать, в третий раз выйдя замуж, умотала с супругом в далекую Австралию.

Я рассказал ей о себе — умолчав, впрочем, о неудачном опыте женитьбы.

И все это — на фоне прекрасного автобана, по которому я несся с недозволенной скоростью сто шестьдесят километров в час, а пообочь мелькали вдохновляющие указатели: «Братислава», «Прага», «Будапешт»...

А потом мы гуляли по Бадену, моему кукольному городку. Поднялись на гору к бетховенской беседке. Бродили по чистым дорожкам пробуждающегося горного леса. Смотрели на город с высоты птичьего полета. Вдыхали прозрачнейший воздух. Когда прогуливающиеся австрияки здоровались, по обычаю, со мной, Лиза удивленно спросила:

— Ты что, всех уже здесь знаешь?

Я важно отвечал:

— О да, конечно.

Потом пришло время обеда, и я повез Лизу в

---

[1] Временно исполняющей обязанности.

близлежащую деревушку Зоос, в хойригер. Попутно рассказал ей про то, что этот «хойригер» за зверь:

— Здешние места еще с римских времен славились своими виноградниками. Видела, сколько их по пути? Да и название «Вена» — от вина произошло. И вот однажды местный кайзер разрешил хозяевам виноградников торговать своим собственным вином, сделанным из личного винограда. Сначала они просто продавали его проезжающим — вроде наших тетенек на юге, а потом понастроили себе при каждом доме (и винограднике) кабаки. Потчуют здесь не только вином, но и собственной крестьянской пищей, обязательно у себя же на участке выращенной: гусями, свиньями, курями. И если эту пищу сегодня не съедают, назавтра ее скармливают свиньям или выбрасывают. Отсюда и название «хойригер», то есть сегодняшний.

В деревеньке Зоос кабаки были практически в каждом доме, но еловые ветви на длинном шесте, означающие: «Открыто», висели лишь перед несколькими — не сезон, да и время далеко не вечернее. Наконец мы выбрали небольшой кабачок на отшибе, и я припарковал «фолькс», уткнув его носом в уходящий вдаль виноградник.

Потом мы долго сидели с Лизой в пустынном хойригере. Съели тыквенный суп и суп с фрикадельками из печени. Одолели на двоих целую четверть гуся с капустой. Выпили графинчик сладенького «Шпетлезе» — вина, виноград для которого собирают, когда ударят первые заморозки. Потом румяная, пышущая здоровьем официантка принесла нам еще графин «Ауслезе» — из винограда, которого уже крепко прихватило морозом. Вино было замечательным — сладким, ледяным, пьянящим.

Лиза разрумянилась. Глаза у нее заблестели.

— Надо же, — с чувством приговаривала она, — как вкусно! А я думала, что в Австрии только пиво пьют!

Не помню, о чем мы говорили за столиком, да только мне казалось, что эта девушка прекрасно меня понимает и наше притяжение друг к другу растет.

Потом мы вышли из хойригера и забрались в машину.

— Поедем, посмотришь, где я живу, — предложил я. — Я покажу тебе свои новые картины.

Она медленно покачала головой:

— Нет.

— Я ничего такого не имел в виду. Просто очень не хочется с тобой расставаться.

Лиза внимательно посмотрела на меня и тихо сказала:

— Я вижу. Но все равно лучше в другой раз.

Я наклонился и поцеловал ее в губы. Она ответила на поцелуй. Ее губы были одновременно прохладными и жаркими.

— А когда он будет, другой раз? — с оттенком горечи проговорил я. — Ты завтра улетаешь.

— Ты приедешь ко мне в Москву, — прошептала Лиза. — Или я вернусь сюда.

И мы снова поцеловались — словно близкие люди, которые уже имеют какие-то обязательства друг перед другом.

ХУДОЖНИК. Я РАСКРЫВАЮСЬ

Мы поехали обратно в Вену. Лизе надо было купить подарок бабушке и сувениры коллегам, пока не закрылись магазины.

— А что-нибудь себе? — спросил я.

— Для себя я лимит покупок уже исчерпала, — улыбнулась она.

Мы отправились назад в столицу. Когда я въехал в город, уже начался вечерний трафик. Иногда, когда я останавливался перед светофорами, мы целовались. Не знаю, чего больше было в этих поцелуях: радости обретения или горечи предстоящей разлуки. Раза три нам сигналили сзади нетерпеливые машины.

Я отвез Лизу на торговую улицу Мария-хильферштрассе. Мы договорились встретиться с ней через два часа в баре, который первым попал мне на глаза. Я терпеть не мог сопровождать женщин в их шоппингах. К тому же приобретение сувениров коллегам — процесс интимный, и я не желал быть ему свидетелем.

Лиза явилась с пятнадцатиминутным опозданием, когда я приканчивал уже вторую чашку меланжа. Заказала себе эспрессо и пирожное.

— Кофе мне спать не мешает, — весело заявила она. — А от пирожных я не толстею.

Потом Лиза стала хвастаться трофеями. Она приобрела фарфоровую шкатулку в форме кроватки — для бабушки, кружку с видами Вены — для начальницы, футболку с надписью «Ленивые денечки в Вене» — для некоего Берга, приятеля из отдела, который ее вечно во всем поддерживает.

— Я и на себя кое-что выкроила, — продемонстрировала она пакет с надписью «Палмерс»[1].

— Посмотреть можно? — усмехнулся я.

---

[1] Название магазина нижнего белья.

— Не сейчас, — лукаво ответила она. — Потом. Когда-нибудь.

— А я тебе тоже купил сувенир. На память.

И я протянул ей через стол милого фарфорового ангела.

Лиза взяла его в руки. Ее глаза повлажнели.

— Какая прелесть... — протянула она дрогнувшим голосом.

Она поцеловала ангела в макушку и спрятала его в сумочку.

— Я поставлю его на тумбочку и буду смотреть на него, засыпая. И вспоминать тебя.

Потом мы сложили покупки в багажник машины, и Лиза попросила еще немного прогулять ее по Вене. Штука, кажется, заключалась в том, что нам обоим не хотелось расставаться.

Уже стемнело, когда мы не спеша пошли по Рингу в сторону ратуши. Молочный свет многочисленных фонарей освещал музейный квартал слева, городской театр и Хофбург — справа от бульвара. Своими подавляющими имперскими зданиями город напоминал Петербург — если бы город на Неве каждодневно мыли и драили все последних двести лет. Мы с Лизой были одни на бульваре, только велосипедисты как вихри проносились навстречу и мимо. Лиза доверчиво взяла меня за руку.

И тут, когда до нашего расставания оставалась пара часов, я вдруг взял и выложил Лизе подспудную историю своего исчезновения из Москвы.

Не знаю зачем, но я поведал ей все. И про то, как кто-то вычеркнул меня из числа живых в компьютерной базе данных. И про мою заблокированную вдруг кредитную карту. И про предсмертную записку, написанную якобы моим собственным почерком. Рассказал я Лизе и про дурацкий сайт «Кукушечка-два», нагадавший мне умереть — причем умереть как раз сегодня. «Теперь ты понимаешь, — закончил я, — почему я с такой охотой удрал из Москвы».

К моему удивлению, Лиза восприняла мой рассказ очень всерьез.

— А здесь с тобой ничего такого не случалось? — участливо спросила она.

— Аб-бсолютно. Как рукой сняло. Кстати, если ты думаешь, что я шизо, могу тебя заверить: сроду психом не был, и все это мне не привиделось, а было на самом деле.

— А кто сказал, что я тебе не верю? — пожала она плечами. — Очень даже верю. Интересно, что это было?

— Похоже на чью-то злую шутку.

— Или на сглаз.

— Ты веришь в сглаз? — удивился я.

— С некоторых пор верю, — кивнула она и задумчиво добавила: — Но ведь тебя в том списке не было... Точно не было... Впрочем, заказать тебя могли какому-то другому колдуну...

— Ты о чем? — не понял я.

— Да так, — она махнула рукой. — Не обращай внимания.

— И все-таки?

— Долго рассказывать. И потом, я думаю, к твоему случаю это никакого отношения не имеет... Скажи, пожалуйста, — она заглянула мне в лицо, — у тебя есть враги?

— Враги? — Я пожал плечами. — Думаю, нет.

— Неужели?

— А откуда им взяться? Я по жизни не подличал. Никого никогда не кидал.

— А кто был заинтересован в твоем исчезновении? Может, коллеги?

— Да нет. Что мне с ними делить? Работы на всех хватит.

— Родителей и детей у тебя нет... А кто унаследует все твое имущество, если ты вдруг, не дай бог... Ну, ты понимаешь.

Я задумался: официально с женой мы еще не разведены, а, значит, по закону наследует она.

— Двоюродная сестра все наследует, — соврал я.

— Неужели? — пристально посмотрела на меня Лиза.

— Да, я так думаю. А что?

— Да нет, ничего. Права моя бабушка: у каждого человека на свете найдется что скрывать. Ладно, проехали. Сам-то ты что по этому поводу думаешь?

— Дурацкая история, которую хорошо бы поскорее выкинуть из головы.

— Она похожа, — задумчиво проговорила Лиза, — на проделки какого-нибудь крутого и хитрого хакера.

Я вздрогнул. Моя бывшая жена была очень талантливой компьютерщицей, работала по специальности и разбиралась в программном обеспечении — дай бог. Взломать чей-нибудь сервер для нее пара пустяков.

— Хакер вполне мог бы, — продолжала развивать свою мысль Лиза, — организовать специально для тебя сайт «Кукушечка». И вычеркнуть тебя из базы данных ГАИ. И списать твои деньги с кредитной карты.

Мне кажется, я слегка покраснел. Я и не подумал

о своей бывшей жене в контексте тех непоняток, что со мной происходили в Москве. Она? Не может быть... Или все-таки может?

— А как же письмо о самоубийстве, написанное моим почерком? — возразил я.

— По-моему, это тоже просто, если разбираешься в компьютерах, — пожала плечами Лиза. — Берется образец почерка — какое-нибудь твое старое письмо. Оно сканируется, и в компьютер закладывается образец того, как ты пишешь каждую букву. Ну, а потом этими буквами можно написать что угодно — хоть предсмертную записку. Ты, кстати, не обратил внимания: письмо было написано от руки или отпечатано на принтере?

— Нет, — покачал головой я, — я его сразу сжег. Такая гадость!

— А зря. Можно было бы провести экспертизу.

— По-моему, — улыбнулся я, — ты, Лизочка, слишком близко к сердцу принимаешь эту историю.

— А, по-моему, — возразила она, — все события, что происходят с человеком, даже самые невероятные, нуждаются в объяснении.

Незаметно, за разговором, мы прошли по Рингу парламент и ратушу и уже приближались к университету. Величественные, эти здания позапрошлого века высились в весенней ночи, освещенные молочным светом фонарей.

— Сколько там отмерила тебе твоя «кукушечка»? — спросила Лиза.

— Срок истекает как раз сегодня, — усмехнулся я.

Я взглянул на часы: они показывали половину десятого.

— Если ты не против, я могу побыть с тобой до

полуночи, — улыбнулась Лиза, — чтоб тебе не было страшно.

— Мне и так не страшно, — улыбнулся я. — Но с тобой мне весело. И просто хорошо.

И мы опять поцеловались, стоя на пустынном бульваре. Проносившийся мимо велосипедист поприветствовал наш поцелуй веселой трелью звонка.

ХУДОЖНИК. СПАСЕНИЕ

Потом мы свернули с Ринга направо, к историческому центру, и немедленно заблудились на нешироких улочках. Шли по ним без направления, без цели, взявшись за руки. Один раз зашли, чтобы согреться, в какой-то ресторан и выпили там по бокалу вина. Мы говорили обо всем — и ни о чем. Мне было легко с Лизой, и я дурачился и смешил ее — верный признак влюбленности.

Закрытые магазины светили витринами. Аккуратные дома уходили ввысь. Народу на улицах практически не было, и ни одна машина не проезжала мимо — только стук наших каблуков раздавался в ночи.

Наконец, в половине двенадцатого, Лиза вздохнула:

— Мне пора.
— Очень жаль.
— Завтра в девять самолет, а у меня еще вещи не собраны.

Неожиданно быстро мы нашли дорогу к Мария-Хильферштрассе, где я бросил свой «народный вагон»[1].

---

[1] То есть «Фольксваген».

В молчании мы уселись в машину. Скоро нам предстояло неминуемое расставание, и это наполняло мое сердце невыразимой горечью.

Я свернул на широкую улицу направо. До Лизиной гостиницы езды было семь минут.

Машин на дороге почти не было. Чтобы выплеснуть адреналин и (отчасти) покрасоваться перед Лизой, я по-мальчишески разогнал свой «фолькс» километров до ста двадцати. Впереди замигал зеленый сигнал светофора. Я хотел было, по московской привычке, проскочить на желтый, но Лиза предостерегающе воскликнула: «Осторожней!» Я послушался ее и изо всех сил надавил на тормоз. Завизжали покрышки. Сила инерции бросила меня вперед. В багажнике с шумом попадали Лизины подарки — но «фолькс» как вкопанный замер на стоп-линии.

И в ту же самую секунду поперек нашему движению, слева направо, вихрем, на скорости километров сто сорок, пронесся «Порше». Машина пролетела рядом с капотом моего «фолькса». Я похолодел. Внутри все сжалась. Рев турбины «Порше» стал отдаляться по перпендикулярной улице, я посмотрел на Лизу, а она — на меня.

Все было ясно без слов. Если бы она не предостерегла меня и я бы помчался, как собирался, на желтый, мы бы неминуемо столкнулись с этим летящим автомобилем. Скорее всего «Порше» пропорол бы обшивку с моей стороны и ударил меня в бок. Может, я бы и спасся — кто знает! — но месяца три на больничной койке мне были бы гарантированы.

Загорелся зеленый. Я совсем не спеша тронул автомобиль с места и тихо проговорил:

— Спасибо тебе, Лиза.

Она, конечно же, и безо всяких объяснений прекрасно понимала, что случилось минуту назад, поэтому только и ответила, облегченно выдохнув:

— Всегда пожалуйста.

Вскоре мы подъехали к ее гостинице на Фаворитенштрассе.

Она протянула мне свою визитку.

Концерн «Стил-Оникс»
Елизавета Кузьмина
Отдел маркетинга
Менеджер

Написала на ней от руки свой номер мобильника, электронный адрес и даже домашний адрес и телефон.

На листке, вырванном из блокнота, я записал свой здешний телефон и e-mail. Протянул ей.

— Я буду звонить и писать, — сказал я Лизе. — Еще надоем тебе письмами.

— Не надоешь.

— А потом приеду в Москву.

— Скорей бы.

— Будешь ждать?

— Еще как.

В этом скупом обмене репликами было больше любви, чем в любом пространном объяснении. Я наклонился к Лизе и поцеловал ее. Она ответила на поцелуй, а потом оттолкнула меня:

— Все. Мне пора.

Она открыла дверцу авто, погладила на прощанье меня по щеке, выскочила и, не оглядываясь, поспешила к входу в гостиницу. Перед вращающимися дверями оглянулась и напоследок помахала мне рукой.

Швейцар поприветствовал ее поклоном и каким-то комплиментом. Еще миг — и она исчезла в холле.

Я вздохнул и нажал на газ.

Часы на приборной панели показывали пять минут первого ночи.

Глава 11

ЛИЗА. ВОЗВРАЩЕНИЕ

И снова: самолет, последняя воздушная яма, стук шасси о бетонку... и пьяненький после полета финансовый директор радостно восклицает:

— Вот мы и дома! Ух, хорошо-то как!..

— Вам не понравилось в Вене? — удивилась Лиза.

— В гостях — хорошо. Дома — лучше, — лаконично ответил собеседник.

Лиза несогласно пожала плечами. Это здесь-то лучше?! Пока самолет снижался, она краем глаза видела: Москва окутана облаком смога, Ленинградка стоит в безнадежной пробке, и солнце светит еле-еле, хотя в Вене оно шпарит уже вовсю, по-весеннему.

«Надо было плюнуть на все и остаться, — вдруг подумала она. — Остаться в Вене — навсегда».

«Какая чушь! — тут же возразил голос разума. — Евриков кот наплакал, виза истекает сегодня, да и вообще: кому я там нужна, в Вене?»

«Ты прав, *разум*, — вздохнула Лиза. — Только тебе не понять, что иногда, особенно в самые важные моменты жизни, нужно, не раздумывая, прислушаться к *зову сердца*».

А сердце подсказывало: Вена — ее город. И Женя Боголюбов — ее судьба.

«Но тогда не надо киснуть, — утешила себя Лиза. — Раз судьба — значит, все у нас сложится!»

Непонятно только, как сложится. Ведь в жизни Евгения тоже, похоже, не все просто. Его доходы — впечатляющие, но нестабильные. И, главное, он НЕ ПРЕДЛАГАЛ ей остаться. Пока не предлагал.

«Что ж. Буду оптимисткой. Не предлагал — так предложит, — успокоила себя Лиза. — А пока надо взять себя в руки и делать вид, что ничего не произошло. И никому ничего не рассказывать. Даже бабуле».

ЛИЗА. ПОДАРОК ПО ФРЕЙДУ

Раздавать подарки — всегда приятно. А уж радовать бабушку, которая даже от пирожка из «Макдоналдса» счастлива — и вовсе огромное удовольствие.

Крошечная фарфоровая кроватка, которую Лиза купила для бабушки, могла быть сделана только в буржуазной Вене. На миниатюрной «подушке» — надпись: «Gute Nacht», на спинках — уютные бюргерские цветочки. А снимешь «одеяльце» — обнаруживается полость для колец-сережек.

— Какая изящная вещица, — растрогалась бабушка. — Спасибо тебе, Лизонька!

— Будет теперь, где драгоценности хранить. — Лиза торжественно водрузила кроватку на почетное место у зеркала.

Бабушка с внучкой с улыбкой переглянулись. Драгоценностей у обеих не было: пара золотых цепочек да темное от времени колечко с фианитом не в счет.

— У меня, наверное, уже вряд ли, а у тебя — бриллианты еще будут! — утешила Лизу бабушка.

— Да ну их, эти стекляшки! — отмахнулась внучка. — Нужны они мне сто лет!

— Бриллианты всем женщинам нужны, — серьезно ответила бабушка.

Странное заявление для человека, который всю жизнь прожил при социализме.

— Но все равно пока драгоценностей не предвидится! А подо что нам эту кроватку сейчас приспособить? — И Лиза принялась фантазировать: — Давай, мы тут будем валерьянку от Пирата прятать!

Пират — хоть и кот, а по-человечески вполне понимает — при слове «валерьянка» немедленно насторожился. Тут же спрыгнул с дивана, подбежал к Лизе, уставился на нее умильным взглядом.

— Лиза! И думать не смей! — тут же испугалась бабуля. — Он как валерьянку учует — сразу же шкатулочку разобьет!

— Мы-ыр... — искательно заканючил Пират. На заспанной морде читалась обида: слово «валерьянка» уже два раза произнесли, а не дают!

— Да ладно, шучу я, шучу, — успокоила бабушку Лиза. А на Пирата цыкнула: — А ну, брысь отсюда, алкаш несчастный!

Кот разочарованно ретировался.

— Может, будем класть сюда пуговицы? — Бабушка снова взяла в руки изящную кроватку-шкатулку.

— Пуговицы? Как пошло! — скривилась Лиза. — И потом: у тебя пуговиц — целая коробка, они здесь сроду не поместятся.

— Ну, тогда... — старушку явно забавляла их игра, — тут будут лежать любовные записки! От твоих кавалеров!

— А то ты не знаешь, что у меня сейчас никого... — начала Лиза и осеклась.

Нет смысла врать бабушке. Она хоть и не ведьма, но

Лизу *чувствует*, будто у нее в голове — настроенный на внучку сканер. Еще с детства из-за этого сложности возникали: конфет шоколадных из тайника не потаскаешь, «двойку» в дневнике не затрешь...

— Да все я понимаю, — вдруг сказала старушка. — Вы только что познакомились, и ты его едва знаешь, и ничего еще не решила, и волнуешься...

Ну, и зачем ходить к колдунам, если у нее есть бабушка? Только она, на сей раз, угадала не все: хотя Лиза и знает Женю *едва-едва* — только уже решила: он — это навсегда.

Но, заяви она такое — придется не кота — бабулю валерьянкой отпаивать. И потому Лиза небрежно спросила:

— Слушай, бабуль, мне просто интересно — а как ты догадалась?

— Потому что глаза у тебя сияют, внученька, — ласково сказала та. — И румянец на щечках... — Озорно подмигнула и добавила: — И покупки делаешь — точно по Фрейду.

На старости лет бабуля увлеклась фрейдизмом: наверстывала упущенное при социализме, штудировала труды отца психоанализа.

— При чем здесь Фрейд? — не поняла Лиза.

Бабушка лукаво кивнула на фарфоровую кроватку:

— А почему же в форме постельки?

— А вот и неправда! — воскликнула Лиза. И без зазрения совести соврала: — Я эту шкатулку еще раньше купила. Еще до того, как с ним познакомилась!

Сказала и подумала: «А ведь раньше я бабушке никогда не *врала*. Только — *недоговаривала*. А теперь обманываю — и не краснею. Эх, Женька, Женечка, что же ты со мной делаешь?!»

На работу Лиза ехала без малейшей радости. Вот тоска — жить так, как она живет! Все вокруг такое убогое... Подъезд — грязный, улицы — в серых лужах (интересно, а куда деваются лужи в Вене?!). От трясучей маршрутки тошнит, от крикливых пенсионеров на автобусной остановке начинается мигрень. И «Стил-Оникс» — такой простенький в сравнении с офисом австрияков... А еще увидишь кислую физиономию Дроздовой, так и вовсе: хоть топись.

Но стол Дроздовой оказался пуст.

— Аденовирус у нее, — доложили практикантки.

— Аденовирус климактерического генеза, — дополнил Мишка Берг.

— Вирус-завидус, — фыркнула менеджер Светка.

— Зави — что? — не поняла Лиза.

— Да она вся завистью к тебе изошла, — закатила глаза Светлана. — Знаешь, какая у нее тут присказка появилась? — Она очень похоже сымитировала трескучий голос Дроздовой: — *«Пока там некоторые прохлаждаются в Вене...»* Ну, что, круто у австрияков?

— Круто, — не стала прибедняться Лиза. И опять соврала: — Только времени прохлаждаться особо не было. Целыми днями на переговорах торчали. Да на фабрики ездили.

— А вечерами? — не отставала Светка.

— Культурная программа под зорким оком начальства. Опера, концерт Штрауса, даже в ресторане — и то лишнюю рюмку не выпьешь, генеральный все сечет.

— Ну, а ночью? — встрял Мишка Берг.

— Ночью меня кошмары мучили, — вздохнула

Лиза. И тут же придумала: — Такой, например. Будто приезжают в Россию пятнадцать фур с обувью, мы развозим ее в магазины... а на следующий день меня шеф вызывает и орет: «Что вы натворили, Кузьмина?! Какую обувь выбрали? Это же вьетнамские шлепки!»

— А как он, кстати, наш шеф? В неформальной-то обстановке? — с невинной улыбкой спросила Светка.

— Нормальный мужик, — пожала плечами Лиза. И так же невинно добавила: — Он, кстати, с женой ездил.

— С жено-ой? — Светкино лицо недоуменно вытянулось.

«Ага, а вы небось тут болтали, что генеральный меня с собой *для постели* взял, — поняла Лиза. — Впрочем, чего другого ждать от коллег-злопыхателей... Мишка со Светкой — еще не самые худшие. Хорошо хоть, Ряхин до сих пор не выписался. А уж без Дроздовой — и вовсе не работа, а сплошной праздник».

И Лиза предложила:

— Давайте музыку включим!

Простенький музыкальный центр стоял в отделе давно. Раньше его гоняли целыми днями. Под музыку и работалось веселей, да и во всякие радиоигры играли — то билетами в кино разживались, то бизнес-ланчами. Но потом появился Ряхин и чуть ли не в первый день службы выдал эпохальную фразу: «*Для работы требуется сосредоточенность, то есть тишина*». И музыка в отделе маркетинга тут же смолкла, а музыкальный центр давно запылился.

— А действительно: начальства нет, кто мешает включить? — загорелась Светка.

А Берг подмигнул:

— Что, Кузьмина, — душа поет?

В этот раз Лиза решила не врать и честно сказала:

— Нет. Не поет. Душа тоскует по Вене.

— Как ты там, не подцепила симпатичного австрияка? — с деланым безразличием спросил Мишка.

— Ну, что ты, Мишенька! Я храню тебе верность!

— Ладно врать-то, — пробурчал Берг и велел практиканткам: — А ну-ка, лапоньки, поймайте что-нибудь забойное! «Ультру» или «Максимум»!

— Да ну, — запротестовала Светлана. — Давайте лучше «Шансон», там песни душевные...

— Что там душевного? «А белый лебедь на пруду целует падшую звезду!» — передразнила Лиза. — Поставьте «Радио семь». Там всяких игр полно.

— *Все бы тебе играться, Кузьмина*, — Светка снова сымитировала голос Дроздовой.

— Так какую станцию ловить? — терпеливо переспросили практикантки.

— Ладно уж, пойдем на поводу у Кузьминой, — вздохнул Мишка. И велел практиканткам: — Давайте «Радио семь».

...С музыкой работа пошла веселее. По крайней мере, отчет о командировке у Лизы писался с такой скоростью, что мысли бежали быстрей, чем пальцы по клавиатуре компьютера, — приходилось даже слова сокращать, например, «ту» вместо «туфель» или «са» вместо сапог.

Мишка заглянул в экран компьютера, фыркнул:

— Завербовали тебя, что ли, там в Вене?

— Почему? — удивилась Лиза.

— Да шифровку какую-то пишешь, — он показал на ее сокращения.

— Слишком много мыслей, — пожаловалась Лиза. — Я за ними не поспеваю.

У Берга — совет один:

— Так отдохни! Мы, между прочим, на работу уже забили.

Лиза оторвалась от экрана и увидела: весь отдел, оказывается, сгрудился возле музыкального центра. Внимательно слушают и улыбаются.

— В игру, что ли, какую-то дозвонились? — обиженно спросила Лиза.

Обычно во всех радиоиграх она инициатор и вдохновитель, а тут ее даже участвовать не позвали.

— Да нет, не игра, — объяснил Мишка. — Там криминальную хронику передают. Сплошной прикол. Например, мужик решил с собой покончить и с шестого этажа спрыгнул. Траектория получилась знатная: упал на крышу «Мерседеса». Мужику — хоть бы что, а у «мерса» крыша проломилась.

— А в чем прикол? — не поняла Лиза.

— А в том, что хозяин «мерса» его сам с крыши снял и первым делом сказал: «Ну, гад, нашел куда прыгать!» И теперь этому бедолаге кучу денег надо выплачивать.

Мишка засмеялся.

— По-моему, ничего смешного, — проворчала Лиза. Но к музыкальному центру все-таки подошла. Дикторша как раз начала читать следующее криминальное сообщение: *«Несчастный случай произошел в спортивном клубе «Душа и тело». Когда сторож направился на вечерний обход, он и представить себе не мог, какое ужасающее зрелище ему предстоит увидеть...»*

— Догадываюсь, что за зрелище, — прокомментировал Берг. — Дроздова на аэробику пришла.

— *Сторож заглянул в помещение, где располагались бассейн и сауна.*

Снова встрял Берг:

— А в бассейне — Ряхин. Цепляется за спасательный круг и кричит: «Тону! Тону!»

— Детский сад, Мишка! — пожала плечами Лиза.

Берг насупился. Ведет себя как настоящий клоун — огорчается, когда публика его хохмочкам не смеется.

— *Хотя в сауне свет и был выключен, входная дверь оказалась не заперта. С криками: «Есть здесь кто-нибудь?» — сторож вошел внутрь. Ему никто не ответил, однако из-за закрытой двери сауны слышались какие-то приглушенные звуки.*

— Это там Ряхин с Дроздовой возятся, — снова не удержался Миша.

— Да что ты все на них-то сворачиваешь! — окончательно осерчала Лиза. — Надоело уже.

— *Оказалось, что дверь сауны заблокирована снаружи, а внутри в полубессознательном состоянии находится некто Аркадий Колыхалов, постоянный клиент спортивного клуба.*

— Как фамилия? — переспросила Лиза.

— Да какой-то мужик, какая разница, — отмахнулся Берг.

— *По самым скромным подсчетам, он провел на стоградусной жаре не менее сорока минут. Аркадий Колыхалов с тяжелыми ожогами верхних дыхательных путей госпитализирован.*

— Ну, это не очень интересно, — резюмировал Мишка. — Давайте на другую станцию переключим.

— Нет-нет, — запротестовала Лиза. — Пусть уж дочитают до конца.

— *Злоумышленника, заблокировавшего дверь в сауну, установить не удалось, однако сторож проинформировал следствие, что на парковке спортклуба длительное время стояла темная «девятка» без номеров и с тонированными стеклами. Сам же пострадавший находится в критическом состоянии и отвечать на вопросы следствия пока не может.*

— Вот и ходи после этого в спортклубы, — резюмировал неспортивный Мишка.

— Нет, не так, — не согласилась Светка. — Вот и изменяй после этого жене.

— А при чем здесь жена? — не понял Берг.

— Ну, а кто еще этого Колыхалова в сауне запер? Ясно: законная супруга. Небось прознала, что муж по девочкам шляется, — вот и решила проучить. Со всей широтой женской фантазии.

— Неужели вы, бабы, такие коварные? — закатил глаза Берг.

— Мы только *за дело* коварные, — со значением произнесла Светка.

— Ладно, ребята, — невпопад сказала Лиза. — Пойду я к своему отчету.

Она скрылась за спасительным экраном монитора, «согнала» рыбок-скринсэйверов, но отчета даже не коснулась.

Любовь, Женя, Вена тут же отодвинулись на второй план. В голове пронеслось: кабинет колдуна, его рабочий стол, а на нем — листок бумаги с аккуратным списком из тринадцати человек...

КОЛЫХАЛОВ. Эта фамилия была там!

Лиза почти не сомневалась: человек, попавший в больницу с ожогом дыхательных путей, ей заочно знаком. Очень похоже, что это — тот самый Аркадий Феоктистович Колыхалов из колдунского списка. Фамилия — редкая, имя — тоже подходит. И история с ним приключилась *соответствующая*. Из той же серии, что с Чернобривцем, которого избили хулиганы...

«А у меня — все из головы вон, — корила себя Лиза. — Ездила в Вену, фантазировала, встречалась с Женей... В общем, думала только о себе: как я выгляжу? Какое впечатление произвожу? Нравлюсь ли?» Да что там говорить: даже любимая работа (а ведь еще неделю назад Лиза была уверена: именно карьера — главное в ее жизни!) — и то отошла на второй план. А уж список, найденный на столе у колдуна, и вовсе оказался позабыт. Но разве имеет она, говоря красиво, моральное право на то, чтобы устраниться? Ведь она, Лиза, — раз видела список! — теперь отвечает за тех, кто был в нем перечислен!

Впрочем, прежде нужно все проверить.

Лиза немедленно вышла в Интернет. Вбила в поисковую систему фамилию: «Колыхалов». Подсознательно ей очень хотелось, чтобы Колыхаловых в Сети нашлось много... Но ссылок оказалось всего две. Первая — на заметку из криминальной хроники, только что прочитанную по радио. А вторая — вывела Лизу на «домашнюю страничку» Аркадия Колыхалова...

Он оказался практикующим гинекологом. Сайт, судя по всему, держал для души. На общественных началах отвечал на вопросы неразумных пользователей. «Можно ли заболеть СПИДом, если только целуешься?» и прочие глупости.

«Но почему я так уверена, что Колыхалов-врач и Колыхалов из сауны — это одно и то же лицо? —

спросила себя Лиза. — Может быть, это совсем разные люди? Мало ли про кого в криминальной хронике пишут!»

В общем, почти себя убедила. Одна беда: *интуиция (или колдовские способности, кому как нравится) просто вопит: «Он это. Он!»* Да и сайт Колыхалова вдруг мигнул и выплюнул плашку: *«Уважаемые посетители! В связи с болезнью доктора намеченная на завтра он-лайн конференция по вопросам предохранения от ЗППП переносится. Приносим свои извинения».*

Лиза вздохнула и покинула Интернет. Откинулась в кресле, задумалась... И что же ей теперь прикажете делать? Самый простой выход — выбросить колдовской список из головы. Она-то здесь при чем? Перечисленные в списке люди ей незнакомы. Как их предупреждать и как им помогать — абсолютно непонятно. Не в милицию же идти!.. У нее полно своих хлопот — и отчет о командировке надо заканчивать, и длинное, теплое письмо Жене хотелось бы написать прямо сегодня...

«Что мне этот список!.. — пробурчала Лиза. И попыталась обмануть себя еще одной мыслью: — Мало ли, почему эти люди туда попали? Может, колдун просто собирался им свою рекламу рассылать?! Про порчу и сглаз с гарантией?»

Она вздохнула.

Нет, успокоить себя не получается. Потому что списочек этот — очень нехороший. Ладно, одного из тринадцати — избитого Чернобривца — еще можно посчитать *случайностью.* По крайней мере Лизе бы очень хотелось, чтобы это оказалось *совпадением.* На ученого напал уличный хулиган — мало их, что ли? Но двое — и Чернобривец, и Колыхалов — это уже похоже на *прецедент*.

И Лиза, окончательно позабыв про отчет о командировке, вбила в поисковую систему следующую фамилию из списка колдуна.

Номер третий. Макеев Владимир Николаевич. Ого! Больше пятидесяти ссылок! За что такая честь?

— Он, кстати, не женат, — раздалось за спиной.

Лиза вздрогнула, обернулась: над столом нависает Мишка Берг — как у него всегда получается так неслышно подкрадываться?

— О ком ты? — холодно спросила Лиза.

Никакого покоя на этой работе! И никакого права на частную жизнь!

— О Макееве, — невинно ответствовал Берг. — Ты что, не знаешь? Человек из десятки самых завидных российских холостяков. Богач, красавец, умница. Зачем он тебе понадобился?

Так и хочется рявкнуть: «А какое твое собачье дело?»

Но зря она, что ли, на всякие тренинги ходила! А на любом семинаре по бизнесу прежде всего учат: «*Переводите даже самый некорректный вопрос в нужную для себя плоскость*». Вот и пустим глупое Мишкино любопытство на пользу делу.

— А чем этот Макеев еще знаменит, кроме того, что он холостяк? — небрежно спросила Лиза.

— Неужели, правда, не знаешь? — изумился Берг. — Он же из телевизора не вылезает! Сегодня в «Деловом утре» выступал...

— Не смотрю я никакие «Деловые утра», — поморщилась Лиза. — Так все-таки?

— Корпорация «РусОйл». Совладелец и генеральный директор. Понимаешь, что это значит?

— Понимаю. Бензоколонки «РусОйл» — это, наверное, его.

— Вот вы, ба... то есть женщины, — плоские создания! — досадливо поморщился Мишка. — Разве в бензоколонках дело? Это так, верхняя часть айсберга. Он же на трубе сидит! Полный цикл. Добыча, переработка, экспорт нефти. Знаешь, какие это миллионы! Так зачем он тебе понадобился?

И что на это прикажете отвечать? «По моим сведениям, на него навели порчу — а я хочу его предупредить»?

Придется опять уходить от вопроса — только теперь ей уже не бизнес-тренинг поможет, а банальная бабс... то бишь женская хитрость.

Лиза встала из-за стола, улыбнулась Бергу:

— Мишка, я иду себе кофе творить. Сделать на твою долю?

— Из твоих рук — хоть самый страшный яд! — расплылся в улыбке сослуживец.

Как и ожидалось, он тут же позабыл про Макеева. Ведь Лиза еще никогда не улыбалась Бергу так приветливо. И кофе ему сварить — тоже не предлагала.

Она велела:

— Ну, тащи свою чашку.

Мишка тут же повиновался, поскакал к своему столу, а Лиза быстренько закрыла ссылку на пресловутого Макеева. С ним все ясно. Раз сегодня в «Деловом утре» выступал, значит, с Макеевым пока порядок: программа идет в прямом эфире. Ну, а остальных людей из списка колдуна она найдет позже.

ЛИЗА. ШПИОНСКИЕ СТРАСТИ

Чернобривцу и Колыхалову повезло — потому что фамилии редкие. Владимиру Николаевичу Макееву — тоже. Он как-никак олигарх, и поэтому о нем в Интернете пишут. А как быть с фигурантом под номером четыре? Если ее зовут *Смагиной Ольгой Петровной*? А номер тринадцать — и того хуже: *Иванова Марина Леонидовна*?

Отчет о командировке так и оборвался на полуфразе. Лиза лихорадочно просматривала и сортировала комбинации имен, отчеств и фамилий. А глобально-глупая сеть Интернет, кажется, прилагала все усилия, чтобы сбить ее с толку. Вот существует, например, ссылка на какую-то Смагину О.П., народного заседателя. А как ее полностью зовут — неизвестно. И в каком она городе заседает — тоже неясно... Вот и приходится идти на новый сайт — и убеждаться, что народного заседателя Смагину зовут Олимпиадой Прокопьевной и проживает она в селе Репная Вершина Саратовской области...

А Ольга Петровна Смагина в итоге так и не нашлась. Просто не оказалось в Интернете ни одной ссылки на женщину с таким именем-фамилией-отчеством. Ни в статьях, ни в рекламе, ни, слава богу, в криминальной хронике... Зато Ивановых — причем по имени Марина Леонидовна — набралось целых пять. Одна — директор супермаркета, вторая — дворник (попала в Интернет потому, что за ударную работу по разборке снежных завалов мэрия наградила ее турпутевкой в Таиланд). А остальные однофамилицы оказались: преподавательницей МГУ, воровкой, получившей уже четвертый срок, и домохозяйкой, которая вместе со своим кобелем

Пусиком победила на выставке беспородных собак...

Лиза подумала — и дворничиху с воровкой исключила. Вряд ли у них есть враги — такие, у которых хватило бы средств оплатить гонорар Кириллу Мефодьевичу. А что с оставшимися тремя делать? Надо их предупредить, это ясно. А как с ними связаться? Допустим, письмом, пусть даже анонимным. Поверят они или посмеются — это дело хозяйское, она свою миссию в любом случае выполнит. Но возникает второй вопрос: куда писать? Где взять адреса?

— Мишка! — позвала Лиза безотказного Берга. — Подползи, а? Дело есть...

Мишка, взбодренный кофием из Лизиных рук, возник перед ее столом немедленно:

— Слушаю, моя повелительница!

— Вот ты, Мишаня, всегда все знаешь... — подольстилась Лиза. — Скажи, пожалуйста: если есть фамилия, имя и отчество — могу я узнать электронный адрес этого человека?

— Какие-то шпионские вы вопросы задаете, Кузьмина... — прищурился Берг.

— А почему шпионские? — не поняла Лиза.

— А потому что для этого нужно базы данных почтовых программ взламывать, — пояснил Мишка. — А дело это долгое и непростое.

— Но в принципе это реально? — просияла Лиза.

— Реально-то реально, только не факт, что человек свои подлинные координаты указал. Никто же не проверяет! Я, например, когда анкету к своему почтовому ящику заполнял, Микки Рурком назвался.

— Микки Рурком? — Лиза окинула Мишку оценивающим взглядом.

— Не похож. Знаю, — развел руками Берг. — Но

захотелось!.. И многим, уверяю тебя, хочется сохранить инкогнито. Но ты, Елизавета, по-моему, до левого уха правой рукой тянешься.

— В смысле?

— Да сложности себе создаешь — на пустом месте. Я так понял, что тебе с какими-то людьми надо связаться? И ты знаешь только их имена-фамилии-отчества?

— Ну... в общем, да, — согласилась Лиза.

— И многих тебе надо найти?

— Нет. Десять человек.

— Так в чем проблема? — Мишка кинулся к своему столу и тут же вернулся с компьютерным диском. — Силь ву пле, «Адрес Москва», самая полная база данных.

— Вау! — возликовала Лиза. И самокритично прибавила: — Боже, какая я тупая! Почему сама не догадалась?!

— Ну, ты не то чтобы тупая, — пробормотал Мишка. — Но легкая неразумность, как у всех женщин, имеется. Однако это придает тебе определенный шарм.

— Спасибо, рыбонька! Давай скорей свой диск!

Мишка заглянул в экран Лизиного монитора. Увидел, что экран забит ссылками на злосчастных Ивановых М.Л.

Предупредил:

— В «Адресе Москва» полных однофамильцев может быть еще больше.

— Проселектирую, — отмахнулась Лиза. — Мне нужен, как я думаю, определенный возраст... По крайней мере дети и старики — отпадают... И потом, Ивановых много, а вот, скажем, Кобылянский (она вспомнила фамилию фигуранта под номером шесть) — наверняка один...

— Вот у тебя жизнь интересная! — вдруг вздохнул Мишка.

— Интересная? — не поняла Лиза.

— Ну, все время какие-то приключения. То с Ряхиным ругаешься, то в Вену ездишь, то разных людей разыскиваешь... — И принялся канючить: — Что случилось-то, а? Расскажи! А то я Дроздовой нажалуюсь, что ты на работе личными делами занимаешься!

Но Лиза в ответ только улыбнулась. И сказала — стараясь, чтобы голос звучал одновременно и искательно, и нежно:

— Я обязательно тебе все расскажу. Только позже. Ну, а ты уж, пожалуйста, меня Дроздовой не выдавай, ладно?

— Ладно, живи, — пробурчал Мишка.

В его глазах читалось: «Да я скорее удавлюсь, чем тебя этой мымре сдам! Это я для красного словца...»

Он смущенно спросил:

— А когда ты письма будешь рассылать — сегодня?

— Хотелось бы, — кивнула Лиза. — Если у нас в отделе конверты есть.

ЛИЗА. ИДЕИ И РЕШЕНИЯ

К концу рабочего дня отчет о командировке дальше не продвинулся. Письмо художнику Лиза тоже не написала, хотя думала о нем постоянно и как минимум пару раз перед глазами вспыхивали картинки: вот они сидят в хойригере и серьезно обсуждают: хватит ли сил доесть огромного гуся? Вот идут по ночной Вене, их каблуки стучат в унисон, и Лиза говорит: «Мы с тобой — композиторы, авторы асфальтовой музыки!», и Женя тут же останавливается, начинает отбивать гулкую чечетку, а она — отстукивает ритм... Ничего вроде особенного — но почему-то так щемяще вспоминается...

«Все еще будет, все — повторится! — успокаивала она себя. — А пока забудь. Потерпи. Займись делом!»

Она с отвращением покосилась на стопочку конвертов с аккуратно напечатанными адресами.

Конвертов получилось целых двадцать пять. Москва — большой город, и кто бы мог подумать, что здесь живут трое подходящих по возрасту *Сигулдиных* и даже *Кобылянских* окажется целых двое, не говоря уже о пресловутых *Маринах Ивановых*...

Да, для многих ее письмо окажется ложной тревогой. Но, как верно говаривала бабушка, «лучше перебдеть, чем недобдеть». Пусть один-другой напрасно разволнуются — это лучше, чем если до кого-то нужного ее SOS не дойдет.

...Коллеги, вдохновленные отсутствием начальства, разошлись точно по КЗоТу, в шесть. Мишка, прежде чем уйти, с надеждой спросил:

— Может, мне остаться, помочь?

Не терял, бедняга, надежды.

— Нет, Миша, спасибо, — твердо сказала Лиза. — Мне дел осталось на полчаса.

Мишка грустно поплелся к выходу, а Лиза взялась за самое сложное. За *предупреждающее письмо*.

Едва написала первую фразу: «*Уважаемый (ая) такой-то*», как поняла: за полчаса, как она самонадеянно сказала Мише, не управиться. Слишком уж о тонкой материи идет речь. И создать убедительное письмо будет совсем непросто. Напишешь *обтекаемо* — мол, будьте осторожны, вам угрожает опасность, — и твое письмо даже до конца не дочитают, пожмут плечами и выбросят в мусор. А сгустишь краски — тоже выбросят. Подумают: мало ли в городе шизофреников, которые одолевают обычных граждан то «письмами счастья», то обещаниями грядущего конца света.

В общем, часа два пришлось биться. В коридоре давно все смолкло, телефоны утихли, и даже охранник в отдел заглядывал — смотрел на Лизу сочувственно: «Бедная, мол, девушка, — горит на работе...» А она все писала — вычеркивала — задумывалась — и временами даже приходила в отчаяние.

В конце концов получился следующий текст:

Уважаемый (-ая) такой-то (обращаться решила, для большей доверительности, по имени-отчеству).

Хочу предупредить: Вам угрожает опасность.

Начало — в полном соответствии с законами хорошей рекламы: то есть сразу к делу. А дальше — пояснение:

Дело в том, что кто-то из Ваших врагов искренне желает Вам зла, и он обратился за помощью к человеку, который называет себя сильным колдуном. Однако — следующее предложение Лиза напечатала большими буквами — *КОЛДОВСТВО ЗДЕСЬ АБСОЛЮТНО НИ ПРИ ЧЕМ.*

Дальше Лиза описывала, что случилось с заместителем директора НИИ Чернобривцем и врачом Колыхаловым (не называя их имен) и еще раз подчеркивала, что *«когда человека избивают в подъезде или закрывают в работающей сауне, это однозначно не «колдовство», а настоящий злой умысел. Все указывает на то, что «колдун» просто «творит порчу» вполне человеческими средствами — возможно, с помощью своих подручных».*

Дальше Лиза объясняла, откуда ей удалось узнать о «списке колдуна»: *«Я случайно оказалась в квартире человека, который называет себя колдуном, увидела у него на столе этот список и поначалу не приняла его всерьез. Но затем узнала: с двоими людьми, упомянутыми в нем, произошли несчастные случаи. И я решила предупредить Вас: пожалуйста, будьте осторожны!»*

А в конце письма она извинялась, что не рискует подписаться подлинным именем, и объясняла, почему не называет фамилию и адрес «колдуна»: *«Дело в том, что твердых доказательств того, что два несчастных случая произошли при его участии (или с его санкции), у меня нет. А огульно оговаривать человека я не считаю возможным. Поэтому единственное, что я могу сделать, — это еще раз попросить Вас быть крайне осторожным».*

Уф, все... Немного, конечно, шансов, что адресаты примут ее письмо всерьез, но если они хотя бы насторожатся — уже хорошо.

Лиза занялась секретарской работой: вытаскивала напечатанные листочки из принтера и раскладывала их по конвертам. После «мозгового штурма», затраченного на создание письма, тупая сортировка бумаг оказалась в радость. Сложил листочек, сверил фамилию, засунул в конверт — красота, до чего все приятно и просто! Лиза даже Ленина вспомнила (бабушка эти слова любила цитировать): «Смена работы есть уже отдых».

...Печать шла с последнего человека в списке — потому и Лизина работа двигалась в обратном порядке и закончилась на первом фигуранте: на том самом олигархе Макееве, который «сидел на трубе» и «чуть не каждый день мелькал в телевизоре».

Лиза уже сложила письмо, адресованное на московскую (или одну из московских?) квартир олигарха, начала вкладывать его в конверт... и вдруг замерла. Она поняла: навряд ли ее послание попадет магнату. Во-первых, прописан он на Федеративном проспекте (совсем не понтовое место). Значит, в этой квартире скорее всего не проживает. А во-вторых, у олигарха наверняка целое сонмище секретарш. И Лизино письмо они забракуют с ходу: решат, что босса какая-то психопатка преследует. Так что можно ставить австрийские туфельки против вьетнамских шлепок: ее выстрел по Макееву уж точно окажется холостым. А ведь можно... можно поступить с этим капиталистом гораздо хитрее... Тем более что у него, единственного из всего списка, имеются ВЛАСТЬ и ДЕНЬГИ. И возможности. И, наверное, здоровый азарт, присущий большим людям. Так что совсем не исключено, что Макеев не просто захочет ЗАЩИТИТЬ СЕБЯ. Может, он пожелает разобраться во всей ситуации. Со всем «колдовским» списком.

«Поди ж ты: хоть и конец рабочего дня — а какие конструктивные идеи в голову приходят!» — порадовалась Лиза.

ЛИЗА. УМЕТЬ И СМЕТЬ

Чем дольше Лиза обдумывала свою идею — тем больше она ей нравилась. Действительно: это тебе не «анонимки» — а как еще назвать письма, которые она разослала людям из списка колдуна? Предупредить олигарха Макеева и перетянуть его на свою сторону — совсем другое дело.

Лиза не сомневалась: такая идея и Жене бы понравилась (она теперь всегда, если делала что-то, спрашивала себя: а как к этому отнесется художник?).

Так что дело оставалось за малым: *достать олигарха.*

Подобраться к нему оказалось сложнее, чем в свое время поступить в престижную «Плешку». Лиза на Макеева целое досье сплела: все выясняла подходы к нему. Караулить у дома? Но олигарх проживал на Рублевке, в особняке. По поводу его поместья даже статья в журнале «Красивые дома» появлялась — под безрадостным (для Лизы) заголовком: *«Самый высокий забор — у Макеева».* «Случайно» пересечься в элитном спортклубе, куда хаживал олигарх? Во-первых, ста долларов (такса за единичный визит) жаль, а во-вторых, как гласила другая публикация, *«для своих тренировок Макеев единолично снимает тренажерный зал».* Ну, и как его прикажете вылавливать? Может быть, в конкурсе красоты поучаствовать? (Магнат обожал, когда его приглашали в жюри красоточных конкурсов.) Нет, это долго. Прикинуться налоговым инспектором? Раскусит в два счета. Попроситься в «РусОйл» на работу? Так это вовсе не к олигарху, а в отдел кадров... В общем, все пути к «хозяину жизни» перекрыты. Лиза совсем было отчаялась — да тут Интернет выдал по поводу Макеева крошечную заметку под заголовком: «Нефтяной магнат написал книжку».

Заметка оказалась короткой: *«В последнее время в рядах крупных бизнесменов появилась новая мода: многие пожелали отметиться на литературном поприще. Богатые люди одаривают публику детективами, мемуарами и учебными пособиями. Не отстал от коллег и председатель совета директоров «РусОйла» В. Макеев: он написал книгу в стиле Дейла Карнеги и Наполеона Хилла, из серии «как думать и богатеть». Про-*

изведение олигарха называется сакраментально: «Уметь и сметь». Презентация книги состоялась на днях в элитном клубе «Циррус». Присутствовали...

Название книжки Лизе понравилось. Даже любопытно, что там этот олигарх накропал... Но в Интернете опус Макеева представлен не был, в книжных магазинах ни про какую «Уметь и сметь» тоже слыхом не слыхивали. «Может, раскупили?» — спросила Лиза у молоденькой продавщицы. «Как же! — презрительно фыркнула та. — Мы такую чушь просто не продаем. Будет лежать на складе до мамонтовых костей».

Но книгу Лиза все-таки нашла — в магазинчике на бензоколонке, принадлежащей «РусОйлу». Труд олигарха занимал почетное место на кассе, рядом с сигаретами и жвачками. Кассирша обрадовалась, когда Лиза попросила продать ей «Уметь и сметь». Тщательно вытерла с книжки слой пыли, заботливо уложила ее в пакетик и посетовала: «Вы первая, кто эту макулатуру купил...»

Книжечка действительно оказалась так себе. Сплошные общие фразы: «Верь в себя» да «надейся на лучшее». И зачем это олигарху? Сидел ведь, писал (или хотя бы — давал литературным неграм ценные советы), потом издавал — явно за собственный счет... На презентацию тратился... И ради чего? Увидеть свое имя на обложке? Вот уж сомнительное удовольствие... На взгляд Лизы, куда приятнее, когда твоя фамилия написана на платиновой кредитной карточке. Но зацепиться за «Уметь и сметь» можно. И Лиза, набравшись наглости, позвонила в приемную олигарха.

— Здравствуйте, я Лиза Кузьмина, корреспондент газеты...

Ее тут же оборвали:

— По поводу интервью с Владимиром Николаевичем звоните в пресс-отдел. Но весь текущий месяц у него уже расписан.

Лиза не обратила внимания на холодный тон секретарши и, как ни в чем не бывало, продолжила:

— Мы готовим рецензию на книгу Владимира Николаевича.

— На книгу?! — опешила секретарша.

— Ну да, на «Уметь и сметь».

— А вы ее читали? — недоверчиво спросила девушка.

— С большим удовольствием, — соврала Лиза. — И мне хотелось бы расспросить господина Макеева, как протекала его работа над книгой и планирует ли он порадовать нас своими новыми произведениями.

— Одну минуточку, — озадаченно сказала секретарша.

В трубке заиграла Седьмая симфония Шостаковича.

«Похоже, олигарх клюнет», — предположила Лиза. И не ошиблась.

Когда секретарша вновь вернулась на линию, ее тон разительно изменился. Девушка вежливо сказала:

— Владимир Николаевич будет ждать вас завтра, в тринадцать ноль-ноль. Надеюсь, вас это время устроит.

«Ага, устроит — придется с работы сбегать».

— Да, конечно. Я приду, — пообещала Лиза.

ЛИЗА. ИЗ ЖИЗНИ ОЛИГАРХОВ

Особняк «РусОйла» возвышался над старомосковскими домишками, словно «Титаник» над рыбацкими лодками. Давил роскошеством и мощью.

Офис австрияков, который так понравился Лизе, в сравнении с ним — просто шалаш. Лиза разглядела отделку черного мрамора, дверь красного дерева и ковровую дорожку кровавого цвета на тротуаре. Усмехнулась про себя: «Паноптикум какой-то!» — и смело ступила на уже изрядно затоптанный ковер (каждый проходящий пешеход так и норовил наследить). Потянула входную дверь — вот тяжесть! А охранник, сторожащий подступы, — нет бы помочь! — смотрит с усмешечкой и делает вид, будто сдувает с рукава невидимую пылинку. Всем своим видом показывает: не место тебе, бедная девушка, в нашем мраморном богатстве.

«Понял, паразит, что я от метро своим ходом топала», — поняла Лиза. А приходить в «РусОйл» пешком, кажется, было дурным тоном — вся парковка уставлена «Мерседесами» да «Лексусами». В общем, вызывающее местечко. Очень похоже на Зимний дворец. Так и хочется *штурмовать*.

Едва Лиза победила тяжеленную дверь и вошла внутрь, как к ней тут же кинулся еще один охранник. Строго спросил:

— Вы к кому?

— К Владимиру Николаевичу, — кротко ответила она.

— Вы имеете в виду Макеева? — неприкрыто изумился халдей.

— Он меня ждет, — сухо сказала Лиза.

— Так-таки и ждет? — издевательски переспросил охранник.

— Список у вас на столе, — пожала плечами Лиза. Не удержалась и добавила: — Моя фамилия идет под номером двадцать семь.

Охранник в изумлении захлопал свиными глазками: его стол был скрыт за высокой стойкой и *увидеть* список гостья никак не могла.

— И как же вас величать? — Халдей все еще пытался важничать, но глядел на гостью тревожно.

— Елизавета Кузьмина. — Она протянула паспорт.

Халдей вытащил на стойку список, медлительно просмотрел его вдоль и поперек, нашел ее фамилию. Она действительно значилась под номером двадцать семь.

— Я могу войти? — царственно улыбнулась Лиза.

— Нет, — буркнул охранник. — Сначала пройдите через «рамку» и сдайте сотовый телефон... А теперь, будьте любезны, сумочку свою предъявите.

— В Букингемский дворец — и то легче попасть, — проворчала Лиза.

И тут же нарвалась на надменный ответ:

— Между прочим, наша система безопасности эффективнее всяких там королевских.

Ох уж эти российские олигархи!..

Лиза покорно сдала телефон и вручила охраннику сумочку — тот даже швы прощупал. Боялся, наверное, что она под подкладкой стилет пронесет. Наконец неохотно сказал:

— Все в порядке. Проходите. В лифте нажмете кнопку «П».

— Подвал, что ли? — удивилась Лиза.

— Пентхауз, — снисходительно поправил охранник.

...Первое, что увидела Лиза, когда поднялась в пентхауз, — высеченную золотом надпись на входной двери: *Nullus enim locus sine genio est.*

Озадаченно остановилась: что бы это значило? Явно — латынь, но латынь Лиза не проходила, а у секретарши — надменной платиновой блондинки — спрашивать перевод не решилась.

— Это вы Кузьмина? Присядьте здесь, — девица указала ей на старинное кресло с витиеватыми подлокотниками. — Кофе будете?

— Спасибо, нет, — отказалась Лиза.

Нельзя сказать, чтобы она чувствовала себя неуютно или стеснялась, — но блеск натертого паркета, лепнина на потолке и антикварная мебель ее несколько подавляли.

— Владимир Николаевич освободится через пару минут, — проинформировала секретарша. — Можете пока почитать журналы, — небрежный кивок на тонконогий, опять же антикварный, столик.

Журналы — сплошь про экономику, причем на иностранных языках, — Лизу не заинтересовали. Она с любопытством разглядывала обиталище олигарха и (с не меньшим интересом) — дорогой костюм его секретарши.

Когда обещанные две минуты истекли, а глазеть на холодный антиквариат и высокомерную рожицу секретутки надоело, Лиза достала из сумочки «Уметь и сметь», зашелестела страницами. В этот момент дверь кабинета и распахнулась. На пороге появился Макеев.

Лизе всегда казалось, что олигарх — это нечто особенное. Особая стать, демонический взгляд, умные речи... Но в Макееве — никакой «олигархической специфики» не обнаружилось: молодой, остроносенький, в мятой рубашке. И еще — очень снулый, будто всю ночь вагоны с углем разгружал. Глаза потухшие, рот кривится в зевоте — чудится, сейчас грохнется на свой дорогой паркет и уснет.

— Здравствуйте, — смущенно поздоровалась Лиза.

Начала вставать из неудобного кресла, неловкое движение — и «Уметь и сметь» тут же грохнулась на пол.

От резкого звука олигарх поморщился. Секретарша наградила Лизу неприязненным взглядом, а Макеев вяло, без выражения, без пауз, сказал, обращаясь сразу к обеим. Получилось у него следующее:

— С Мироновым не соединяй аспирину мне разведи ты проходи времени у нас десять минут.

Печальная селедка какая-то, а не олигарх.

Лиза подхватила с пола «Уметь и сметь», прошла в кабинет, села, — разумеется, Макеев усадил ее в низкое неудобное кресло, а сам поместился за монолитным столом.

— Слушаю вас, — сказал олигарх равнодушным голосом.

А Лиза вдруг почувствовала странное головокружение... и потом с языка вдруг сорвалось: *«Nullum est jam dictum, quod non sit dictum prius»*.

Сказала — и замерла. Она совершенно не понимала, что значит только что произнесенная фраза. Одно ясно: это выпалила не она, а опять проснулся ее «карлик». Похоже на латынь, причем не косноязычную, на которой говорят врачи, а самую настоящую, из древних времен.

— Что-что? — слегка оживился Макеев.

«Если б я знала что!»

Но ответ, опять же с помощью «карлика», пришел тут же.

— Как что? — не без ехидства сказала Лиза. — Я думала, вы по-латыни понимаете, раз на входе в ваш пентхауз латинский лозунг висит.

— А вы знаете латынь? — все больше оживал олигарх.

— Естественно, — пожала плечами Лиза.

Олигарх ей, кажется, не поверил:

— И что написано на входе?

Лиза со знанием дела отвечала:

— Это — цитата из Сервия (*господи, кто ж он такой, этот Сервий?!*): «У каждого места свой гений». Это, наверное, про вас.

— Наверное, — ухмыльнулся олигарх. — А сейчас что вы сказали?

— Я подумала, что к вашей книге можно было бы дать эпиграф из Теренция: *«Нет ничего сказанного, что не было бы сказано раньше».*

Ничего себе ее «карлик» дает! То Сервия ей цитирует, то Теренция — что это, интересно, за перцы? Явно древнеримские — но кто конкретно? Продолжение фразы Лиза добавила уже лично от себя:

— Я имею в виду, что ваша книга — это гениальная компиляция. То, о чем вы пишете в «Уметь и сметь», — давно известно. Но вы очень талантливо все скомпоновали. К тому же ваша фамилия на обложке деловой книги — как знак качества. Именно поэтому мы и хотели отрецензировать вашу книгу в одном из ближайших номеров.

— Интересная ты девушка, — покачал головой олигарх.

Он снова полуприкрыл глаза: делает вид, что устал и сейчас уснет, но тут даже ведьмой быть не надо, чтобы понять: «сонная маска», которую нацепил на себя Макеев, — это всего лишь игра. Мигрень у сильных мира сего, конечно, бывает, и не высыпаются они, и устают, — только все равно и надеяться нечего обдурить магната, потому что он вроде сонный.

По крайней мере Лизе обмануть Макеева не удалось. Он посмотрел ей в глаза — нарочито ленивым, сонным взглядом — и спросил:

— Ну, и зачем тебе это надо?

«Может, мне тоже ему «тыкать» начать? А что, он ненамного меня старше... Нет, язык не поворачивается: все-таки олигарх!»

— Что вы имеете в виду? — улыбнулась Лиза.

— Мучилась, «Уметь и сметь» читала. Зачем?

— Но я же объяснила вашей секретарше...

— Только не надо меня грузить про рецензию, — перебил ее олигарх и тут же выложил все козыри на стол. — Ты — Лиза Кузьмина, работаешь в отделе маркетинга корпорации «Стил-Оникс» и никакого отношения к журналистике не имеешь.

— Ну, у вас и служба безопасности! — опешила она. — Действительно, как в Букингемском дворце... Но почему тогда вы согласились со мной встретиться?

— Из любопытства, — пожал плечами олигарх. — Раз не поленилась книгу найти и целую историю выдумала — значит, тебе что-то от меня нужно. Ну, говори: что конкретно?

— «Формулируй кратко, четко и с достоинством», — процитировала Лиза из макеевской книги. И задумчиво прибавила: — А я даже не знаю, с чего начать...

— Нужны деньги? Работа? Протекция?.. — подтолкнул ее олигарх.

Лиза с достоинством ответила:

— Денег у посторонних не беру. Своей работой довольна. В протекциях не нуждаюсь. Скажите, вы знакомы с Кириллом Мефодьевичем?

— Нет, — коротко и без запинки ответил Макеев.

Спрашивать, кто такой Кирилл Мефодьевич, не стал. Потребовал: — Дальше.

— Вы знаете, кто такой Чернобривец? — задала Лиза следующий вопрос.

— Нет, — снова ответил олигарх и демонстративно взглянул на часы.

— А с Аркадием Колыхаловым незнакомы?

— Перестаю тебя понимать, — с легкой досадой ответил олигарх.

— Значит, незнакомы. Тогда последний вопрос. У вас есть враги?

Макеев усмехнулся:

— А как ты думаешь?

— Думаю, что королевская система безопасности не случайна.

— И все-таки, — поморщился олигарх, — давай к делу.

«Он мне не поверит. Ни за что. Не такой это человек, чтобы поверил в порчу и сглаз. Даже если я начну убеждать его, что дело здесь не просто в порче, а во вполне злонамеренном вредительстве. Он лишь посмеется и попросит его больше такими глупостями не беспокоить. Но что мне остается? Только пробовать и надеяться, что он разумный человек и все-таки дослушает меня до конца».

— Хорошо, Владимир Николаевич. К делу — так к делу. Один из ваших врагов — не знаю, к сожалению, кто — очень хочет, чтобы вы сошли с дистанции. Но просто нанять киллера у него не хватает решимости. Или денег. И тогда он решает обратиться к колдуну...

От стола олигарха раздалось какое-то хрюканье. Лиза вскинула глаза и увидела: как и ожидалось, Макеев хохотал. Она сухо спросила:

— Мне уйти?

— Нет... нет... — продолжая смеяться, выдавил олигарх. — Продолжай! Давно я так не веселился!..

«Хорошо. Пусть веселится».

— Я знакома с этим самым колдуном. Как-то была у него в гостях и случайно увидела у него на столе список из тринадцати фамилий. Третьим номером в этом списке идете вы.

— А как... а как он колдует? — сквозь смех выдавил олигарх. — Ворожит на птичьем помете?

— Я, между прочим, тоже не верю в колдовство, — спокойно сказала Лиза. — Я просто хочу вас проинформировать. Номер первый из колдовского списка — его фамилия Чернобривец — избит неизвестными в подъезде. Номера второго — Колыхалова — кто-то запер в сауне, и тот получил тяжелые ожоги. Вы, повторяю, — номер третий.

Смех от стола олигарха тут же смолк. Он резко спросил:

— Что связывает тебя с этим колдуном?

— К делу это не относится, — сухо ответила Лиза. — Я просто хочу вам втолковать, что он — не просто колдун.

— Я уже это понял, — нахмурился олигарх. — По делам этих двоих, Чернобривца и Колыхалова, есть задержанные?

— Откуда я знаю! — буркнула Лиза. — Я же не следователь! Одно хочу сказать: тут дело пахнет не колдовством, а банальным злым умыслом.

— Его координаты, — сухо потребовал Макеев.

Надо отдать должное — соображал олигарх быстро.

— Пожалуйста.

Лиза без запинки продиктовала телефон и адрес Кирилла Мефодьевича.

— Проверим. Спасибо, — кивнул олигарх. И, долю секунды подумав, спросил: — Как тебя благодарить?

Лиза уже начала привыкать к лапидарному стилю, которым изъяснялся Макеев, и потому ответила сразу:

— Отблагодарите, как сочтете нужным. Но, думаю, с этим колдуном у вас возникнут сложности. Вряд ли он в чем-то признается...

— За это не волнуйся. — Глаза Макеева жестко блеснули. — Я в любом случае позвоню.

Он встал: аудиенция, надо понимать, закончена. И тут Лиза снова почувствовала: голова становится тяжелой... в ногах — слабость, а с языка — так и рвутся совсем не принадлежащие ей слова... Лиза промямлила:

— Я хочу... я хочу вам сказать кое-что еще. Только не спрашивайте, откуда я это знаю.

— Это имеет отношение к делу? — нетерпеливо спросил олигарх.

— Более чем. У вас ведь завтра переговоры. В три часа, в гостинице «Балчуг»?

Олигарх смерил ее пристальным взглядом:

— Еще интересней. А вот это уже — конфиденциальная информация. Кто тебе сказал?

И тут Лиза рявкнула — интересно, есть ли еще в стране люди, которым позволено рявкать на олигархов?

— Не перебивайте меня. «Балчуг» от вашего офиса через дорогу, поэтому вы туда ходите пешком и иногда — даже без охраны. Так вот. Завтра проявляйте особую осторожность.

Макеев спокойно спросил:

— Я хотел бы уточнить, откуда у тебя *эта* информация?

Лиза вздохнула — голова, как и всякий раз после общения с «карликом», была тяжеленной:

— Вы — серьезный, здравомыслящий человек. И поэтому вы все равно мне не поверите. Но я иногда могу... как это сказать... чувствовать?..

— *Пред*чувствовать, — спокойно поправил ее олигарх. И уточнил: — Ты занимаешься этим профессионально?

— Нет. Для души.

— Спасибо. Я тебя понял. Это все?

— Да, все, — устало ответила Лиза и встала из антикварного кресла. — Приятно было познакомиться.

Она уже подошла к двери, когда услышала слова олигарха:

— Еще раз спасибо, Лиза. Обещаю: я в долгу не останусь.

Она остановилась на пороге:

— Между прочим, рано благодарите. Я ведь могу и ошибаться.

— Мы все можем ошибаться, — спокойно согласился Макеев. — И ты *могла* ко мне и не приходить, верно?

— Ну-у, если б не пришла — когда б еще поемотрела, в каком кабинете работает олигарх? — усмехнулась Лиза. Не удержалась и добавила: — А ваша книжка, если начистоту, мне не очень понравилась.

— Спасибо и за искренность, — кивнул олигарх. — Кстати, а откуда ты знаешь латынь?

— Ниоткуда, — пожала плечами Лиза. — Я ее тоже — *чувствую*.

— Занятно, — усмехнулся олигарх. И безапелляционно добавил: — Ты сейчас на работу? Тебя отвезут.

Глава 12

СКРЫТАЯ УГРОЗА

Магнат Макеев не стал менять свои планы из-за смутной угрозы, принесенной Лизой, — он не из пугливых. Переговоры в «Балчуге» не отменил. И автомобиль тоже решил не вызывать: смешно — *ехать* в бронированном «мерсе» ровно половину квартала... Как и собирался, олигарх отправился на переговоры пешком. Однако береженого бог бережет, и Макеев попросил начальника службы безопасности усилить собственную охрану до состояния «тревоги».

— Могу я спросить, почему? — осведомился начальник службы безопасности.

— У меня есть сведения о готовящемся на меня покушении, — ответил олигарх.

— Каков источник? — поинтересовался бывший генерал КГБ, уберегший Макеева от трех покушений.

— Не могу пока раскрывать, — покачал головой олигарх.

В итоге по дороге в «Балчуг» магната сопровождали — только в пределах непосредственной видимости — пять человек. Еще два снайпера страховали его на крышах близлежащих билдингов.

Когда Макеев, в одном пиджачке, пересекал Садовническую улицу, из припаркованного в десятке метров «Альфа-Ромео-156» вдруг вышла молодая, красивая, стильная женщина. Она завидела олигарха и быстрыми шагами пошла в его сторону.

Охрана напряглась. В радиэфире пронесся легкий бэмц:

— К объекту приближается женщина...

— Десять метров до объекта...

— Что у нее в руках??!

— Дамская сумка!

— Нейтрализовать?!

— Готовность один!

— Есть готовность один!

— Работать по ней??!

— Да! Нет! Отбой! Он улыбается ей!

— Он махнул ей рукой!

— Отбой первой готовности!

— Есть отбой.

...А Макеев остановился на тротуаре, удивленно взглянул на нее и проговорил:

— О, Ленка, привет! Это ты?

Женщина сняла темные очки, кокетливо улыбнулась:

— А я боялась, что постарела и ты меня не узнаешь...

...Но Ленка оказалась точно такой же, как и семь лет назад. Все то же милое лицо, блеск голубых глаз, копна золотистых волос. Она совсем не изменилась. Только от былой беззащитности, беспомощности не осталось и следа. Да, у нее все те же яркие глаза, бередящие самые потаенные желания, — глаза, которые он когда-то так любил... Только теперь они уже не молят — просто смотрят на него со спокойствием уверенной в себе женщины.

— Какими судьбами? — поинтересовался Макеев.

— Работа. — Она кивнула на витрину соседнего с «Балчугом» ресторана, пояснила: — У меня тут встреча с французами. — Украдкой взглянула на золото изящных часиков.

Похоже, она и вправду спешит. И что же, сейчас они разойдутся, каждый по своим переговорам, — и больше никогда друг друга не увидят? Макеев быстро спросил:

— Ну, Ленка, как ты живешь?

— Хорошо. — Она снова улыбнулась и взглянула на часы.

— Вижу, что хорошо. — Он еще раз охватил ее взглядом. Ее всю — с холеными руками, дорогим костюмом, зовущими глазами. И принял решение:

— Поужинаем вместе? По старой памяти?

Секундная заминка. Неужели откажется?

Нет. Опять улыбка, взмах ресницами...

— С удовольствием.

— Завтра?

— Можно и завтра.

— Я заеду за тобой. Где ты живешь?

— Если заезжать, то лучше на работу. Я работаю допоздна.

— В десять вечера тебя устроит? Куда за тобой заехать?

— Вот визитка, — откликнулась Лена, доставая из сумочки строго-дорогую визитницу.

Макеев хлопнул по плечу одного из охранников, с индифферентным видом ошивающегося рядом.

— Вот ему отдай. И объясни, как доехать. А я, извини, опаздываю. — И охраннику: — Слава, узнаешь, где девушка работает. И будь с ней поласковей. Это моя первая любовь.

...Больше никаких неожиданностей ни во время следования Макеева в «Балчуг», ни на самих переговорах не произошло.

ЛИЗА. СМЯТЕНИЕ ЧУВСТВ

Лиза чувствовала себя юной и глупой. Состояние — как в школе перед сложной контрольной: одновременно страх, азарт и предвкушение.

Теперь, когда дело сделано и потенциальные жертвы колдуна предупреждены, Лиза смогла полностью отдаться эмоциям. Даже не просто эмоциям, а самой настоящей эйфории.

«Какой у меня, наверное, дурацкий вид», — посмеивалась над собой Лиза. Но ничего не могла с собой поделать.

Она мечтала, волновалась и фантазировала — но впервые в жизни не о себе, а *о ком-то*.

Очень странное чувство — когда то, что происходит с *ним*, волнует тебя куда больше, чем собственные дела и проблемы. «Интересно, а что Женя сейчас делает? Гуляет? Спит? Работает? О чем думает?»

Лиза даже смогла сосредоточиться и увидела картинку: вот он, художник. Стоит перед мольбертом, только смотрит совсем не на него, а в окно. И взгляд — бездумный, шальной, как у бесшабашных уличных котов, которым так завидует ее Пират... И, кажется, в его глазах написано: думает он о ней, Лизе... А вот что Женя рисует — она не поняла. Но, кажется, что-то очень нежное, свежее... Летний луг, например. Или рощу из стройных березок. Или цветы.

«Пусть у тебя все получится!» — пожелала Лиза Жене. И тут же, как последняя клушка, забеспокоилась: «Интересно, а он обедал? А то ведь я его уже знаю: увлечется и обо всем забывает. Ни еды, ни отдыха...»

Ну и ну. С каких это пор ее волнует, устал мужчина или нет?! Разве она когда-нибудь думала так, скажем, о Красавчике? Да совершенно ей плевать было, голодный тот или нет, и как он себя чувствует, и какое у него настроение...

А с Женей — просто какое-то наваждение. Лиза не сомневалась: заболит у него зуб — она тут же почувствует. И готова не просто разделить его боль — а даже взять ее на себя. Пусть лучше у нее что-то болит, она крепкая, вытерпит, — зато у Женечки все должно быть хорошо.

«Шизофренические у меня мысли. Нет, даже маниакальные. В общем, тихо шифером шурша, крыша едет не спеша... Значит, такое помрачение рассудка и называется *любовью*?»

Лиза даже взяла для смеха бабушкину книжицу «В мире мудрых мыслей». Открыла раздел о любви. Похихикала над цитатами из Маркса и Луначарского. Мысленно возразила Торо: «Буйной любви надо страшиться так же, как ненависти». Зато со Львом Толстым согласилась: «Любить — значит жить жизнью того, кого любишь». Это как раз про нее.

ХУДОЖНИК. ОПЯТЬ НАТЮРМОРТ

Теперь, что бы ни делал, я думаю о Лизе.

С точки зрения творчества это оказалось даже полезным. Я снова взялся за натюрморт, начатый в Москве и не законченный: разномастные цветы, разложенные на кухонном столе. Раньше я представлял себе некую абстрактную женщину, принесшую эти букеты домой после дня рождения. Теперь я воображал себе, что это — Лиза. Она притащила их и любовно разложила на столе перед тем, как расставить по вазам. Оттого, что я думал о Лизе, краски на полотне сами собой становились какими-то особенно яркими.

Я работал в двусветной гостиной баденского особняка. Работа спорилась, и я даже не замечал течения времени. Это классно — когда настолько увлекаешься, что не замечаешь, как проходят часы.

Вдруг на улице возле особняка я заслышал шум мотора. Я подошел к окну: у крыльца парковался «Мерседес» моего мецената. Совсем некстати. Оторвет меня от работы. Жаль было тратить драгоценное светлое время на пустопорожнюю болтовню.

Из «Мерседеса» вылез мой спонсор собственной персоной: седой, благообразный. С пассажирского сиденья выпорхнула девица-красавица: особа модельной внешности лет двадцати. Он увидел меня в окне и приветственно махнул рукой. Девица тоже сделала ручкой. Я поплелся открывать дверь.

Прямо на крыльце меценат трижды смачно меня расцеловал.

— Вот, Марина, рад тебе представить: это наш юный гений, надежда русского изобразительного искусства — Евгений Боголюбов.

Девушка протянула мне узкую длинную руку:

— Очень приятно.

Модель была юная, прекрасная и, похоже, совершенно пустоголовая. Очевидно, ее роль (дневная) при моем меценате в том и заключалась, чтобы всем улыбаться и говорить «очень приятно».

Я пригласил их в дом. Шевченко, не раздеваясь, прошелся по своей собственной гостиной, поцокал языком перед моим неоконченным натюрмортом, сказал с украинским акцентом:

— Гарно, гарно! О, це дило!

Потом скомандовал своей спутнице:

— Маринка, давай, возьми в багажнике продукты и шуруй на кухню. Сооруди нам там бутербродики, кофе, коньячку. А нам с художником потолковать трэба.

Бессловесная Марина послушно удалилась на кухню.

Шевченко сбросил плащ на кресло, плотоядно потер руки.

— Ох, я сейчас такое расскажу — закачаешься!.. Вообще-то тебя надо плясать заставить. Ну, да ладно, черт с тобой, ты ж у нас Суриков, а не Нуриев.

Он обнял меня за плечо и зашептал — от него попахивало коньяком и старостью:

— Знаешь, парень, что ты гений? Нет? Ну, так скоро узнаешь. О тебе все газеты писать будут. Ты знаменитый будешь, как гребаный Пикассо!

— А что случилось? — поинтересовался я, слегка отстраняясь от его запаха.

— Я твою картину продал! Ты понял?! Ту, где голая баба в винограднике.

— Очень приятно.

— А ты знаешь, за сколько я ее продал? За сто тысяч! Долларов!! Нет, ты понял? За сто тонн этих гребаных Франклинов!

Я усмехнулся.

— Приятно, конечно.

Он возмутился:

— Приятно тебе?! И все?

— Ну, а чего мне особо радоваться? Картина-то уже была вашей. Значит, и навар ваш.

В свое время я продал Шевченке «бабу в винограднике» за тысячу долларов.

— Хороший у вас бизнес, — добавил я и вымученно улыбнулся. Улыбка вышла кривоватой. — Десять тысяч процентов прибыли.

— Да ты че, за хама меня держишь? — вдруг взвился мой меценат.

Я снова усмехнулся: ничего особо хамского в его поведении не было. Нормальная спекуляция — скупить задешево на корню, перепродать с оглушительным наваром... Весь российский бизнес на этом построен.

Но Шевченко, кажется, даже обиделся. И продолжил свою мысль:

— Ты че, не въезжаешь, что мне кидать тебя, натурально, невыгодно? Ты ведь и надуться можешь. Задепрессуешь. В творческий кризис войдешь. Картинки свои малевать перестанешь...

— Ближе к делу. — Я изо всех сил старался сохранять хладнокровие.

А мой спонсор продолжал разоряться:

— Не, конечно, я бы мог тебя кинуть — картина-то, конкретно, моя. Ты б и не узнал ничего! Но тогда зачем бы я к тебе приехал? Понты гонять, какой я крутой? Ты учти: я на тебе какие-то деньги, конечно, зарабатываю. Но это хобби мое — понимаешь, хобби! И, типа, благотворительность. Поэтому и тебе должно кой-чего обламываться. Короче, навар от продажи картины мы поделим. Двадцать процентов — моему агенту, который покупателя нашел, сорок — мне, за хлопоты и беспокойство. Ну, и тебе — сорок процентов. Итого получишь — сорок тонн баксов! Что, мало?!

— Нормально, — выдавил я, пораженный очевидным благородством своего мецената. Ведь как ни крути, он и вправду мог перепродать мою картину и со мной ни копейкой не поделиться.

— А перспектива-то, перспектива! Какие горизонты перед тобой открываются! Ну ладно, че болтать!.. Лучше, как говорится, деньгами. Ща чек тебе выпишу.

Шевченко плюхнулся за журнальный столик, вытащил из внутреннего кармана чековую книжку и принялся золотым пером нетерпеливо заполнять графы. Вырвал заполненную страничку, помахал ею в воздухе, чтоб высохли чернила, и передал мне.

— На, владей и радуйся.

А тут и бессловесная Марина появилась из кухни — с подносом, на котором дымился кофе, плескался в рюмочках и графинчике коньяк, а в вазочке горкой возвышалось печенье. Очевидно, в бэкграунде у нее имелся секретарский опыт, потому что она споро и красиво расставила еду и напитки на журнальном столике, ни единой капли ни коньяка, ни кофе не расплескав.

— Ну, давай, Женька Батькович, — провозгласил тост меценат, вздымая рюмку с коньяком, — за славу отечественного искусства, за успехи российской живописи и за тебя лично, наш растущий и многообещающий талант!

Мы все трое чокнулись. Марина пригубила, я тоже, Шевченко опрокинул рюмку до дна.

— Давай-давай, пей, — ободрил меня меценат. — За такое дело грех не выпить. — И налил себе вторую.

...Они провели у меня не больше получаса, запили коньяк кофием, а потом нефтяной король, скупавший оптом и в розницу художников и моделей, благополучно отбыл вместе со своей спутницей навстречу новым делам, контрактам и приключениям.

Ошарашенный нежданным визитом мецената, я долго тупо смотрел на оставленный им чек, на сумму прописью — «сорок тысяч USD», а потом стал собираться.

Я знал, что сделаю дальше, и это казалось мне единственно правильным.

ХУДОЖНИК. ЛЮБИТЕ НА ЛЕТУ

Назавтра утренним рейсом «Аэрофлота» я летел в Москву. К Лизе.

Я купил билет в один конец, а свой «фолькс» оставил на стоянке в аэропорту Швехат. Я не стал звонить Лизе. Пусть мой приезд станет для нее сюрпризом.

Встал я в тот день в шесть утра, поэтому на борту после завтрака сразу уснул.

В неудобном аэрофлотовском кресле мне приснился странный сон — один из тех, что не перескажешь словами. Я мог бы его нарисовать — если бы был сюрреалистом в духе Дали.

Снилось мне, что мы — я и Лиза — являем собой некое единое целое. (Но в нашей целости не было ничего сексуального — только золотистый отблеск огромной нежности.) Мы вместе с нею находимся в какой-то прохладной пустыне. А рядом с нами парят в воздухе две колбочки, соединенные резиновой перемычкой: точь-в-точь сообщающиеся сосуды, как мы изучали их на школьной физике. И эти колбочки тоже — словно часть нас с Лизой. Они — вроде индикатора наших отношений, что ли.

Но, странное дело, по законам физики уровень жидкости в сообщающихся сосудах должен быть равным, однако в моем сне один сосуд был заполнен до краев, а другой — почти пуст. И Лиза вроде бы говорит мне, с печальной укоризной... (Хотя как она могла мне говорить — ведь мы же с ней составляли во сне единое целое?) «Почему ты не...?» — говорит она. А что «не» — не слышно или непонятно.

И тут по пустыне к нам со страшной скоростью приближается «Порше» — тот самый, что чуть не въехал в мою машину в наш последний день в Вене. Во сне столкновение с ним казалось мне неминуемым, и, чтобы избежать его, я вздрогнул и проснулся...

А за долю секунды до того, как проснуться, на грани полусна-полуяви, мне вдруг пришла в голову разгадка своего видения — хотя на самом деле эта разгадка была не чем иным, как продолжением моего сна. Итак: Лиза оказалась рядом со мной в Вене в тот тревожный день, когда мне угрожала опасность. А теперь у меня все хорошо. Более того — очень хорошо. Меня, наконец, признали и заплатили мне большие деньги. И почему-то мой успех означал, что, по закону сообщающихся сосудов, сейчас плохо — ей. И, значит, я должен быть рядом с нею.

Я окончательно проснулся и глянул в иллюминатор. От спанья в одежде, в неудобной позе, всему телу было неуютно.

Самолет снижался. Лайнер шел параллельно кольцевой дороге, неуклонно приближаясь к Шереметьеву. Внизу разворачивалась панорама Москвы. Над весенним городом сияло ослепительное солнце. Столица видна была под нами вместе со всеми своими прелестями: Останкинской башней, университетом, другими высотками. Лучами к центру пролегали проспекты. Над миллионами домов висело сероватое облако смога. Где-то вдали, за крышами, в центре города самоварным золотом блистал купол Христа Спасителя.

Я понял, что уже соскучился по Москве. Но еще больше я скучал по Лизе.

ХУДОЖНИК. ДЕДУШКА ФРЕЙД

Разница во времени съела из моей жизни два часа. Пока я отстоял в очереди на паспортном контроле и получил багаж, было уже полшестого.

Зверь-таксист согласился везти меня за тридцать евро. Когда я сел в машину, то достал визитную карточку, на которой Лиза доверчиво написала свой домашний адрес, и сказал: «Едем в Новокосино».

Кольцевая дорога тащилась еле-еле, не быстрей тридцати километров в час, и возле Лизиного дома я оказался только в половине восьмого. Наверное, она уже пришла с работы, наивно загадывал я. Впрочем, она могла отправиться после службы куда угодно, от магазинов до боулинга. Не дожидаясь лифта, я взлетел на третий этаж.

Нетерпеливо позвонил. Из-за двери раздалось шарканье, потом дребезжащий старческий голос:

— Кто здесь?

— Это знакомый Лизы.

— Хм. А как вас зовут?

— Евгений.

— Вы из Вены приехали?

— Да.

«Выходит, Лиза рассказывала обо мне своей бабушке. Что это значит? Что у меня есть шансы?»

Дверь отворилась, и на пороге обнаружилась старушка с тщательно завитыми седыми букольками. Живые веселые глаза с интересом осматривали меня. Она выглядела точь-в-точь как ухоженные австрийские бабульки.

— Проходите, Женя, — пригласила она. — Лизы пока нет дома, но, я думаю, она скоро придет.

Я вошел в прихожую.

— Можете не разуваться. — Но я все равно скинул туфли. — Пойдемте на кухню, я угощу вас чаем.

В прихожую из комнаты вышел кот, подозрительно посмотрел на меня. Я подумал, что мне надо понравиться не только самой Лизе, но и ее бабушке и коту.

— Кыс-кыс-кыс, Пират, — лживо проговорил я, очень кстати вспомнив его имя. Пират, не обращая внимания на заигрывания, отвернулся и важно пошагал за бабулей на кухню. Я пошлепал следом.

— Скажите, Женя, — неожиданно обернулась ко мне бабушка, включив чайник, — а вы в Вене на могиле Фрейда были?

— Фрейда? Но он, по-моему, похоронен в Англии. Он бежал из Австрии от фашистов.

— Ах, да, что это я... Видите, начинается настоящий склероз... А, простите за любопытство, в квартире Фрейда вы бывали? Там сейчас музей.

— Нет, — покачал я головой. — Просто проходил мимо. Смотрел на дом.

Я не стал говорить старушке, что тогда пожалел пять евро. Неделю назад я был сущим бедняком, не то что сейчас.

— И как?

— Дом как дом, — пожал я плечами. — Югендстиль, или арт-нуво, или модерн, начало двадцатого века.

— А вы ведь, Женя, художник?

— Да.

И в этот момент, по какой-то странной ассоциации — то ли с Фрейдом, то ли с моим брошенным в особняке в Бадене натюрмортом — я вспомнил, что допустил ужасную оплошность: не купил цветы. Ни бабушке, ни даже Лизе. Вот остолоп! Я охнул и проговорил:

— Извините, я кое-что забыл. Я вас на пять минут покину.

— Что-нибудь случилось, Женя? — озабоченно спросила старушка.

— Нет-нет, ничего особенного.

Бабушка оказалась настолько благовоспитанной, что не стала пытать меня, куда это я вдруг сорвался. А может, все поняла. Я надел туфли и выбежал из квартиры.

БЕЗ НАТЮРМОРТА

Когда я вышел на улицу, весенние сумерки уже исподволь опускались на столицу. Над горизонтом, над крышами зажглась звезда Марс. Почему-то сейчас — от высокого темного неба, что ли? — казалось, что скоро и в Россию тоже придет настоящая весна.

Отойдя от парадного метров двадцать, я зачем-то оглянулся. Оглянулся — и увидел: с противоположной стороны двора к своему подъезду подходит Лиза. В сумерках было не разглядеть ее лица, но я узнал ее походку и фигуру. Я хотел окликнуть ее — но в этот момент она открыла дверь подъезда и исчезла за ней.

И тут произошло странное: от серой машины следом за ней к парадному метнулась черная, угрожающая мужская тень. Сердце у меня тревожно сжалось. Черный человек исчез вслед за Лизой внутри подъезда. Он бежал. И бежал он — за ней. От всей его суровой фигуры исходила явная угроза.

Я метнулся назад к подъезду. Я мчался изо всех сил. Не думал ни о чем. Меня вел инстинкт. Инстинкт, безошибочно подсказывающий мне: Лизе что-то угрожает.

Я ворвался в предбанник — здесь никого не было, — распахнул вторые двери и увидел, что Лиза безмятежно стоит лицом к двери лифта — а за ее спиной маячит человек в черном. Лиза не замечала его — но человек уже занес над ней руку. В ней поблескивал железный прут.

— Стоять!!! — закричал я что было сил.

Человек изумленно обернулся и задержал удар. Его лицо было полускрыто шапочкой, натянутой до бровей. На мой вопль обернулась и Лиза. Она сдавленно вскрикнула.

Двумя прыжками я преодолел ступеньки, отделявшие меня от них. Человек развернулся ко мне и взял железный прут на изготовку. Его бледное лицо ничего не выражало. Он не успел ударить. Я пригнулся и налетел на него плечом. Он опустил свой прут на меня, целя в голову. Но он уже потерял равновесие, потому промахнулся, и прут хлестанул меня по плечам. Спину обожгло болью.

От моего удара человек отлетел к стене и согнулся — видимо, я хорошо попал ему плечом под ложечку. Боковым зрением я видел растерянное лицо Лизы. Я ударил мужчину двумя хуками снизу прямо в лицо: сначала правой, а потом левой. Оба удара достигли цели. Его голова откинулась. Железный прут выпал из рук и загремел по ступенькам. Мужчина стал оседать на пол.

— Лиза, звони в милицию! — закричал я.

В школьных драках я никогда не добивал упавших. Но сейчас было не до благородства. Сейчас я защищал свою девушку. Защищал от грозной, тупой и подлой силы. Поэтому я двинул лежащего человека ногой: сперва в голову, а потом по ребрам. Он дернулся и потерял сознание. Я перевел дух.

Человек лежал у моих ног на бетонном полу подъезда. Лиза трясущимися руками набирала номер на мобильнике. Я вытащил из своих брюк ремень. Наклонился к мужчине, завел его руки за спину и связал их. Он застонал, не приходя в сознание.

— Алло! Милиция! — заговорила Лиза в телефон срывающимся голосом.

Нет, совсем не такой я представлял себе нашу встречу. Но я действительно оказался нужен ей!

...Половину ночи мы терпеливо объяснялись с ментами. Сперва — с двумя сержантами из ПМГ. Потом, в отделении, — с дежурным майором. Слава богу, у ментов не возникло особых вопросов: кто прав, кто виноват. На мужика надели наручники, а потом засадили в обезьянник.

За все это время — в подъезде, в милицейской машине, в отделении — мы с Лизой даже мимолетно не поцеловались. Все эмоции уходили на то, чтобы втолковать ментам, что на самом деле произошло. Наконец, в отделении нас с Лизой завел в свой кабинет бледный оперативник в кожаной куртке. Он уселся за компьютер и принялся заполнять одним пальцем протокол. Только тут, воспользовавшись паузой, Лиза достала мобильник и позвонила бабушке, чтобы та не беспокоилась за нее.

— Передай бабуле, что я с тобой, — сказал я через голову оперативника. В этот момент мной овладела послестрессовая эйфория. Я спас свою девушку и задержал насильника. Тело было упругим, легким, и все на свете казалось по плечу. В голове звенели пузырьки, словно после шампанского.

— А ты уже знаком с бабулей? — удивилась Лиза, прерывая телефонный разговор.

— Угу. И с Пиратом тоже, — засмеялся я.

— Гражданка, ваши паспортные данные, — прокукарекал от компьютера оперативник.

— Бабулечка, у меня все нормально, я с Женей, мы тебе потом перезвоним!

Затем мы очень долго описывали оперативнику, что происходило в подъезде. Опер был внимателен к нам — насколько вообще может быть внимателен милиционер. Лиза сидела на обшарпанном диване. Лицо ее побледнело и осунулось. Я подсел к ней и обнял за плечи.

Когда протокол был, наконец, заполнен, Лиза вдруг сказала оперу:

— Вы, пожалуйста, проверьте: этот мерзавец, что напал на меня, может быть причастен к другим преступлениям.

— К каким еще? — удивился оперативник.

— Он где-то месяц назад избил в подъезде гражданина Чернобривца, замдиректора НИИ «Гальванопластика». Об этом в газетах писали.

— А с чего вы это взяли, девушка?

— Рисунок преступления похожий, — важно сказала Лиза. — Точно так же, как на меня, он напал на Чернобривца в подъезде и избил.

— Ну, знаете, у нас в подъездах на граждан часто нападают.

— А вы все-таки проверьте именно его. Расколите его — как вы это умеете. Я за свои слова отвечаю.

— Ну, ладно, — без особого энтузиазма сказал опер. — Спросим.

— А еще этот гад, примерно неделю назад, напал на гинеколога Колыхалова. Он закрыл его в сауне, и тот получил ожог дыхательных путей.

— С чего вы взяли? — изумился опер.

— Но это не самое главное, — не ответила на его вопрос Лиза. — Главное, что мужик не сам по себе действовал. Все это — заказные преступления. А заказчик — некий Кирилл Мефодьевич, фамилии не знаю, проживающий по адресу: Козюлинский переулок, дом одиннадцать, квартира тринадцать. Я думаю, что главный преступник — это он. И если вы с ним, с этим Кириллом Мефодьевичем, как следует поработаете, уверяю: он вам все расскажет!

— Да почему вы так решили, девушка?!

Оперативнику явно нравилась Лиза, и поэтому он хотя и слушал ее с изрядной долей недоверия — но все-таки не обрывал.

— Вы поработайте в этом направлении — сами увидите.

— Так, давайте-ка поговорим с вами подробнее и под протокольчик.

— Нет, не надо никакого протокола! Эти данные — результат моего частного расследования. А вы можете сказать начальству, что узнали обо всем по оперативным данным.

Милиционер не скрывал своего скепсиса, однако сведения, что сообщила ему Елизавета, все ж таки записал в свой блокнот.

— Ладно, девушка, проверим. А вас обоих на той неделе вызовут на допрос к следователю, — сказал нам на прощание опер.

ХУДОЖНИК. НОЧЬ

Когда мы вышли из ментовки, часы уже показывали два часа ночи.

Лиза с наслаждением вдохнула сырой весенний воздух и вдруг расхохоталась.

— Ты чего? — не понял я.

Она, продолжая смеяться, выдавила:

— Хорошенькая у нас с тобой... получилась... первая ночь!

Потом вдруг осеклась и смутилась.

— Зато будет что вспомнить, — утешил ее я.

Я поймал такси и довез Лизу до дома. Мы сидели на заднем сиденье, и по дороге Лиза доверчиво и устало склонила голову мне на грудь. Когда мы подъехали к ее подъезду, она прошептала:

— Я боюсь.

— Поднимемся вместе.

Она кивнула и снова прошептала:

— Так хорошо, что ты вернулся!.. Очень вовремя.

Я расплатился с таксистом.

Мы вместе поднялись и вошли в квартиру. Лизу встретил кот — принялся тереться о ее ноги (на меня при этом взглядывая крайне подозрительно).

— Лизочка, это ты? — раздался из комнаты голос бабушки. Оттуда пробивалась полоска света. — А я уже легла.

— Я вместе с Женей! — крикнула Лиза.

Потом она сняла пальто и исчезла в бабушкиной комнате. Следом за ней повлачился Пират.

Я прошел на уже знакомую мне кухню. Вскоре сюда явилась Лиза. Кот сидел у нее на руках.

— Бабушка велела тебя кормить. Картошку с котлетами будешь?

— А ты?

— Я буду. И еще буду капусту, соленые огурчики и винегрет. Я голодна как волк.

— Я, честно говоря, тоже. В последний раз ел, пролетая над Польшей.

И мы на славу запировали — а Пират нам составил компанию с «Вискасом».

— Ох, смерть моей талии! — кокетливо воскликнула Лиза, раскладывая нам по тарелкам дымящуюся картошку с котлетками. — Три часа ночи.

— Ничего с твоей талией не случится. Вон она, какая тонкая.

Я обнял Лизу. Она поставила сковородку на плиту, нагнулась и нежно поцеловала меня. Это был наш первый поцелуй на московской земле. Мне он показался еще более сладким, чем в Вене.

Потом мы наелись до отвала и выпили чаю с тортом «Птичье молоко».

— Спасибо.

Я поцеловал Лизу. Она отстранилась от меня.

— Подожди. Мне тебе многое надо рассказать.

Я подумал, что речь пойдет о каком-нибудь ее женском пустяке — вроде того, что она обручена с другим, и попытался снова обнять ее, но она оттолкнула меня.

— Это важно. Сегодняшнее нападение на меня не случайность. Садись и слушай.

И она начала свой рассказ — с того момента, как по совету своей подружки Сашхен пришла в квартиру на Патриарших к колдуну Кириллу Мефодьевичу. История казалась поразительной, невероятной, но я почему-то верил ей.

...Когда она закончила, часы показывали уже половину шестого, и дворники начали шуршать метлами под окном.

— А почему ты решила, что сегодняшний бандит в подъезде имеет отношение к твоему колдуну? — спросил я.

— Не знаю, — пожала она плечами. — Но очень

уж все сходится. Ведь рисунок нападения на меня и на ученого Чернобривца совпадает!..

— Какие страсти тут у вас в Москве творятся! — иронически воскликнул я, но быстро стал серьезным: — А зачем колдуну убивать тебя? Или запугивать?

— Наверное, он узнал о тех письмах-предупреждениях, что я разослала по всему его списку. Или о том, что я олигарха Макеева предупредила...

— Ну и что?

— И он решил убрать меня с дороги. Или просто мне отомстить.

— Похоже на правду, — кивнул я.

— Значит, ты мне веришь? — спросила она.

— Конечно, — пожал я плечами. Я действительно верил ей. Выдумать такое невозможно, да и зачем! К тому же на человека с проблемами в психике Лиза совершенно не походила.

— И еще, знаешь... — добавила она. — Наверное, это тебе покажется самым невероятным... Помнишь, ты рассказывал о своих проблемах в Москве: как у тебя кредитную карточку заблокировали, права аннулировали...

— Конечно. Еще бы такое забыть.

— Может, к этому имею какое-то отношение я?

— Ты?! — поразился я.

— Ну да. Ведь это было как раз в те дни, когда у меня начали проявляться необыкновенные способности. Когда я хинди начала понимать. Мне платье в магазине подарили. Вот я и думаю: может, раз у меня что-то *прибавлялось*, у тебя — *убавлялось*? В порядке компенсации?

Я сразу вспомнил сообщающиеся сосуды из своего самолетного сна и хмыкнул:

— Закон сохранения волшебства? Но мы ведь тогда даже не были знакомы.

— Ну и что? — пожала она плечами. — Какие-то высшие силы уже знали, что мы познакомимся, и...

Она не решилась договорить, но я ее понял и докончил за Лизу:

— ...И — будем вместе?

Краска бросилась ей в лицо.

— Можешь считать меня дурой ненормальной... — заявила она. — Можешь — ведьмой... В общем, как хочешь, но знаешь, когда я с тобой, я никакой, даже малюсенькой, твоей мысли прочесть не могу.

— А что тут читать? — вздохнул я. — У меня, когда я с тобой, и мыслей-то никаких нет. Кроме одной: что я влюблен в тебя.

Она нежно поцеловала меня и сказала:

— Спасибо. Значит, ты мне веришь?

— От первого до последнего слова.

— Вот и ночь уже прошла...

— Дай бог, не последняя...

— Я надеюсь... — прошептала она.

— Ладно, я, пожалуй, поеду.

— А я спать лягу. На работу не пойду. Имею право. Скажу, что гриппом заболела. У нас на фирме так можно — раз в год полентяйничать без больничного.

— Выспишься, приезжай ко мне.

— Угу, — кивнула Лиза.

Она сладко зевнула.

— Пока. Созвонимся.

— До свиданья, милый мой, сладкий Женечка!

Она проводила меня до порога. Казалось, Лиза засыпает на ходу. Видно было, что сегодняшний вечер потребовал от нее напряжения всех душевных сил. Мне стало жаль ее: поникшую, бледную, до сих пор слегка испуганную...

— Я всегда буду беречь тебя, Лиза, — тихо сказал я, когда мы прощались.

Глава 13

МАКЕЕВ

Нефтяной магнат Макеев прошелся по квартирке своей новой-старой возлюбленной Лены Головиной. Подошел к окну, хрустнул суставами пальцев. Из окна открывался ночной вид на Парк Победы.

— А у тебя здесь неплохо, — бросил, не оборачиваясь. Голос его звучал снисходительно. Человек, которому принадлежали особняк в Барвихе, дом в испанской Марбелье, квартиры в Лондоне и Флориде, имел право относиться свысока к двухкомнатной московской квартирке — пусть даже и расположенной на понтовом Кутузовском проспекте.

Лена Головина устроилась на диване в продуманно соблазнительной позе: нога на ногу, полусброшенная туфля покачивается на носке, губы призывно полуоткрыты.

— Я стараюсь, — отозвалась она низким, хриповатым голосом. — Тебе налить чего-нибудь выпить?

Магнат резко обернулся от окна.

— Зачем ты это устроила? — прозвучал неожиданный вопрос. Глазки магната буравили Лену.

— Что устроила? — растерянно переспросила она. Все ее тело напряглось. От сексапильной расслабленности не осталось и следа. Плечи закаменели. Нога прекратила качание. Полусброшенная туфля застыла в воздухе.

— Ты знаешь что, — сухо проговорил Макеев.

— Не понимаю тебя. — Голос и тело бывшей ма-кеевской возлюбленной застыли.

— Понимаешь. Я имею в виду нашу якобы слу-чайную встречу на улице.

— Я ничего не подстраивала! — Голос прозвучал тоньше, чем обычно, и в конце фразы чуть сорвался. Да и сам ответ последовал поспешно. Слишком по-спешно, чтобы быть правдой.

— Зачем ты вмешиваешь в свои и, главное, мои дела посторонних? — ледяным тоном проговорил магнат.

— Каких посторонних? Я не понимаю... — Жен-щина выглядела растерянной. Ее сексапильность словно испарилась сама собой.

Макеев, не отрывая от нее магнетизирующего взгляда, медленно отчеканил:

— Каких? Кирилла Мефодьевича Иванова. Ты-сяча девятьсот пятидесятого года рождения. Прожи-вает в Козюлинском переулке, дом одиннадцать, квартира тринадцать. Доктор философских наук. Называет себя колдуном. Зарабатывает на жизнь тем, что выполняет двусмысленные, а порой и пре-ступные заказы своих клиентов. В том числе — твой заказ.

Елена молчала. Она растерянно облизнула губы. На ее шее проступили красные пятна. Они стреми-тельно поднимались все выше, к подбородку.

— Можешь не отвечать, — небрежно бросил оли-гарх, подходя ближе к дивану и нависая над женщи-ной. — Все равно он во всем признался.

Руки Елены впились в спинку дивана. Глаза она полузакрыла, не в силах выдержать острый взгляд магната.

— Да, я обращалась к колдуну, — наконец тихо призналась Елена, с усилием открыв глаза и поглядев в сторону — туда, где за окном текли бесчисленные огни ночного Кутузовского проспекта. И повторила с вызовом: — Да, обращалась к нему, потому что хотела снова увидеть тебя. Очень хотела. — И почти выкрикнула: — В чем я провинилась?!

Макеев усмехнулся, не сводя с нее ледяного взора:

— Ты могла бы просто позвонить мне.

Елена тоже усмехнулась — довольно горько. Она снова почти выкрикнула:

— А ты? Ты бы стал со мной встречаться? Если б я — *просто позвонила?*

— Не думаю. — Он холодно покачал головой.

— Вот видишь!

— Но в результате вышло еще хуже, — резюмировал олигарх. — Я узнал, что нашу встречу ты подстроила. И даже заплатила колдуну, чтобы он ее организовал.

— И что дальше? — с вызовом, почти отчаянно спросила она.

— Значит, я нужен тебе, — передернул плечами олигарх. И добавил: — Что ж, ты добилась своего. Я рад. — Облизнул тонкие губы и выдохнул: — Раздевайся.

На лице его отразилась радость. Он любил главенствовать — всегда и во всем. И ему нравилось унижать людей.

Секунду поколебавшись, женщина, не отворачивая от Макеева своего внезапно побледневшего лица, медленно начала расстегивать пуговицы.

Он жадно смотрел на ее длинные пальцы и загорелое тело, появляющееся в разрезе блузки.

ЛИЗА. МАГНАТ

Женя ушел, когда бессонная ночь уже алела рассветом.

Лиза улеглась в постель в то время, когда город начинает просыпаться: гремела контейнерами мусоровозка, вовсю орали воробьи, на автобусной остановке газовала маршрутка... Жаль, что придется в девять утра просыпаться, звонить на работу и отпрашиваться — и уж только потом продолжать дрыхнуть с чистой совестью.

Будильник прозвонил, вырвал ее из сна, и Лиза тут же потянулась к телефону. Набрала номер отдела, поговорила с Бергом, нарочито гнусавя в нос. Потом снова забралась под одеяло — но спугнутый сон не шел. В комнату пробрался Пират, запрыгнул на постель, устроился, принялся урчать, убаюкивая. Но бесполезно: в голове, наезжая одна на другую, теснились мысли. И главная была: а не напрасно ли она доверилась художнику? Может, зря рассказала Женьке про колдуна и свои сверхъестественные способности? Не совершила ли ошибку?

Разумеется, Лиза рассказала Жене не *абсолютно* все. Из ее повествования напрочь выпал Красавчик — как будто и не было его. Но... Не посчитает ли Женька ее ненормальной? Не решит ли, что она какая-то дура, кликуша экзальтированная? Не бросит ли ее?

Мысль, что она вдруг может лишиться художника, показалась Лизе ужасной. Это было бы катастрофой, в тысячу раз хуже, чем расставание с каким-то Ником или даже, допустим, увольнение с работы (чего она еще две недели назад боялась больше всего на свете).

Но даже если Женя ее и не бросит — что у них

будет дальше? Он живет в Бадене, она — в Новокосине. Он — свободный художник, а она — человек подневольный: начальники, жесткий график, отпуск раз в год и всего на три недели... Женя — один, ни родителей, ни близких родственников, и даже его кот уже пристроен в хорошие руки. А у нее — бабушка и Пират, и их она не доверит даже самым заботливым людям...

Но — и это главное — Женя пока еще и *не звал* ее с собой, в Австрию, в Баден...

И тут зазвонил телефон. Лиза кинулась к трубке, думая, что ей решил перезвонить с работы Берг. Или, может, это Женька хочет сказать, что он без нее жить не может? И — спросить, когда она полетит с ним в Вену?

Однако это был ни тот и ни другой. В телефоне раздался холодный, не терпящий возражений женский голос:

— Елизавета Кузьмина? С вами будет говорить Макеев Владимир Николаевич.

Именно так, в повелительном наклонении. Никакого «не могли бы вы ответить». Будет говорить, и все тут. Похоже, у олигархов секретарши гораздо более наглые твари, чем сами олигархи.

Через секунду в трубке щелкнуло, и быстрый голос нефтяного магната произнес:

— Елизавета? Нам с вами надо встретиться.

— Вас не убили? — попыталась сбить с него спесь неожиданным вопросом Лиза.

— Даже не ранили, — мгновенно парировал он. — Сегодня в семнадцать пятнадцать вас устроит?

— Да что случилось?

— Не по телефону. Давайте увидимся в «Балчуге», в лобби. Там и пообедаем.

Магнат разговаривал таким тоном, что Лиза поняла, что спорить с ним бесполезно. Они условились о встрече.

Странно, но почему-то разговор с олигархом совершенно успокоил ее. Лиза залезла под одеяло, обняла кота и тут же уснула.

ЛИЗА. ВТОРОЙ РАЗ УТРО

Лиза проснулась далеко за полдень. Выпила кофе, приняла ванну, нагладила кофточку, потом еще раз выпила кофе...

Художник не звонил.

Она достала из шкафа юбку, в которой собиралась идти в «Балчуг». Нужно посмотреть, не пристала ли к ней кошачья шерсть (Лиза давно подметила: чем дороже вещь — тем легче к ней липнут Пиратовы волосенки).

Юбка оказалась в идеальном состоянии.

Тогда Лиза проверила, есть ли в загашнике новые колготки и не сточились ли набойки на «представительских» туфлях. Все в порядке: колготки есть, обувка — цела и сверкает глянцем. А Женька так и не звонит. Хотя времени уже — три часа дня.

Даже бабушка — она все понимала без слов — и то начала хмуриться. Временами выжидательно поглядывала на телефон. Но аппарат молчал.

Лиза украдкой — чтобы не потерять лица перед бабулей — проверила, есть ли гудок (может, обрыв на линии?).

Телефон работал. Мобильник — тоже. А на часах уже — половина четвертого.

«Женя, наверное, устал, — утешала себя Лиза. И оправдывала его: — У него-то вчерашний день был тяжелее, чем у меня. Я только работала, а он встал в несусветную рань, летел, дрался... Наверное, он отсыпается. Хотя мог бы, конечно, и позвонить, узнать, как я себя чувствую после вчерашних злоключений... Ну, значит, не догадался. Стало быть, вечером, как вернусь от Макеева, я ему сама позвоню».

И тут Лиза вспомнила: да ведь у нее даже нет его московского телефона! Ну да, он ей его и не давал! Это она ему сунула визитку со всеми координатами, а Женя оставил только свой номер в Бадене и электронный адрес. Но в Бадене — сейчас его точно нет. А писать электронное письмо — как-то совсем глупо.

Настроение, еще час назад скакавшее вокруг летних двадцати градусов, сразу скатилось до нуля. А времени — уже четыре, надо срочно подкрашиваться, мчаться в дурацкий «Балчуг», выслушивать магнатские претензии (Лиза почему-то не сомневалась, что разговор с Макеевым гладко не пройдет — богатые уж такие люди, что постоянно пытаются наехать).

Она быстро впрыгнула в отутюженную юбку и красивые туфли, посмотрелась в зеркало... но даже зрелище собственной фигуры в элегантном, с иголочки, наряде удовольствия не доставило.

«Не звонишь — и черт с тобой!» — пробурчала Лиза, выходя из квартиры.

Уже когда подъехал лифт, ей показалась, что за дверью разрывается телефон. Как дурочка, метнулась к квартире, прислушалась, убедилась, что аппарат трезвонит не у них, а у соседей... и расстроилась окончательно.

Послать, что ли, этого Макеева к черту? Вернуться домой, завалиться в постель и вволю наплакаться?

«Нет уж. Сроду я не рыдала из-за мужиков — и сейчас не буду».

Лиза пешком спустилась на первый этаж, отомкнула почтовый ящик: надо взять «Молодежные вести», почитать по дороге. Однако вместе с газетой обнаружился большущий конверт. Адресован Елизавете Кузьминой, а внутри, чувствуется на ощупь, — лист плотной бумаги. Уже предчувствуя что-то хорошее, Лиза нетерпеливо распечатала пакет, вытащила ватманский лист одиннадцатого формата.

В полутьме подъезда на нее смотрела она сама. На листе был ее портрет — написанный легкими движениями карандаша, словно бы второпях... Но она была очень похожа — строгая и красивая. И... Она очень понравилась себе. Никто и никогда еще не писал ее портретов, даже арбатские художники-халтурщики, и увидеть собственное изображение было очень приятно, и выглядела она такой, какой представляла себя в лучшие свои минуты — счастливой и победительной. «Женечка... — тепло подумала она. — Ах ты, Женька...» И вправду: в правом углу отчетливо читалась небрежно-размашистая подпись: «Евг. Боголюбов».

Значит, он даже не ложился. Он все утро рисовал ее. Рисовал по памяти — а потом вызвал курьера экспресс-почты — чтобы ей доставили его произведение. Или он сам приехал, бросил конверт в ящик — и сейчас она выйдет из подъезда, а он — там?

Но нет, когда Лиза вышла из полутемного парадного в яркий весенний день, Женьки на улице не оказалось. И она, слегка разочарованная, снова, теперь при свете дня, вгляделась в свой портрет. Какой он, Женя, все-таки талантливый! И милый! Но что означает это рисованное послание? О чем говорит?

Тут она догадалась перевернуть лист и увидела огромную, каллиграфически выведенную фразу: «ЛИЗА, ПОЕХАЛИ СО МНОЙ В ВЕНУ!»

ЛИЗА. ОБЕД ИЛИ ДОПРОС?

В предбаннике «Балчуга» оказалась машинка для чистки сапог, и Лиза отполировала свои туфли до блеска под недружелюбным взглядом швейцара. Зато в лобби вошла без следа от московской грязцы, чистая и красивая.

Макеев уже ждал, утонув в глубоком кресле, нетерпеливо просматривая газету. Из-за соседнего столика за Лизой напряженно наблюдали два мордоворота-охранника. Макеев оказался джентльменом — отшвырнул газету, привстал навстречу Лизе, пожал ее протянутую руку.

Когда она уселась, подскочил официант, подал меню, спросил, что она будет пить.

— Двойной эспрессо, пожалуйста.

Едва официант отошел, как Макеев тихим голосом проговорил:

— Я не терплю двусмысленных ситуаций. — И принялся рассматривать Лизу глазами-буравчиками. Потом выстрелил вопросом:

— Вы давно знакомы с Еленой Головиной?

— С кем?! — Это имя Лиза слышала в первый раз, поэтому неподдельное изумление ей разыгрывать не пришлось.

— Кому пришла в голову эта идея? — вновь выплюнул вопросец олигарх.

— Какая еще идея? — Лиза совершенно не понимала, о чем идет речь.

— Зачем ей понадобилось ваше участие? — прозвучал новый вопрос-наезд, по-прежнему совершенно непонятный.

Официант принес и поставил перед ней кофе.

Лиза сидела дура дурой, поэтому она резко отодвинула от себя чашку и проговорила:

— Значит, так, уважаемый господин Макеев. Я у вас в штате не работаю, и я вам ничего не должна. Потрудитесь объясниться, что происходит, или я сейчас же уйду.

Олигарх опешил. Видимо, не много людей позволяли себе говорить с ним в таком тоне.

— Брось, Елизавета, не обижайся! — тут же дал он задний ход. — Просто сам не до конца понимаю, что происходит, а я этого не терплю.

— Ну, вот и расскажите мне, в чем дело, а не наезжайте.

— Только не надо меня сразу парить, что ты здесь совсем ни при чем. Все равно не поверю.

— Давай, рассказывай!

«Какого черта, — решила Лиза, — он мне, девушке, «тыкает», а я его по имени-отчеству называть буду! Невелика фигура».

— Не понимаю, откуда ты узнала, — с места в карьер стал рассказывать бизнесмен, — но в тот день у меня действительно были переговоры — здесь, в «Балчуге». Несмотря на твое предупреждение, я на них все равно пошел, и вдруг мне навстречу идет она. Я ее сразу узнал. Да она и не переменилась совсем...

— Да кто она?! — не выдержала Лиза. — Говори ты толком!

Олигарх пристально посмотрел ей в глаза и произнес:

— А ты, Кузьмина, актриса... Навстречу мне шла Лена.

— Что еще за Лена?

— Головина Елена Михайловна, — быстро проговорил магнат, будто справку из отдела кадров зачитывал. — Семьдесят пятого года рождения. Русская. Москвичка. Не замужем. Детей нет. Работает директором ООО «Веер» — это крупный косметический салон.

— Никогда о такой не слышала, — пожала плечами Лиза. — Хочешь верь, хочешь нет. И не встречалась я с ней никогда. А чем она знаменита?

— Знаменита? — усмехнулся магнат. — Я с ней жил. Давно. Семь лет назад. Она у меня секретаршей работала. Потом мы с ней поссорились. Ну, и расстались. Короче, я ее тогда выгнал. Правда, денег дал.

— И ты встретил ее в тот день у «Балчуга»?

— Именно. Естественно, я понял, что все подстроено. Ты со своими предупреждениями, а потом вдруг она... Моей службе безопасности пришлось покопаться, и вот что она выяснила. Ленка на самом деле очень хотела со мной встретиться. Настолько хотела, что даже обратилась к колдуну. Представляешь, Кузьмина? К колдуну! Тот содрал с нее денег немерено, а потом приказал: в такой-то день и час ступай на улицу Балчуг, и там ты встретишь предмет своей страсти. Меня то есть.

Лиза быстро подумала:

«М-да, колдун оказался не так прост. Не только банальные избиения конкурентов организует. Он еще, значит, и марьяжные заказы берет. На то, чтобы устроить привороты и вечную любовь. Вот и магнат, значит, являлся не объектом покушения, как я было подумала. На Макеева колдуну, выходит, поступил заказ на приворожение. Как же я не догадалась-то? А как, спрашивается, я могла догадаться?»

— А теперь, Кузьмина, колись: при чем здесь ты?

— Ни при чем, — пожала Лиза плечами.

— Я тебя по-хорошему спрашиваю. Пока по-хорошему.

— Пожалуйста, не надо меня пугать. Лучше скажи: ты что, недоволен, что с этой Еленой встретился?

— Ну, положим, доволен. Но я не желаю, чтобы на мою жизнь кто-то влиял. Кто-то, кроме меня самого. Я ясно излагаю? — Макеев жестко посмотрел Лизе в глаза.

— Ясно, — пожала плечами Елизавета. — Да только не по адресу.

— То есть ты по-прежнему утверждаешь, что твое дело тут — сторона?

— Хватит с меня этих «предъяв»! — жестко проговорила Лиза и встала. — Еще раз повторяю, последний: я здесь ни при чем.

— А я знаю, — неожиданно улыбнулся Макеев.

— Так что ж ты меня мучаешь?! — вырвалось у Лизы.

— Давай, садись... Я выяснил, кто конкретно все организовал, — совершенно неожиданно усмехнулся магнат.

— Ну?.. — Елизавета снова присела за столик.

— За колдуна выдает себя некто Кирилл Мефодьевич Иванов. Берет с клиентов большие деньги. Не брезгует грязными заказиками, типа избить кого-то, запугать и прочее. Я вижу, этот тип тебе знаком? — Макеев так и вперился в глаза Лизе.

— Встречались пару раз, — пожала плечами она.

— Тоже кого-то приворожить хотела? — неожиданно подмигнул ей Макеев.

— Типа того, — призналась она. — Но хочешь верь, хочешь нет, а я на Кирилла Мефодьевича не работаю.

— Знаю, — кивнул магнат. — Мои люди этот

факт твоей биографии проверили. Вообще моя служба безопасности оч-чень большую работу успела провернуть. И многое про этого Кирилла Мефодьевича выяснила.

— Не поделишься — что конкретно они про него раскопали?

— А чего это ты им интересуешься?

— А он, Кирилл Мефодьевич, и мне тоже нагадил.

— Ладно, — кивнул олигарх, — кое-что я могу рассказать. Он, этот Кирилл Мефодьевич Иванов, при советском строе работал в одной очень секретной организации. Они там изучали всяческих телепатов, гипнотизеров, экстрасенсов... Потом, при Ельцине, эту комиссию закрыли, и Кирилл Мефодьевич решил заняться бизнесом — так сказать, по своему профилю.

«Вот оно что! — В мозгу Лизы пронеслась вереница мыслей. Факты сами собой стали складываться в логическую цепочку. — Значит, колдун в советское время служил в секретной комиссии, занятой телепатами-экстрасенсами! Не там ли он про мою тетю узнал? Или даже с ней познакомился? Значит, он заранее догадывался о моих ведьминских способностях? Что они передались мне по наследству от тети Талочки? Значит, он хотел со мной увидеться? И наша с ним встреча подстроена? Вот это да!»

А нефтяной король продолжал вещать:

— ...Так как товарищ Иванов сам колдовскими способностями не обладал, он привлек к себе на помощь всяких бандюганов. Чтоб они его заказы на «магическое устранение конкурентов» выполняли...

— Ты знаешь, — прошептала Лиза, — он ведь и меня хотел устранить...

— Магически? — усмехнулся Макеев.

— Ага, — кивнула Лиза, — железным прутом по голове.

— Не пострадала?

— Меня спасли.

— Слава богу... А еще колдун приворотом занимался: мозги пудрил всяким дурочкам — типа моей Ленки Головиной...

— А откуда он твой распорядок дня узнал? Когда ты будешь на переговорах в «Балчуге»?

— Он моим ребятам из службы безопасности раскололся, что с помощью какой-то хакерши.

— Хакерши?

— Да, бабы какой-то.

Смутная догадка забрезжила в мозгу Лизы: «Может, колдуну помогала жена моего художника?» — и она спросила:

— А как ее фамилия, этой хакерши?

— Вопросы не моего уровня, Кузьмина, — поморщился олигарх.

— Какие тогда вопросы — твоего уровня? — улыбнулась Лиза. Ей нравился олигарх, но непонятно было, с чего это он вдруг так разоткровенничался. Наверное, потому, что она ему тоже нравится?

Макеев строго сказал:

— Мой уровень — стратегические решения.

— Например? — улыбнулась Лиза.

— В данном контексте, например, — строго проговорил нефтяной магнат, — мои люди провели беседу с Кириллом Мефодьевичем. И конкретно объяснили магу ситуацию. Сказали, что ему пора со своим бизнесом завязывать. Все. Деятельность его закончена. Отныне, и присно, и во веки веков.

— Да? — изумилась Лиза. — И он что, послушался?

— Меня все слушаются, — произнес олигарх тихим голосом — в нем не было ни грана самоиронии: наоборот, одно лишь осознание тяжести и величественности взваленной на плечи ноши. Лиза хотела было рассмеяться заявлению магната, словно удачной шутке, но потом поняла, что тот как никогда серьезен, и прикусила язычок.

— Что ж это ты так резко с Кириллом Мефодьевичем обошелся? — поинтересовалась Лиза. — Он тебе лично ничего плохого не сделал.

— Не надо было в мою жизнь лезть, — сказал магнат, как припечатал. — Нечего тут в нашей Москве бедлам устраивать. Хватит с нас другого быдла: ореховских, тамбовских и прочей шушеры! Теперь, что, еще *магические* появятся?! Хватит, баста!

«Ну, прямо государственный муж», — иронически подумала Лиза, глядя на пышущее неподдельным негодованием чело магната, но озвучивать свою мысль благоразумно не стала.

— Ладно, — хлопнул по столику ладонью нефтяной король. — Это все лирика. А я хотел бы прояснить, какова все-таки твоя роль в этом деле.

— Какая там роль! — рассмеялась Лиза. — Говорила же тебе: я — немножко ведьма. Только, в отличие от Кирилла Мефодьевича, настоящая. Умею чуть-чуть будущее предсказывать. Иногда в точку попадаю, а иногда промахиваюсь. Вот мне и показалось, что с тобой что-то в тот день случится. Я думала: плохое. Потому к тебе и прорвалась и обо всем рассказала. Но я ошиблась. Ошиблась со знаком. Плюс перепутала с минусом. С тобой действительно в тот день что-то случилось. Но не плохое, а хорошее. Хорошо, правда ведь, что ты эту свою Ленку встретил?

— Положим, хорошо. Но я все равно понять не могу: зачем ты ко мне приходила?

— Я же тебе говорю: предупредить. Я твою фамилию в списке у Кирилла Мефодьевича увидела. Случайно. А с двумя людьми из того списка колдун уже расправился. Вот и решила тебя... — Лиза промедлила, подбирая нужное слово, а потом неуверенно закончила: — ...спасти, что ли....

Магнат, внимательно всматривающийся в Лизино лицо во время этого монолога, протянул:

— А ведь ты не врешь...

В голосе его звучало искреннее изумление.

ВСЕ-ТАКИ ОБЕД

После того как отношения были выяснены, магнат повеселел и пригласил Лизу в ресторан — здешний, гостиничный. Заказал две дюжины устриц и бутылку «Шабли». Был довольно мил и рассказывал анекдоты из жизни высоких российских сфер. Анекдоты были бы хороши, если б Лиза знала всех действующих лиц — которых Макеев называл не по фамилиям, а по кличкам. Ну, «Чубик» и «Миша Два Процента» — еще было понятно, о ком речь. А вот кто такие «Борода» и «Сухарь» — оставалось только гадать.

Под конец ужина, когда принесли десерт, магнат неожиданно сказал:

— Я хочу тебя отблагодарить. Тебя никто не заставлял ко мне в офис прорываться, предупреждать меня... Странное ты проявила великодушие — в наши-то меркантильные дни. Говори: чего хочешь? — И он испытующе уставился на Лизу.

— А в каких пределах я могу просить? — кокетливо прищурилась она.

— В пределах разумного, — пожал Макеев плечами.

— А где у тебя кончаются пределы разумного?

— В район десяти тысяч долларов, — быстро сказал магнат.

Лиза с некоторым разочарованием выдохнула:

— Теперь я понимаю, почему у тебя так много денег.

— Ну, и?

— Потому что ты умеешь их считать, — галантно проговорила она.

— Да. Это правда, — кивнул олигарх с самым серьезным видом. — Итак, чего тебе хочется?

— Я хочу поездку в Вену, — быстро сказала Лиза. — Отель пять звезд, билет первого класса, карманные расходы. Сроком на месяц.

— На меся-яц? — озабоченно протянул олигарх. — Если на месяц, то в смету не уложимся.

Лиза расхохоталась. Временами ей казалось, что она не с живым человеком имеет дело, а с ходячим арифмометром.

— Тогда пусть четыре звезды и эконом-класс... Насколько позволяет *твоя смета*, — она иронически выделила последних два слова.

— Что ж, о'кэй.

Магнат с деловой миной записал пожелания Лизы в электронный ежедневник, затем спросил:

— Могу я узнать, что тебе понадобилось именно в Вене?

— Догадайся с трех раз, — пожала она плечами.

— Я думаю, там проживает твой сердечный друг.

— В точку, — улыбнулась она.

— Я мог бы догадаться, — вздохнул магнат. — Все порядочные девушки уже заняты. *Он* хоть россиянин?

— Да.

— И то слава богу. Билет тебе нужен «туда-обратно»?

Лиза секунду подумала, а потом уверенно произнесла:

— Нет, в один конец.

ЛИЗА. ДНЕВНИК

*6 мая 20** года.*

Он поразил меня в самое сердце? Он украл мою душу? Он — мое второе «я»? Что ни скажи — на бумаге получаются одни банальности... Поэтому я не буду писать про любовь и напишу только о том, что мне — страшно. Страшно потому, что у нас Женей все *так хорошо,* как в реале обычно не получается. Настоящая жизнь — это не романтическая история, и «они жили долго и счастливо, а потом умерли в один день» бывает только в сказках... Вот человек странный зверь! Ему — классно, а он, вместо того чтобы радоваться, боится каких-то гипотетических будущих неприятностей... Но я, правда, боюсь, потому что так, как у нас с Женей, не бывает! И что я буду делать, когда и если *то, что происходит между нами,* вдруг растворится, исчезнет?!

Сегодня поздно вечером, когда Женя привез меня домой, мы с бабушкой сели пить чай.

Мы давно не говорили с ней по душам, а за последнее время со мной произошло столько всего удивительного, нового и загадочного, что сегодня я твердо решила побеседовать с бабулей. Я даже купила по дороге домой бутылку сухого вина — чем старше бабушка становилась, тем с большим удовольствием выпивала и при этом не пьянела вовсе. И вот вечером мы с ней уселись на кухне, я принесла красивые фужеры и откупорила бутылку. Начала я с того, что спросила, как она относится к перспективе пожить в Вене.

— Если ты будешь водить меня в Оперу, — ответила хитрая старушка, — тогда я с удовольствием.

Нет, я ее все-таки обожаю!

И я рассказала ей все происшествия последнего времени. Бабушка — ведь самый близкий мне человек. Я начала с визита к колдуну. Потом поведала обо всех невероятностях, которые со мной случились. И как я вдруг стала понимать язык индусов, и как довела до ручки Ряхина, и как «увидела» подробности личной жизни автобусной кондукторши. И про платье в подарок из бутика, и про Красавчика, и как я узрела всю его подноготную. Рассказала про второй визит к колдуну, его угрозы и наш с ним «поединок», и про то, как я стала предупреждать людей, внесенных в его список, и что из этого вышло...

Старушка слушала меня с живейшим интересом и участием, а потом по ее лицу вдруг потекли слезы. «Что ты?!» — бросилась я к ней. Она утерла слезки платочком и произнесла: «Значит, гены Талочки все же сказались. Я так боялась, что их унаследует твоя мама — но ничего, бог миловал. А они все-таки достались — тебе».

— Значит, ты мне веришь?! — воскликнула я.

— А почему же я тебе, миленькая, должна не верить? — сказала она и погладила меня по лицу своими слабенькими, дрожащими пальцами.

— И ты веришь, что у меня могут быть такие способности?

— Ведь я же видела их у Талочки, а теперь ты рассказываешь про себя. Как же я могу не верить двум самым дорогим мне людям?

— А как ты все это можешь объяснить?

Бабулечка задумалась, а потом проговорила:

— Я думаю: все мы, обычные люди, — слепцы. А вы с Талочкой — чуть-чуть прозрели.

Я не стала говорить бабушке, что, по моему обоснованному подозрению, колдун откуда-то знал историю Талочки. Вернее всего, по своей прошлой работе в таинственной секретной организации. А может, он даже знал ее лично... Нет, я совсем не собиралась грузить старушку этим. Она забеспокоится, не заснет, станет плакать по своей любимой, канувшей в Лету сестренке... Вместо признания, что таинственная нить соединила меня с никогда не виденной мною Талочкой, я спросила:

— А как ты думаешь: при чем здесь колдун? Почему после моего похода к нему все началось?

— Жулик он, твой колдун! — в сердцах воскликнула бабушка. — Самый настоящий шаромыжник!

— Думаешь, он к моим способностям отношения не имеет?

— Да где ему там! Он, наверное, всю жизнь искал такого человека, как ты. Чтоб запугать его, прибрать к рукам, а потом чужими дарами пользоваться. И простых людей обманывать, деньги зарабатывать!

В голосе бабулечки звучала такая убежденность, что я только для порядка возразила:

— Но ведь все *действительно* началось после моего визита к нему.

«Может, — подумала я, — у колдуна и вправду есть аппаратура, которая обостряет и раскрывает экстрасенсорные способности? Может, они там, в своей секретной комиссии, что-то изобрели?»

— Ни при чем тут твой колдун! — с жаром воскликнула бабушка. — И голову себе не забивай! Все не так было! Вот представь себе: если человек почти слепой и видит еле-еле — в какой момент он может вдруг прозреть? И видеть хоть что-нибудь? Ведь не в сумерках же. Не в потемках. Наоборот, на ярком-ярком свету! При вспышке молнии! Вот и ты стала видеть, когда вокруг тебя молнии засверкали!

Я подумала, что бабуля заговаривается, и переспросила:

— Какие такие молнии?

— Да молнии — в душе твоей сверкали! В ней что-то происходило — яркое. Неуспокоенность, страсть! Молнии — это эмоции твои. Это любовь твоя. Сначала — к Красавчику, к Нику этому, а потом — к Евгению.

Я, наконец, поняла бабушкины аллегории и спросила:

— Значит, ты хочешь сказать, что, если бы я была холодной, как рыба, — никаких экстрасенсорных способностей у меня бы не появилось?

— Не появилось, — убежденно покачала головой бабушка. — Конечно же, нет.

Мне понравилось ее объяснение, и сейчас, ночью, когда я записываю его и снова обдумываю, оно нравится мне все больше.

— Значит, — спросила я (тогда, вечером), — когда во мне все перебурлит и перестанут искры вокруг меня сыпаться, все мои дары на нет сойдут?

— Наверное, — очень серьезно ответила бабулечка. — И дай тебе бог, Лизочка, чтобы все кончилось. Дай тебе бог.

Потом наш разговор принял другой оборот, и я рассказала бабушке про то, как на меня вчера напал в нашем подъезде мерзавец и как меня спас Женя. Бабулечка только ахала, а потом снова заплакала. Мне пришлось обнять ее за плечи и успокаивать и снова налить ей вина. А потом, когда она пришла в норму, мы с ней заговорили о самом сокровенном: о моем Жене. Я спросила, понравился ли он ей. И она ответила, что он лучше, чем кто-либо из моих прежних парней.

— Он великолепный, — сказала она. — Добрый, простой и умный. И очень любит тебя.

Для меня слова бабушки были как мед по сердцу. Я в самом деле всегда очень прислушивалась к ее мнению.

— Но ты же видела его всего пять минут! — воскликнула я, смеясь. — Как же ты успела его понять?

— Попрошу не забывать, — отвечала она лукаво, но в то же время с необыкновенным достоинством, — что я — сестра ведьмы. И — бабушка ведьмы. Поэтому иногда тоже обладаю способностью видеть людей насквозь.

— Бабулечка, — осторожно спросила я. — А как ты думаешь: то, что между нами... это навсегда?

И бабушка серьезно ответила:

— Все от вас зависит, Лизочка. От вас обоих. — И тут же меня успокоила, добавив: — Думаю, что все-таки навсегда. Если будете беречь свои чувства.

Затем я решила быть совсем уж откровенной и поведала бабушке чужую тайну. То, что беспокоило меня в жизни Жени больше всего: о тех странных вещах, что преследовали его в Москве: сайте «Кукушечка-два», письме о самоубийстве, написанном его собственным почерком...

— Как ты думаешь, бабушка: что это с ним было? И что все это значит?

Бабулечка ничего не ответила на мой вопрос, и тогда я переменила тему. Мы стали мечтать, как будем вместе жить в Вене: гулять по Рингу и Грабену, ходить в Оперу и кататься на фиакре. А потом, когда я уже решила, что мой вопрос о странных событиях в жизни Евгения забыт и остался без ответа, бабушка вдруг спросила:

— А когда с Женечкой все эти непонятности происходили?

Я сразу поняла, что она имеет в виду, и пожала плечами:

— Недавно. В апреле. Точного числа я не знаю.

— То есть примерно в те же самые дни, когда в тебе стали открываться необыкновенные способности, — резюмировала старушка, а потом хитро улыбнулась и проговорила: — А, может, это ты натворила?

Я была поражена до глубины души, чуть бокал из рук не выронила:

— Я??!

— Да, ты. Непроизвольно, конечно. Сама того не желая. И ничего об этом не подозревая.

— Но зачем мне это делать?! Даже нечаянно??!

— Твое внутренне «я», твое подсознание искало с ним встречи, — рассудительно сказала бабушка. — Но ты сама, твой разум не знали про него ничего. Не знали, кто твоя любовь, где она, твоя вторая половинка, как выглядит и что делает. И тогда твоя «ведьминская» натура стала подстраивать с ним встречу...

— Что ты такое говоришь... — пробормотала я.

— Сама посуди: если б у Евгения все было нормально здесь, в Москве, — он не сорвался и не уехал бы в Вену. И твоя подружка Серебрякова не дала бы тебе его фотографию. И ты заочно не влюбилась бы в него. И не узнала бы его на скамейке в Вене. Прошла бы мимо. И вы бы никогда не встретились.

— То есть ты хочешь сказать, что я вмешалась в его жизнь? И сама себе — его наколдовала?! — пораженная, переспросила я.

— Естественно, — пожала плечами старушка.

Но все равно: во время разговора я не поверила ее объяснению ни на гран. Однако сейчас, ночью, когда я стала обдумывать эту беседу и тысячи других вещей, происшедших со мной в последнее время, я начинаю понимать, что не так уж бабуля и неправа. Со мной случилось столько необычайностей, что вполне можно поверить в еще одно чудо. В самом деле: разве я хотела понять разговор индусов в маршрутке? Или увидеть подноготную своего Красавчика? Нет, совсем не хотела. Оно получилось само. Помимо моей воли. Тогда почему не предположить, что мое второе, темное «я», устраивало с Женей дикие шуточки?

Но если так: берегись, Евгений! Только попробуй меня обидеть! Только посмей оскорбить! Превращу тебя в жабу, в соляной столб, в бронзовый памятник! Ты еще пожалеешь, что связался с ведьмой!..

Правда, вскоре мои мысли приобрели другое направление: неужели я все-таки могла — пусть даже неосознанно — причинить зло хорошему человеку? Неужели мое подсознание способно для достижения своих целей травить замечательного парня? Неужели я посмела откалывать такие подлые штучки? Нет, нет и нет! Я не могла в это поверить.

Но раз это не я, мне надо узнать — кто. Узнать — хотя бы даже для того, чтобы оправдать саму себя. Выведать — не для того, чтобы установить справедливость, а чтобы не мучиться угрызениями совести. Особенно в отношении любимого человека.

Глубокая ночь и тишина способствовали сосредоточению. И я взяла фотографию Жени, поцеловала и легла на кровать, а ее положила на грудь. Я закрыла глаза и попыталась настроиться на его волну. Сперва ничего не получалось. В голове проносились ненужные, чужие образы: магнат Макеев с бокалом «Шабли» в руках; Дроздова, что-то выговаривающая мне; Красавчик, идущий по коридору «Сельпроекта»... Эти картинки пролетали в бешеном темпе, одна сменяя другую, словно кто-то внутри меня быстро-быстро переключал телевизионные каналы. И вдруг мелькнуло нужное: Евгений. Он сидит за компьютером в какой-то комнате — я присмотрелась и узнала его квартиру. Я попыталась задержать это изображение. Я видела его милые глаза, устремленные на экран монитора. Я мысленно приказала себе: проникни в него! Почувствуй и недоумение, и горечь, и страх. Почувствуй все, что испытывал он тогда — в те дни, когда *странное* атаковало его. Не знаю как, но мне, кажется, удалось настроиться на его волну. В голове начали проноситься фразы: «Вам осталось жить-поживать... Ваша кредитная карточка заблокирована... Судьба распорядилась именно так, и я чувствую приближение неминуемой смерти...» Кажется, я вошла в образ. Я, словно актер, перевоплощалась в него и чувствовала то, что он чувствовал тогда: его недоумение, непонимание, испуг. Все, что было вокруг меня — моя комната, гардины, люстра, стол, — стало исчезать. Перед глазами полетели образы людей — будто увиденные глазами Жени: кассирша в супермаркете... румяный гаишник... парень по имени Андрюха, похлопывающий его по плечу... И вдруг все их сменило лицо женщины: остренький носик, очки, маленькие глазки. Я почувствовала, как от этой женщины, не знакомой мне, исходят волны злобы и отчаяния. Она сидит за компьютером, барабанит по клавишам. По монитору плывут символы-операторы какого-то языка программирования. И в тот же момент в моем мозгу будто отпечатывается: женщина за компьютером — жена Евгения Боголюбова. Она его давно разлюбила, но чувствует по отношению к нему досаду, и злость, и желание за что-то отомстить...

И тут картинка будто бы рассыпалась у меня на глазах. Я увидела, что лежу на своей кровати. Перед глазами гардины, люстра, часть моего письменного стола. Халатик, что надет на мне, весь мокрый от пота. Сердце стучит часто-часто. Во рту пересохло. И я вдруг понимаю, что мне только что привиделся *ответ*. И разгадка настолько ясна, что не подлежит даже малейшему сомнению. И она звучит так:

«Все шуточки вокруг Жени выстраивала его жена. Его бывшая супруга. У нее был мотив: злость на него, и обида, и ревность. И у нее была возможность: она — компьютерщица и поэтому в состоянии и базу данных ГИБДД взломать, и кредитку заблокировать, и сайт «Кукушечка-два» организовать».

Теперь я твердо знала: во всем виновата она.

Глава 14

ХУДОЖНИК. РАСПЛАТА

Назавтра я возвращался в Вену, но для начала мне следовало отдать все мои московские долги.

Мы встретились с Ириной Дмитриевной, моей бывшей женой, в ресторане «Каретный двор» на Поварской. Она любила, чтобы все вокруг, включая меня, называли ее по имени-отчеству.

Она заказала только кофе. Я — бокал вина.

— Зачем ты меня позвал? — резким голосом спросила она.

— Объясниться.

— В чем нам теперь с тобой объясняться? — усмехнулась бывшая супружница. — Все уж выяснили.

— Зачем ты достаешь меня?

— Я? Тебя? — изумилась она. Изумление выглядело чуть-чуть не натуральным — ровно настолько, чтобы не быть правдой.

— Да, ты — меня. — Я выдержал ее взгляд.

— Я с тобой не желаю иметь ничего общего, — дернула она худеньким плечом.

— Вот как? — проговорил я холодно. — Зачем тогда ты влезала в мой компьютер?

— Я? В твой? — И опять ее изумление оказалось слегка более бурным, чем естественное. И поэтому я определил, что Лиза, увы, права: во всем, что случилось со мной, виновата она, моя бывшая жена. Лиза рассказала мне об этом позавчера. И вот теперь первая жена сидела передо мной, а я холодно выговаривал ей:

— Да, ты влезала в мой компьютер. Пожалуйста, не прерывай меня. Тебя отследили мои друзья — хакеры. Думаешь, ты самый крутой хакер на свете? Нет, имеются и покруче. Это ты устроила на моем компе сайт «Кукушечка-два».

— Бред какой-то.

И опять она самую малость, но переигрывала.

— И из базы данных ГИБДД ты мою фамилию убрала. Знаешь ли, тебя вычислили. Поймали.

Я блефовал. Но с каждым моим словом, по реакции Ирины, по тому, как бледнело ее лицо, с горечью понимал: я попадаю в точку.

— А письмо? — продолжил я. — Зачем это дурацкое письмо о самоубийстве, якобы написанное моим почерком?

— Я не понимаю, о чем ты говоришь, — произнесла она, одним глотком допивая кофе. — Ты зачем пригласил меня? Выслушивать весь этот бред? Ты меня пугаешь, Евгений.

— Я не докончил, — сухо сказал я. — Я понимаю: ты хотела меня уколоть, уязвить, испугать, выбить из колеи. Но ты достигла прямо противоположного результата. Я счастлив.

— Я вижу, — фыркнула она. — У тебя видок, будто ты экстази наглотался.

Стараясь не обращать внимания на ее шпильки, я сказал то, что хотел сказать:

— Благодаря твоим атакам у меня теперь новая работа. И новое место жительства...

— Наверное, на Канатчиковой даче, — хмыкнула Ирина Дмитриевна, и, глядя на ее остренькое лицо в очечках, я в очередной раз спросил себя: да как я мог, пусть давным-давно, полюбить это чудище?

— Нет, — сдерживая злобу, проговорил я. — Я теперь живу в городе Баден, под Веной. И у меня новая девушка. Я люблю ее. И мы скоро поженимся. И все — благодаря тебе.

— Ну, это уж слишком! — воскликнула Ирина. — Ты что, пригласил меня выслушивать эту гадость?!

— Именно, — наслаждаясь, заявил я. — Хотел, чтоб ты порадовалась за меня.

— Ну, хватит!

Она вскочила, задев столик. Фужер с моим вином грохнулся. Красное «Бордо» растеклось по скатерти. Я с трудом спас свои брюки.

— Я не хочу выслушивать этот бред! — Она развернулась и бросилась к выходу.

Однажды, давным-давно, во время подобной ссоры, я побежал за ней, о чем впоследствии много раз жалел. Если Ирина сейчас ждала чего-то подобного, то она серьезно заблуждалась. Ее сегодняшнее бегство лишь подтверждало Лизину догадку: во всех моих неприятностях была виновата именно она, моя бывшая супружница.

Я сел, извинился перед милой официанткой, подскочившей ко мне с салфеткой, и заказал себе еще вина.

ЛИЗА. ДНЕВНИК

*12 мая 20** года.*

Сегодня я пришла к нашему генеральному с двумя заявлениями в руках. Одно — об отпуске, который я планировала провести с Женькой в Вене. Олигарх Макеев не замотал свое обещание и прислал мне ваучер на поездку в австрийскую столицу.

Второе мое заявление было об увольнении. Мы договорились с Женькой, что жить я буду с ним в Австрии. Он, правда, ради моей карьеры готов был даже вернуться в Москву. Но... Почему я, спрашивается, должна дорожить «Стил-Ониксом»? Чего я здесь не видела? Бесконечных придирок Ряхина? Злобных выпадов Дроздовой? Нет уж, голубчики! Буду держаться от вас подальше. Стану добродетельной фрау. Буду художнику кофе варить, рубашки ему гладить. А через год, когда истечет срок его договоренности с меценатом, мы вернемся в Россию, и я найду себе службу поинтересней и поденежней.

А, может, Женька совсем прославится, и тогда я согласна строить свою жизнь целиком в зависимости от его достижений и планов. А что, жена художника — не менее почетная и, возможно, интересная должность, чем маркетолог.

Однако вышло все совсем не так, как я планировала. Когда я пришла со своими двумя заявлениями к нашему генеральному, он нахмурился, но первое — об отпуске — подмахнул. А второе прочитал и... Смял его и кинул в корзину. Прямо в мусор — со словами: «Не подпишу!!»

— Как, Иван Евгеньевич?! — пролепетала я.

— Ты что, себе другую работу нашла? — нахмурился генеральный. — Сколько тебе там платить будут?

— Дело не в этом...

— С начальником не сработалась? Ряха тебя достал?

Я про себя улыбнулась оттого, что директор назвал Ряхина по прозвищу (а я-то думала, что его только подчиненные обзывают!), но честно сказала:

— Дело не в этом. Я выхожу замуж и уезжаю.

— Куда уезжаешь? Когда?

Надо отдать генеральному должное — умеет он, что называется, работать с людьми. В течение пятнадцати минут он вытянул из меня все, что касалось моих планов: выйти замуж, уехать в Вену и жить там с художником.

— Понятно... — протянул он. А потом нахмурился и сказал: — Зайдешь ко мне в три часа.

— А как же мое заявление?

— Иди, Кузьмина, не морочь мне голову.

...Я девушка упорная и пришла к директору в назначенное время с новым, свежеписанным заяв-

лением прежнего содержания: «Прошу уволить меня
по собственному желанию...» «Пусть только попробуют меня не отпустить! — думала я. — Я на них
профсоюзы натравлю, прессу!.. Тоже мне, нашли
крепостную!..» Хотя в глубине души упорное нежелание директора меня увольнять мне льстило.

Когда я явилась к генеральному, там уже сидел
коммерческий директор — тот самый, что пытался
споить меня в самолете Москва — Вена.

— Давай, — хмуро проговорил Иван Евгеньевич,
протягивая руку за моим новым заявлением. «Ну,
наконец-то!» — возликовала я. Но директор перегнул мою бумагу пополам, порвал ее и листочки
снова бросил в мусор!

— Да что ж это такое! — воскликнула я, не на
шутку рассердившись.

— Постой, Кузьмина, не кипятись. Сядь и слушай. Мы тебе новую должность хотим предложить.
Так, чтоб и волки были сыты, и овцы целы...

...Короче, через полчаса я вышла из кабинета генерального совершенно обалдевшая. Директор
предложил мне стать представителем «Стил-Оникса» в Австрии!

Контракты с австрийцами расширяются, объяснил он мне. Концерну нужен представитель в
Вене — следить за поставками, согласовывать ассортимент, определять перспективы. И генеральный, с
молчаливого согласия коммерческого, предложил
эту должность мне! «Конечно, не по твоей прямой
специальности, зато будешь при муже, — прогудел
генеральный. — Придется слегка переквалифицироваться, но ты, Кузьмина, справишься. Ты у нас толковая и цепкая. — Коммерческий директор согласно
кивал. — Зарплату тебе положим — для начала —

тыщу евро, плюс машину, соцпакет, телефон. Давай, Кузьмина, соглашайся. После отпуска сразу, не возвращаясь в Москву, приступишь. Как у тебя с немецким?»

— Практически никак, — призналась я.

— Ничего, курсы оплатим. А пока будешь с фирмачами по-английски изъясняться. С «инглишем» у тебя, как я знаю, порядок.

В общем, я согласилась — да ведь генеральный сделал мне такое предложение, от которого, как говорится, невозможно отказаться. И только потом, вечером, я поняла, что мое начальство здорово на моем назначении сэкономило: во-первых, концерну не нужно для меня жилье в Австрии снимать — жить я и у Женьки смогу; во-вторых, если б им пришлось брать представителя со стороны, тот зарплатой в тысячу евро, как я, явно не удовлетворился бы...

Да, наш генеральный — настоящий капиталист! Из любой невыгодной для себя ситуации — как с моим увольнением — умеет не просто выбраться, а — с наваром для себя! Молодец, что там говорить! И ценного специалиста (меня) для фирмы сохранил, и вакансию представителя в Австрии занял! Да, такому умению мне еще учиться и учиться...

ХУДОЖНИК

Я вернулся в Баден, к своей работе. И вчера закончил свой натюрморт. Он показался мне прекрасным — лучшим, что я сделал в своей жизни.

А сегодня я проснулся необычно рано — едва только рассвет поднимался над Баденом — и принялся за новую работу. Я чувствовал себя великолепно. У меня была настоящая Болдинская осень —

точнее, Баденская весна. Все оттого, что я предвкушал встречу с любимым человеком. Поэтому у меня все получалось. Кисть, казалось, сама так и летает по холсту.

Я и не подозревал, как, оказывается, много сил придает человеку любовь. Любовь — и ожидание счастья.

Ожидание Лизы.

ЛИЗА. ДНЕВНИК

14 мая 20** года.

Сегодня я приходила прощаться с нашим офисом. Он показался мне таким родным, привычным, — и одновременно уже чужим. Мне хотелось — последний и единственный раз в жизни! — войти в контору не спеша. И не нестись пулей по коридору, опаздывая к началу «трудовой вахты», а прогуляться по кабинетам и коридорам, поболтать с коллегами — в кои-то веки не об обувках и не о контрактах, а просто так, ни о чем...

Но мой план полностью провалился.

Едва я прошла сквозь турникет, как столкнулась с Ряхиным. Ну, конечно: как я могла забыть — он ведь именно сегодня обещал триумфально вернуться на работу «после тяжелой и продолжительной болезни»!

Ряхин выглядел шикарно: лечение в президентской больнице явно пошло ему на пользу. Разрумянился еще больше, а живот отрастил такой, что костюм ему пришлось купить новый, уже на размер, а то и на два больше, чем до болезни. А важности сколько! Шествует по коридору, как безразмерная баржа, расчищая путь своим огромным пузом. Простые смертные, кто попадает на его траверз, испуганно расступаются, а отдельные подхалимы даже угодливо кланяются.

Я, конечно, ни отступать, ни кланяться не стала. Поздоровалась, вежливо спросила:

— Как ваше здоровье, Аркадий Семенович?

Хотя можно было не спрашивать: у больных людей такой *ряхи* не увидишь. Впрочем, он на мой вопрос не ответил. Презрительно дернул плечом (отчего все могучее тулово заколыхалось) и констатировал:

— Опять опаздываешь, Кузьмина.

Вот это приветствие — а ведь мы столько не виделись, и я за него беспокоилась, и искренне желала, чтобы Ряха выздоровел!

— Я не опаздываю, Аркадий Семенович. Я у вас больше не работаю.

Он так и замер: стоит недвижим, только жирные щеки трясутся. Осложнение, что ли, после болезни? Не понимает с первого раза? И я повторила:

— Я в вашем отделе больше не работаю.

— Вот как, — наконец отреагировал Ряхин.

По его лицу пробежала целая гамма настроений: недоумение, досада... и наконец торжество. А я-то, дура, надеялась хоть на искорку сожаления! И на вопрос: «Но почему, Кузьмина?! Почему ты уходишь? Чем мы тебе не угодили?»

Но вместо этого Ряхин хмуро спросил:

— А зачем ты тогда явилась?

Вот это разговор у нас получается! Я изо всех сил постаралась скрыть и разочарование, и обиду. Сухо ответила:

— Хочу забрать свои вещи и попрощаться.

Против этого ему возразить было нечего. Кивнул, процедил сквозь зубы:

— Что ж... тогда пошли.

Вот и плакала моя «неспешная прогулка по коридорам» — пришлось сразу семенить в отдел, поспешая за могучими шагами Ряхина, да еще и беседу вести. А все мои беседы с шефом — хоть до увольнения, хоть после — никогда не проходили мирно и гладко. И хотя Ряха уже не имел права на меня наезжать, он хмуро изрек:

— Концепцию по Усачевой ты так и не переработала.

Да разве до его дурацкой концепции мне было в последние дни?! Больше всего хотелось ответить коротко и ясно: «Да пошел ты!» Но не буду же я в последний день в головном офисе устраивать склоку! Воспитание не позволяет, да и, честно говоря, смелости недостает. Вот и пришлось виновато улыбаться и блеять:

— Нет, Аркадий Семенович, я не успела. Но я не сомневаюсь: Антонина Кирилловна с этой задачей справится лучше.

Ряхин твердо ответил:

— Я в этом тоже не сомневаюсь.

А я пригляделась к самодовольной физиономии шефа и увидела, как по ней пробежала тень. И порадовалась: похоже, соврал мне Ряхин. Понимает он, кажется, что за никчемная штучка эта Дроздова. Въехал, что Кирилловна годится на роль сиделки или ретранслятора начальственных указаний. А вот чтобы концепцию разработать — у нее мозгов явно не хватит.

Но разве Ряхин когда признается, что не прав? Нет, тут же снова начал кусаться. С презрением спросил:

— Могу я узнать причины, по которым ты уходишь?

— Можете, — кротко ответила я. — Я выхожу замуж и уезжаю в Вену.

Ни тени интереса — только новый ушат презрения.

— Значит, свою карьеру ты завершила?

— Завершила? С чего вы взяли? — искренне удивилась я.

— Ну, а как же иначе? — снисходительно произнес шеф. — Раз замуж, да еще и в Европу, значит, у тебя теперь другая планида будет. Кирха, киндер, — он замялся — видно, забыл, как будет по-немецки окончание фразы — и добавил на русском: — Кухня.

Вот проклятый шовинист! Но неужели я ни разу в жизни этого противного Ряхина так и не отбрею?

— В кирху я не хожу. Киндера мне заводить пока рано, а на кухню возьму помощницу по хозяйству, — спокойно ответила я.

— А сама чем заниматься будешь? — В ряхинских заплывших глазках впервые мелькнули искорки любопытства.

— Как чем? Работать. — Мне с трудом удалось скрыть злорадство в голосе.

— Работать? В Вене? И кем же? Посудомойкой? — С каждым новым вопросом тон Ряхина становился все надменнее.

— Ну почему же сразу посудомойкой, — спокойно ответила я. — Главой австрийского представительства «Стил-Оникса».

— Ты шутишь, — утвердительно произнес Ряхин.

Его румянец, усилившийся за время болезни, таял на глазах.

— Я никогда не шучу, когда дело касается работы, — заверила я. — Вчера генеральный подписал приказ.

В этот момент мы и подошли к отделу маркетинга.

Ряхин — кажется, мне все-таки удалось его прошибить — так разозлился, что не только дверь передо мной не распахнул, но и для верности оттеснил на входе плечом. Вот и он, мой отдел, такие милые, привычные лица. Даже Дроздову — и ту приятно повидать, если практически в последний раз...

Впрочем, она на меня не обратила никакого внимания. Тут же вскочила из-за стола, радостно запищала:

— Доброе утро, Аркадий Семенович!

Коллеги — вот противные карьеристы! — тоже заблеяли: «Здравствуйте, Аркадий Семенович!» А меня — будто и нет. И только верный Мишка Берг не предал — его бас легко перекрыл писк Дроздовой и поддакивание остальных прихлебателей:

— Привет, Лизка! Рад тебя видеть!

Ряхин хмуро посмотрел на Берга, но тот бесстрашно выдержал его взгляд и еще громче сказал:

— Я тут макетик по Усачевой нарисовал... Подходи, покажу!

Дроздова немедленно скорчила кислейшую мину и напустилась на Берга:

— Михаил! Не будете ли вы так любезны продемонстрировать свой макет прежде всего Аркадию Семеновичу?

Тут уж даже Ряхин не выдержал — метнул в подхалимку Дроздову уничижительный взгляд. И коллеги-карьеристы не удержались: принялись хихикать. А Мишка послушно откликнулся:

— Ой, здравствуйте, Аркадий Семенович! Не угодно ли вам посмотреть макет по Усачевой?

Ряхин ему, конечно, не ответил. Сухо приказал:

— Попрошу прекратить балаган.

И, ни на кого не глядя, прошествовал в свой кабинет.

А Дроздова патетически воскликнула:

— Как ты можешь, Миша! Аркадий Семенович после болезни, ему нельзя нервничать!.. А ты так себя ведешь!

«Ну и цирк!» — подумала я.

И, наконец, поняла, какой была дурой.

Да гораздо раньше нужно было уходить из этого отдела! Потому что, как только в нем воцарились Дроздова и Ряхин, сразу стало ясно, что нормальной работы не получится — одни подковерные игры в духе советских парткомов. А бедного Мишку жаль ужасно — он талантливый, но, как и все творцы, не понимает, что никакой талант не спасет, если будешь начальство злить...

Я подошла к его столу и тихо сказала:

— Зря ты их дразнишь, Мишка...

А он грустно посмотрел мне в глаза и вдруг ответил:

— Но это же... это же ради тебя! — И горячо добавил: — А для тебя — я что угодно сделаю!

Я так и опешила: Мишка, такой иронично-циничный и равнодушный... Он, так я всегда думала, просто хорошо ко мне относится — но сейчас, вглядываясь в его глаза, я вдруг прозрела: да он же в меня влюблен! А я работала с ним бок о бок и ничего не замечала... И сейчас стою, как глупая корова, назидательно повторяю:

— Нельзя так, Мишенька. Власть-то — у них, так что играть надо по их правилам.

— Да плевать мне на власть! — горячо зашептал Берг. — Они не имеют права над тобой издеваться! И я всегда буду тебя защищать!

И тут — в самый неподходящий момент — я и ляпнула:

— Все, Мишка, проехали. Я теперь в отделе больше не работаю.

И объяснила, почему: замуж, Вена...

Никогда не забуду Мишкиного лица. Что оно выражало? Обиду, разочарование, гнев? Я этого так и не поняла... Но мне очень захотелось как можно быстрей собрать со стола свои фотки с безделушками и немедленно ретироваться. И больше никогда сюда не приходить.

Я только пробормотала напоследок Мишке: «Я буду тебе писать. И звонить».

Так что не получилось у меня никакого душевного прощания, и скорби на лицах начальства я тоже не дождалась... Даже с «самой последней» чашечкой кофе в нашем буфете — и то вышел полный облом. Едва я заглянула туда, как увидела: за центральным столиком восседает предмет моего недавнего вожделения — красавчик Ник. А рядом с ним — кокетка Люська из отдела продаж. Обволакивают друг дружку томными взглядами, а Люськина лапка покоится в сильной руке Ника... Я этого Ника, конечно, в гробу видала — но пить кофе рядом со сладкой парочкой мне, разумеется, не захотелось. Я тихо выскользнула из буфета и быстренько пошла прочь. В общем, не задалось у меня прощание с родным офисом. Совсем не таким получилось, как я представляла...

...Прощальный ужин с Сашхен тоже пошел не так, как я планировала.

Перед встречей с ней я долго думала, как построить разговор. Во-первых, мне очень надо было выведать у нее одну вещь. А кроме того, я решила: развязка нашей с Сашкой дружбы получается несправедливой. Я уезжаю, вся на подъеме и на белом коне:

Вена, замужество, грядущая карьера в европейской столице... А лучшая подруга остается в холодной, неуютной Москве. Без мужа и на рядовой, в общем-то, должности. Разве так будет честно? И я постановила: не брошу Сашку, не забуду ее. И пообещаю ей: как только закреплюсь в Австрии, то обязательно подберу вакансию и подруге. Вызову ее в Вену. Найду для нее недорогую, но уютную квартирку. И помогу получить рабочую визу. В общем, дам подружке шанс.

Я радостно предвкушала, как обрадуется моему предложению Сашхен. Как зарумянится, зальется в благодарностях. Как поднимет тост «за настоящих друзей»...

Встретиться мы договорились в «Пушкине». Ресторан, конечно, не из дешевых, но али мы не крутые девчонки, али не достойны крахмальных салфеток да красавчиков-официантов? К тому же кухня в «Пушкине» русская, а Сашка сказала, что я просто обязана напоследок побаловаться винегретиком да селедкой.

— А то будешь в своей Вене давиться сосисками и квашеной капустой, — пророчествовала подруга.

Мы заказали абсолютно все русское: суточные щи, соленые огурчики «из бочонка», утку с гречневой кашей.

— Пить тоже будем в национальных традициях, — предложила я.

— Квас? — уточнила Сашхен.

— Квас и водку, — усмехнулась я.

Вообще-то мы с Сашкой предпочитаем светлое пиво или домашнее вино, но раз уж решили кутить по-русски...

— Нет, водку я не буду, — твердо сказала Сашхен.

— Почему? — удивилась я. — Под огурчики да под утку?

Очаровашка-официант терпеливо ждал, пока мы определимся с заказом.

— Пожалуйста, мне только квас, — попросила его Сашхен.

— Ну, а мне водочки. Грамм пятьдесят, — без энтузиазма предложила я: пить в одиночку — это совсем неинтересно.

В ожидании, пока нам принесут закуски, я спросила у подруги:

— Помнишь, ты мне давала телефон колдуна?

— Ну, конечно.

И тогда я, решив не лукавить, напрямик спросила Сашхен:

— А *почему* ты дала его именно мне?

— Как почему? — удивилась (вроде бы) Сашка (но глаза у нее забегали). — Я видела, что у тебя в жизни нескладуха, и решила тебе помочь.

— А сам колдун? Он спрашивал тебя — обо мне?

— Ну, в общем... — промямлила Сашхен, как бы припоминая. — В общем, да... Он спрашивал, есть ли у меня подружки, я и рассказала — естественно, про тебя. Про кого мне еще рассказывать! А что?

— И Кирилл Мефодьевич попросил, чтобы ты привела к нему меня, — утвердительно проговорила я.

— Не помню, — мотнула головой Сашка, но по всему ее виду я поняла: врет.

— Просил-просил, даже умолял, — сказала я.

Сашхен не возразила, и потому я поняла, что моя догадка оказалась верной.

— А ты, при случае, всучила мне его телефон, — продолжала я. — И настояла, чтобы я с ним встретилась.

— А что тут такого? — вспыхнула она. — Разве он тебе не помог?

— Помог-помог, — заверила я. — И ты мне очень помогла. И я тебе за колдуна, в общем-то, благодарна... Ладно, проехали...

Итак, я оказалась права, и, значит, вырисовывалась очень четкая цепочка: Кирилл Мефодьевич в прошлом служил (по словам олигарха Макеева) в «очень секретной организации, занимающейся экстрасенсами». Там он, вероятнее всего, и узнал про необыкновенные способности моей тетушки Талочки. И когда он начал «практиковать» самостоятельно, то решил отыскать теть-Талочкиных молодых родственниц — резонно предполагая, что ее ведьминские способности могли передаться по наследству. И вот нашел — меня. И через Сашхен, используя ее втемную, добился того, чтобы я на него вышла... А дальше... Дальше — все известно. Я пришла к нему, и началась в моей жизни вся эта катавасия. Только в одном лжеколдун ошибся. Я стала работать не *на* него, а *против него. И закончилось все тем, что олигарх Макеев запретил ему практиковать. Ну, что ж, поделом ему. Будет знать, как связываться с ведьмой...*

...Тут нам с Сашкой принесли огурчики, а также водочку для меня и квас — для нее.

Зла за колдуна я на Сашхена не держала, она не ведала, что творит, поэтому я постаралась выкинуть из головы эту историю и, как только официант отошел, спросила подругу, уводя разговор в сторону:

— Ты что это выдумала? На отвальной — квас пьешь?

— Понимаешь, Лизхен... — Сашка вдруг смутилась.

— Денег, что ли, нет? — предположила я и щедро предложила: — Да брось ты, я угощаю!

— Да нет, не в этом дело, — отмахнулась Сашка. И снова замялась: — Понимаешь, я не хотела тебе раньше времени говорить... Но мы с Артемом... Помнишь, я тебе о нем рассказывала, он в Би-би-ди-о работает... еще мою обезьянку Мадуру себе на память взял... В общем, мы...

— Очередная любовь-морковь? — улыбнулась я. — Так это же здорово! Почему бы и за это не выпить?! Как раз и водку принесли...

— Вот ты бестолковая! — вдруг разозлилась Сашка. И бухнула чуть не на весь зал: — Я беременна!

Тут я так опешила, что даже свою водку пролила. Просто поверить невозможно! Сашка, убежденная карьеристка! Сашка, которая всегда клялась, что если и заведет ребенка, то в американских традициях — после тридцати пяти! Но сейчас-то ей — только двадцать четыре, как и мне! Самое время — работать, и зарабатывать, и продвигаться по жизни!

«Вот дурочка!» — чуть не вырвалось у меня.

Но Сашкины глаза светились таким счастьем и совершенно мне непонятным *предвосхищением*, что оставалось сказать только одно:

— Что ж, поздравляю!

И задать вопрос, которого явно ждала подруга:

— А какой срок?

И выслушать гордый ответ:

— Большой уже малыш! Шесть недель...

Я хотела спросить, что Сашка думает делать с работой и не боится ли, что ее под каким-нибудь предлогом — как часто поступают с беременными — «попросят». Но взглянула на возбужденное, сияющее лицо подруги и поняла: ей совершенно все равно, уволят ее или нет. И на карьеру — даже в Вене, которую я от всех щедрот хотела ей предложить, — Сашке абсолютно наплевать. А мечта у нее одна:

чтобы это непонятное существо, которое сейчас растет в ее недрах, родилось здоровым и выросло красивым и умным...

И я вдруг подумала — откуда только взялась такая дикая мысль?! — что, быть может, тоже не стану делать сногсшибательную карьеру в австрийском представительстве «Стил-Оникса». А мой любимый Женька вряд ли будет настаивать, чтобы я пахала, как лошадь, и сутками пропадала в офисе. И никак не станет он возражать против малыша — с таким же, как и у папы, носом-картошечкой...

Как только я это поняла, то подняла свою одинокую водку и еще раз повторила:

— Что ж, поздравляю тебя, Сашхен! От всей души!

...Ну, вот, все прощания закончены. И теперь остается только туча хлопот. Собрать вещи — это самая малость в сравнении с остальными делами. Нужно обязательно сводить бабушку в собес — узнать, как быть с ее пенсией, и к кардиологу — выяснить, какие принять меры, чтобы старушка легко перенесла перелет. Нужно сходить в «кошачий ОВИР»: я с ужасом узнала, что моему бестолковому коту тоже необходим паспорт — только ветеринарный, — и заполнен он должен быть латинскими буквами: «Name of the feline: PIRAT». Нужно, нужно... В общем, голова идет кругом. А по большому счету: нужно привыкать к тому, что моя жизнь абсолютно изменится. И от грядущих перемен на душе одновременно и страшно, и легко...

Я поняла, что очень хочу, чтобы моя жизнь вместе с Женей текла, как в сказке — «они жили долго и счастливо...». Но бывают ли сказки в жизни? Не потухнет ли наша любовь? Не разочаруемся ли мы друг в друге?

Художник клянется, что все будет замечательно. «Одна проблема: я, кажется, твоему коту не нравлюсь... Но, может быть, он привыкнет?»

Да простит меня Пират, но его привычки и предпочтения меня сейчас волнуют меньше всего. Гораздо важнее: подружится ли Женя с моей бабушкой? Не спалим ли мы свою любовь в пошлых кухонных склоках? И еще: как я буду обходиться без московской суеты и ослепительного зимнего снега, без весенних соловьев, без запаха сирени на Тверском бульваре?..

— Я посажу для тебя сирень, — обещает Женя. — Какую хочешь: хоть сиреневую, хоть белую!

И оттого, что он готов пообещать что угодно, мне тоже становится страшно. А вдруг ему надоест? Вдруг он устанет — любить меня и швырять мир к моим ногам? Вдруг он полюбит кого-то еще?!

...Впрочем, что я разнылась? Я ведь немного ведьма. Если что — и приворожу Женьку, и накажу! Так что поживем замужем — и посмотрим, как оно будет...

А пока — прощай, мой дорогой дневник. Ты останешься здесь, в бестолковой, суматошной Москве. Прощай! Ты делил со мной ночи моих бессонниц и раздумий, был свидетелем моих побед, ошибок и глупости...

Прощай, дневник, прощай!

Это моя последняя запись. Ведь все-таки я нашла любимого человека! Я ВЫХОЖУ ЗАМУЖ!

писать и продать пятьдесят книг общим тиражом в пятьдесят миллионов экземпляров — это, судя по тому, как у них идут дела, задача выполнимая.

«Интерполиция»

...Лаконично, сочно, местами виртуозно. Иногда даже веришь, что так может быть. А это для детектива — высший пилотаж...

«Вечерняя Москва»

...У американских киношников есть такое понятие — саспенс. Это когда происходящее так держит зрителя, что тот ни на секунду не может оторваться от экрана. Литвиновы в совершенстве владеют искусством «держать» читателя. А не это ли главное в произведении подобного жанра?..

«Подмосковье»

Литературно-художественное издание

Литвинова Анна Витальевна
Литвинов Сергей Витальевич

ДАЖЕ ВЕДЬМЫ УМЕЮТ ПЛАКАТЬ

Ответственный редактор *О. Рубис*
Редактор *Т. Семенова*
Художественный редактор *С. Курбатов*
Технический редактор *О. Куликова*
Компьютерная верстка *В. Азизбаев*
Корректор *Е. Самолетова*

ООО «Издательство «Эксмо»
127299, Москва, ул. Клары Цеткин, д. 18, корп. 5. Тел.: 411-68-86, 956-39-21.
Home page: www.eksmo.ru   E-mail: info@eksmo.ru

По вопросам размещения рекламы в книгах издательства «Эксмо»
обращаться в рекламный отдел. Тел. 411-68-74.

Оптовая торговля книгами «Эксмо» и товарами «Эксмо-канц»:
109472, Москва, ул. Академика Скрябина, д. 21, этаж 2.
Тел./факс: (095) 378-84-74, 378-82-61, 745-89-16, многоканальный тел. 411-50-74.
E-mail: reception@eksmo-sale.ru

Мелкооптовая торговля книгами «Эксмо» и товарами «Эксмо-канц»:
117192, Москва, Мичуринский пр-т, д. 12/1. Тел./факс: (095) 411-50-76.
127254, Москва, ул. Добролюбова, д. 2. Тел.: (095) 745-89-15, 780-58-34.
www.eksmo-kanc.ru   e-mail: kanc@eksmo-sale.ru

Полный ассортимент продукции издательства «Эксмо» в Москве
в сети магазинов «Новый книжный»:
Центральный магазин — Москва, Сухаревская пл., 12
(м. «Сухаревская»,ТЦ «Садовая галерея»). Тел. 937-85-81.
Москва, ул. Ярцевская, 25 (м. «Молодежная», ТЦ «Трамплин»). Тел. 710-72-32.
Москва, ул. Декабристов, 12 (м. «Отрадное», ТЦ «Золотой Вавилон»). Тел. 745-85-94.
Москва, ул. Профсоюзная, 61 (м. «Калужская», ТЦ «Калужский»). Тел. 727-43-16.
Информация о других магазинах «Новый книжный» по тел. 780-58-81.

ООО Дистрибьюторский центр «ЭКСМО-УКРАИНА». Киев, ул. Луговая, д. 9.
Тел. (044) 531-42-54, факс 419-97-49; e-mail: **sale@eksmo.com.ua**

Полный ассортимент книг издательства «Эксмо» в Санкт-Петербурге:
РДЦ СЗКО, Санкт-Петербург, пр-т Обуховской Обороны, д. 84Е.
Тел. отдела реализации (812) 265-44-80/81/82/83.

Сеть книжных магазинов «Буквоед»:
«Книжный супермаркет» на Загородном, д. 35. Тел. (812) 312-67-34
и «Магазин на Невском», д. 13. Тел. (812) 310-22-44.

Сеть магазинов «Книжный клуб «СНАРК» представляет самый широкий ассортимент книг
издательства «Эксмо». Информация о магазинах и книгах в Санкт-Петербурге по тел. 050.

Полный ассортимент книг издательства «Эксмо» в Нижнем Новгороде:
РДЦ «Эксмо НН», г. Н. Новгород, ул. Маршала Воронова, д. 3. Тел. (8312) 72-36-70.

Полный ассортимент книг издательства «Эксмо» в Челябинске:
ООО «ИнтерСервис ЛТД», г. Челябинск, Свердловский тракт, д. 14. Тел. (3512) 21-35-16.

Подписано в печать с готовых диапозитивов 25.08.2004.
Формат 84×108 ¹/₃₂. Гарнитура «Таймс». Печать офсетная.
Бум. тип. Усл. печ. л. 20,16. Уч.-изд. л. 15,3.
Тираж 22 100 экз. Заказ № 4533

Отпечатано в полном соответствии
с качеством предоставленных диапозитивов
в ОАО «Можайский полиграфический комбинат».
143200, г. Можайск, ул. Мира, 93.

Анна и Сергей
ЛИТВИНОВЫ